CHAOS BRÛLANT

STÉPHANE ZAGDANSKI

CHAOS BRÛLANT

roman

ÉDITIONS DU SEUIL
25, bd Romain-Rolland, Paris XIVe

ISBN 978-2-02-109153-3

www.seuil.com

Pour Abigaëlle Zagdanski, joie de son père

« La civilisation n'est qu'une mince pellicule au-dessus d'un chaos brûlant. »

NIETZSCHE

Sac d'Os se présente

Je sais, je ne paye pas de mine, assis en tailleur sur le sol de ma cellule. J'attends qu'on me laisse sortir quand ils s'apercevront que Goneril m'a dénoncé à tort. J'ai refusé de lui refiler une de mes doses de dope, alors elle m'a joué un de ses sales tours.

Ce n'est qu'une question d'heures. Je ne suis pas pressé, j'ai tout mon temps. Cela fait longtemps que je suis passé de l'autre côté du Temps. Pas d'avant ni d'après dans mon cerveau en fusion.

Ce ne sera pas la première fois que Goneril invente à mes dépens une histoire de viol. Ou de coups. Ou de vol. Sans beaucoup la croire, les flics doivent suivre la procédure. Ils me gardent ici, à Harlem, le temps d'amener cette exaltée à l'hôpital et qu'un gynécologue l'examine avant d'infirmer, comme à chaque fois, ses accusations.

Je suis si peu sexuel, comment pourrais-je violenter qui que ce soit ! Ma carcasse malingre, mon cœur atrophié, mon âme calcinée sont expurgés de toute libido. Dès l'enfance on m'a vidangé les sentiments, dénoyauté les pulsions. Étripé par la misère, raclé par le malheur, non seulement je n'ai jamais violé personne mais c'est le monde entier qui jour après jour pénètre en moi. Mon corps est une caisse de résonance hypersensible, et rien de ce qui émane des autres âmes ne m'est étranger.

Appelez-moi Sac d'Os.

Je suis celui qui lit dans vos pensées.

Ossature d'encre

Je suis mort trois fois dans ma vie : à trois ans, à neuf ans, et chez Invisible il n'y a pas si longtemps.

Je ne suis qu'un gringalet, un rebut rachitique, un immonde junkie, un pauvre spectre éviscéré, mais ne vous méprenez pas, une énergie rare m'habite. Dans la rue je me meus prestement, sans regarder à droite ni à gauche, sans prêter attention aux yeux consternés des passants qui accusent le choc de mon atroce tatouage.

Que voient-ils ?

UN
SQUELETTE

Une ossature sépia me recouvre de la tête aux pieds, de l'os frontal de mon crâne glabre jusqu'aux phalanges de mes orteils. Par les pans échancrés de mon débardeur saillent mes côtes d'encre. Mes yeux reposent au creux de mes orbites bleuies telles des billes de verre dans la poche d'un poulpe. Vous diriez que Dieu m'a pris entre ses doigts puissants et que, en quelques estafilades de ses ongles acérés, Il m'a épluché vif, dépiauté comme un lapin de garenne. L'articulation intime s'est retrouvée à l'air libre, le reflet superflu s'est évaporé. Personne ne sait plus de quoi j'avais l'air avant de céder la place à ma carcasse.

J'ai perdu jusqu'à l'apparence d'un humain.

En général j'apprécie peu les tatouages. Si on n'est pas maori ou bororo, on n'est qu'un moribond bariolé. Je trouve ridicules ces logos en vogue – idéogrammes muets ou fils barbelés trop parlants… – qui transforment un homme en pancarte de sa propre indigence. Mais le jour où je me fis traiter pour la millionième fois de « sac d'os », je pris la décision de me faire tatouer de fond en comble.

Je prends les mots au mot, c'est ma manie.

C'était peu avant mon admission au Manhattan Psychiatric Center où, lorsque je n'erre pas dehors, j'ai mes pénates et mes habitudes. J'y suis fiché comme souffrant de « psychose hallucinatoire chronique ». Qu'est-ce qu'ils y connaissent, avec leur thérapeutique irascible et stupide, ces malades qui se croient médecins ! Que peuvent-ils savoir de l'alphabet de chair qui parle et remue dans mes organes, me faisant palper l'approche des choses comme un San du Botswana sent goutter sur son échine le sang de l'antilope à bourse qu'il va tuer dans quelques heures.

J'y reviendrai.

Il me fallut pour disparaître plusieurs longues séances chez Invisible, le tatoueur d'Orchard Street. Ça commença par mes mains : le carpe, le métacarpe, les phalanges, tout y est passé. Goneril, à qui j'avais fait part de mon projet, m'avait prévenu que si je me faisais tatouer les mains, je perdrais toute chance de trouver un travail… « Ça tombe bien ! » avais-je rétorqué.

À l'époque, entre deux prises de crack, je passais mes journées à lire en boucle un poème d'Arthur Rimbaud, un errant lui aussi. Dans ce poème, le Français disait : « Jamais nous ne travaillerons, ô flots de feux ! » : *Never shall we labour, o fiery waves !* Je pris cette exclamation à la lettre.

Je prends tout à la lettre, c'est mon défaut.

En quelques jours chez Invisible, mon épiderme fut entièrement recouvert. C'est comme se laisser aspirer lentement par une flaque mouvante et noire. Le tatoueur acheva son œuvre morbide par ma tête. Quand mon visage fut enfin enfoui sous mon faciès d'encre, lorsque j'ai croisé pour la première fois mon aspect de Maori macabre dans une glace, j'ai su que j'avais rejoint pour de bon l'autre Demeure, là où règne la triste mansuétude de ceux qui vous observent et vous jugent en silence.

Cordelia

Je ne vais pas psalmodier la litanie d'horreurs de ma misérable existence. J'ai renié toute parenté, toute amitié, je ne me reconnais aucune patrie, je suis substantiellement indifférent à la communauté des humains. Comme dit Luc, le plus coriace de tous les patients du centre psychiatrique :

« L'humain n'est qu'un mot flasque inventé pour couvrir l'inhumanité du monde. »

J'ai aimé un seul être dans ma vie, ma petite sœur Cordelia. Elle avait sept mois quand notre père l'amena aux urgences du New York Presbyterian Hospital. Elle présentait des contusions aux jambes, une fracture d'une côte flottante, et des hématomes au niveau des parties génitales. Notre père était désespéré, il pleurait toutes les larmes de son corps. Les médecins confirmèrent que notre petit bébé Cordelia avait été violée. Mon père était effondré. Entre deux sanglots, il exigea une enquête pour coincer le coupable, un voisin, assurait-il. Cordelia demeura à l'hôpital. Trois semaines plus tard, les médecins découvrirent de nouvelles blessures, des lésions cérébrales et une jambe cassée. Cette nuit-là mon père avait dormi dans la chambre de Cordelia. Pour la veiller, avait-il prétendu.

Cordelia est morte quelques semaines plus tard. Je n'ai jamais revu notre père. J'avais trois ans, je commençai à m'enfoncer doucement dans l'autre Demeure.

C'est ainsi qu'ayant tout perdu, jusqu'à l'apparence humaine, je n'ai peur de personne et j'ose tout dire.

L'absurde

Ils viennent d'amener un type à la Special Victim Unit. Il est derrière le mur de ma cellule, je l'entends respirer, se racler la gorge. J'ai écouté sa voix quand, après un long interrogatoire au box, un flic lui a demandé s'il désirait boire. Il a calmement dit « non », *no*, le mot le plus anodin de la langue anglaise. Pourtant son timbre de voix m'a vrillé le tympan comme si on y déversait une giclée de cyanure, et mon épiderme s'est hérissé comme après une prise de crack. J'ai immédiatement su qui il était et ce qui lui traversait le crâne. Je suis si proche de lui, malgré la cloison qui nous sépare, que pour un peu je sentirais l'odeur de son after-shave. Il faut dire que ce type mondialement célèbre est facile à flairer. Il suinte le sperme par tous les pores de son être.

Nous sommes le 15 mai 2011, il est 4 heures du matin, à Harlem, dans la ville de New York, aux États-Unis d'Amérique, sur la planète Terre.

Appelez-moi Sac d'Os.

Je suis celui qui lit dans les pensées de DSK.

DSK est allongé sur le lit de sa minuscule cellule. Il ferme les yeux sans dormir. Il ne voit plus rien de toute façon, il a ôté les lentilles jetables qu'il portait depuis le matin – il venait de les mettre quand la femme de chambre l'a surpris –, elles commençaient à lui piquer les yeux. Il préfère méditer dans la vapeur. Tout à l'heure, en s'extirpant de la voiture des deux détectives du Midtown South Precinct qui l'ont amené depuis l'aéroport jusqu'à Harlem, il s'est entraperçu une demi-seconde dans le rétroviseur, et ce qu'il a vu l'a désolé. Sa paupière droite s'est remise à tomber, comme avant cette opération censée le débarrasser de sa ptose palpébrale, opération qui lui a coûté – comme il l'avoue à quelques proches – « les yeux de la tête ».

Il sourit amèrement en pensant à son propre jeu de mots. DSK a toujours aimé les jeux de mots, surtout s'ils ne riment à rien. Gosse, il faisait rire sa sœur Valérie avec une devinette absurde : « Quelle différence entre un élastique et une clé à molette ? Il n'y en a pas, ils sont tous les deux en caoutchouc, sauf la clé à molette. »

Quelle différence entre Tout et Rien quand on était le fringant patron du Fonds Monétaire International le matin et qu'on se retrouve engeôlé dans la minuscule cellule d'un commissariat de Harlem le soir ?

Tout... donc rien.

Tel est l'esprit de DSK. Anne, sa femme, appelle cela son « humour juif ». Ramzi, un de ses conseillers en communication, préfère évoquer la « philosophie de l'absurde d'Albert Camus », expression qu'il a découverte dans un dictionnaire de citations. « Camus est plus présidentiable que Woody Allen », explique-t-il à l'équipe des communicants qui tourbillonnent autour de leur vedette.

DSK laisse dire. Il s'en fout. La devise de son optimisme aveugle, depuis qu'à dix ans et demi il échappa au tremblement de terre d'Agadir, c'est : « Ou ça va, ou ça va. »

Je sais déjà ce qu'Antonin dira de cette lamentable affaire. « Antonin Artaud », c'est son surnom, est un autre pensionnaire du Manhattan Psychiatric Center. Antonin est un fou de poésie, au sens propre : sa schizophrénie aiguë nourrit des visions d'une splendeur patente. Sitôt de retour au centre, je discuterai de DSK avec lui, et il m'assènera sa marotte, les sorts, les envoûtements :

– DSK : Déraisonnable Sybarite Kamikaze... Ignorez-vous, cher ami, que le mot « absurde » vient de *surdus*, sourd ? Y a-t-il pire sourd que l'homme de l'absurde ? Je veux dire, y a-t-il pire sourd qu'un DSK assis à la place 1K dans un avion stationné sur le tarmac de l'aéroport JFK, qui n'entend pas le martèlement kafkaïen de tous ces K ? Savez-vous, Sac d'Os, comment s'appelle le héros du *Château* de Kafka ?

– Non, Antonin.

– K. Il se nomme K., mon cher ami. Et « le Château », dois-je vous l'apprendre, est le surnom du palais de la présidence à l'Élysée. Et savez-vous, Sac d'Os, ce qui arrive à K., dans *Le Château* ?

– Non, Antonin.

– Rien ! Il ne lui arrive rien. Car au Château, il ne pénètre jamais. Kapout le Kamikaze !

Dos tourné

Alan Sandomir et Steven Lane, les deux policiers qui ont courtoisement mais fermement interrogé DSK depuis son arrivée, l'ont prévenu qu'étant donné les chefs d'accusation dont il était accablé, il risquait soixante-quatorze ans et trois mois de prison. Acte sexuel criminel au premier degré : vingt-cinq ans ; comme son sexe est entré en contact avec la bouche de la victime à deux reprises, cela fait cinquante ans. Tentative de viol au premier degré : quinze ans. Agression sexuelle au premier degré : sept ans. Emprisonnement illégal au second degré : un an. Attouchement non consenti : un an. Agression sexuelle au troisième degré : trois mois.

Dans soixante-quatorze ans et trois mois, DSK aura cent trente-six ans. Il tâche de ne pas y penser. Dans un procès, ce qui importe n'est pas la durée mais le moment décisif, celui où prévaut l'art de l'improvisation.

Aux échecs, il appelle cela « tourner le dos à l'échiquier ». Il s'est aperçu qu'à partir d'un certain niveau de jeu, rien ne déstabilise davantage l'adversaire que d'effectuer à l'improviste un coup que le plus nul des débutants n'aurait pas osé. Un coup qui n'anticipe aucune profondeur de jeu – un « gambit suprême », a-t-il baptisé cela lors de ses séances à distance par iPad avec son ami Gilles August –, un coup qu'aucune stratégie ne pouvait prévoir non plus, tant l'absurdité pure est généralement absente de ce jeu royal. Lors de son dernier échange par Internet avec August, dans le lounge d'Air France juste avant de monter dans l'avion d'où les policiers du NYPD allaient aimablement l'extirper quelques minutes plus tard, il avait ajouté, en commentaire à la partie en cours, une phrase de Vladimir Nabokov, lequel inventait des problèmes d'échecs bien avant d'imaginer le coup triomphal de *Lolita* : « Les problèmes d'échecs exigent de leur auteur les vertus mêmes que réclame tout art digne de ce nom : originalité, inventivité, concision, harmonie, complexité, et une insincérité magnifique. » « Je trouve sincèrement magnifique cette "insincérité magnifique" », avait ajouté Dominique.

DSK tourne le dos à l'échiquier. Il se retourne contre le mur de la cellule mais il a du mal à se concentrer sur sa déconcentration. Cette fois-ci, ce n'est pas contre un autre humain qu'il joue, ce n'est même pas contre Shredder, son programme d'échecs sur iPad... c'est contre lui-même ! Ce qui le désole, ce n'est pas de manquer son rendez-vous ennuyeux à Berlin avec l'ennuyeuse Angela Merkel – il l'a surnommée, avec quelques collaborateurs de confiance du FMI, *Langweiliga Merkel*, « Assommante Merkel » –, c'est surtout de rater une interview prévue de longue date avec cette journaliste du *Spiegel*, une brune plantureuse aux yeux verts, comment s'appelle-t-elle déjà ? Inge, c'est ça, Inge. La dernière fois qu'ils se sont croisés, à Washington, il lui a posé un doigt dans le décolleté, juste à la naissance des seins, et descendant lentement son doigt avec autant de délicatesse gourmande qu'il déplace un pion sur l'écran de son iPad, il lui a formulé en allemand : « Savez-vous, adorable Inge, que je pourrais vous enseigner des positions sexuelles dont vous n'avez pas la moindre idée ? » Elle lui avait ôté son doigt avec un grand sourire en rétorquant : « *Herr Generaldirektor*, je suis ici pour connaître votre position concernant la dette de la Grèce… »

DSK se retourne sur le lit de sa cellule. Il s'émoustille en songeant au décolleté d'Inge. Il y a deux choses qui émoustillent immanquablement DSK : une femme qui sourit lorsqu'il lui sort des obscénités, et une femme qui recule quand il s'avance vers elle pour lui malaxer les seins.

Satan s'exprime

Luc est le pensionnaire le plus inquiétant de notre petite communauté de psychos du Manhattan Psychiatric Center. Il prétend qu'« Ifer » est son patronyme et exige le « Monseigneur » quand on s'adresse à lui. Rien ne l'insupporte plus que l'irrespect à son égard, comme le jour où Edmond, l'infirmier en chef, lui déclara : « Eh,

Satan, viens prendre ton chocolat au lait et tes Tranxène ! » Ça le rend proprement fou de rage – ce qui n'est pas peu dire vu l'état de démence furieuse dans lequel il mijote d'emblée quotidiennement.

Avec moi Monseigneur est aimable, courtois, un peu moqueur, parfois irrité, souvent paternaliste. « *The prince of darkness is a gentleman* », cite-t-il souvent.

Mon tatouage le fait sourire.

– Voyons, d'Os ! Question nihilisme, vous êtes un plaisantin…

Du coup, il me confie régulièrement ses pensées, comme à un épigone ou à un diablotin subalterne qu'il aurait à la bonne. Je dois dire qu'il m'intrigue sincèrement. S'il y avait en lui la moindre once d'amabilité et en moi la moindre goutte d'empathie, je pourrais même aller jusqu'à avouer que je l'aime bien. En tout cas je l'interroge souvent, et il me répond.

– Qui êtes-vous, Monseigneur ?

– Qui suis-je ? Bonne question, d'Os. N'espérez pas deviner mon nom, je n'en ai pas. Ou plutôt j'en ai trop. Ils sont légion, pour reprendre la formule d'un de mes plagiaires. Pour commencer, je ne suis pas eux, les humains, dont l'abyssale médiocrité est sans nom. Ce n'est pas « humains », c'est « innommables » qu'on devrait les appeler. Leur meilleure définition c'est encore l'invective : l'*homo ça-pionce*, l'avorton ventriloqué, la brute fluette, le primate bafouilleur, l'homoncule connecté, le mollusque cravaté, l'hommeau ramolli ! Si les humains pouvaient imaginer le mépris que j'ai pour eux, Sac ! Mais l'imagination, c'est précisément ce dont ces microbes hystériques sont le plus dépourvus. La preuve, malgré mille tentatives ils ne sont jamais parvenus à me représenter convenablement. Je ne suis ni le serpent persifleur, ni le bouc bipède avide de ruines, ni le Père du Mensonge qui incite à l'imposture, ni le Prince des Ténèbres surgi du brasier souterrain pour répandre la discorde à la surface de la Terre. Comme s'ils n'étaient pas assez misérables pour se maléficier tout seuls ! L'« Accusateur » ? Quelle perte de temps ! Le procès est gagné d'avance. Pour les accuser, encore faudrait-il qu'ils fussent défendables ! Aujourd'hui, après plusieurs millénaires d'odieuse parlotte humaine, en ce nouveau siècle aux si minables débuts, qui oserait se faire l'avocat de l'immonde homoncule acculé, l'humanoïde étron, l'infâme sac de boue pendulé par la mort !

– Seriez-vous un principe, une idée, une forme de domination plutôt qu'un individu ?

– *Tt tt tt... Bag of Bones*, que de clichés ! Je ne suis pas même la sorte de Système qui régit, accapare, accable et détériore ce globe abject sur lequel nous croupissons. Je ne suis pas davantage le « Système » que l'« Empire », le « Capital », le « Spectacle », le « Zeitgeist », ni aucune des machineries d'asservissement entre les rouages desquelles l'homme se rue depuis toujours tête baissée, avide de leur soumettre son hommage lige.

– Mais alors ?

– Vous tenez absolument à mettre un mot sur mon ineffabilité ? Disons que, si je ne suis pas le Système, j'incarne sa Perturbation. Je n'épargne rien ni personne. Aucune organisation n'échappe à mes saccades, aucune société n'est à l'abri de mes impromptus, aucun plan ne me contrecarre, aucun complot ne m'exclut, aucune stratégie ne m'évite, aucune destinée ne se dérobe. Pour le formuler dans les termes de l'ancienne théologie, si les voies du Seigneur sont impénétrables, je suis la substance de cette impénétrabilité. On est loin de la figure classique de celui que leurs superstitions archaïques ont nommé le « Diable ». Il serait plus juste de me comparer au grain de sable qui fait dérailler les rouages des plus puissantes machinations. Je suis la bile amère qui envahit les entrailles de Caïn lorsque son sacrifice ne fut pas agréé, je suis le fiel qui lui dévasta les veines et l'amena à assassiner son frère. Mais je suis aussi bien la saveur exquise des fraises que dégustait posément le maréchal Grouchy quand il aurait dû canonner au secours de Napoléon. Je suis le faux pas qui fit choir au fond du port de Gênes le comte de Fiesque, sur la planche qui le menait à la victoire vers la galère capitane de Doria. Improbable, imprévisible, inédit, inouï et inéluctable, je suis l'empereur de l'improvisation ! Mais je sais également œuvrer sur le long cours. Je suis par exemple l'idée fixe d'Hitler, cet antisémitisme monomaniaque qui le taraudait depuis son jeune âge et qui causa sa perte en une journée, bien avant qu'il ne songeât à exterminer ce petit peuple à part dont il croyait les Allemands les substituts.

Chimène moustachue

– De quoi parlez-vous, Monseigneur ?

– L'anecdote est très connue, *Bag of Bones*. On appelle ça le *Haltbefehl* du 24 mai 1940, également surnommé le « miracle de Dunkerque ». Vous ne connaissez pas ça ? Vous êtes donc ignorant comme une carpe !

– Je n'ai pas votre immense érudition, Monseigneur !

– Ne confondez pas le respect, que vous me devez, avec la flagornerie, Sac. Le trompeur, c'est moi : nul ne me dupe, souvenez-vous-en. Voici donc pour votre instruction la clé de la plus incompréhensible énigme de la Seconde Guerre mondiale. Nous sommes à la fin du mois de mai 1940, les Allemands sont en passe de parachever leur *Sichelschnitt*, le « coup de faux » entre Dinan et Sedan censé décapiter la résistance de la British Expeditionary Force et de ses alliés français et belges encerclés à Dunkerque. Rien ne peut plus empêcher les panzers de Guderian de parachever la *Blitzkrieg* engagée depuis l'invasion de la Pologne. Français et Britanniques sont perdus. Hitler tient sa victoire, ça va être une marmelade de rosbif à la grenouille ! Or, tout à coup, inexplicablement, le 24 mai 1940, à 12 h 30, Hitler donne l'ordre de tout arrêter, laissant les Britanniques et leurs alliés libres d'évacuer Dunkerque en flammes pour rejoindre Londres, d'où une nouvelle page de la guerre va se tourner et s'écrire. Cet accès de folie divise les historiens depuis plus de soixante ans. Le croche-pied fait à soi-même à deux doigts du triomphe… ça ne vous rappelle rien, en cet invraisemblable mois de mai 2011 ?

– Vous êtes brillant, Monseigneur, je ne m'étonne pas que vous vous nommiez Luc Ifer !

– Vous êtes un drôle, d'Os. Remarquez que je n'ai pas dit que vous étiez drôle… Les historiens, donc, s'écharpent. Tel prétend que Goering réussit à convaincre Hitler de laisser la Luftwaffe finir le travail, afin que cette arme typiquement nazie obtienne la gloire de l'écrabouillement ; tel autre qu'Hitler voulait épargner les villes flamandes peuplées d'Aryens ; d'autres encore qu'il craignait un enlisement des chars dans les marais des Flandres, où il avait combattu en 1914-1918 ; d'autres qu'il rêvait d'une « paix généreuse » et d'un partage aryen de l'Europe avec l'Angleterre… Certains évoquent l'entremise du Suédois Dahlerus, patron de l'entreprise Electrolux, ami de Goering et partisan d'un rapprochement anglo-germanique, qui aurait proposé un partage équitable du minerai de fer suédois, et qu'Hitler aurait agréé mais les Anglais refusé… Tout cela reste conjectural, tiré par les cheveux et surtout à chaque fois fondé sur une compréhension parcellaire, voire carrément idéologique, de la psychologie hitlérienne.

– Alors, votre version ?

– La vérité, c'est que le méchant éméché était éperdu d'admiration pour l'Angleterre ! Buckingham lui en imposait. Il aurait vendu père, mère, tout son état-major et sa petite sotte d'Eva Braun en prime pour être reçu à la Cour et faire un baisemain à la reine !

– Mais pourquoi ?

– Parce que c'était un laquais dans l'âme ! Hystérique hyperbolique, incestueux décompensé, psychorigide dégénéré, maniaco-dépressif à hoquets, mesquin, lâche, radin, suicidaire et aussi grotesquement moustachu qu'éméché, mais *laquais dans l'âme* ! *Mein Kampf* est truffé de protestations d'amour envers l'Angleterre, avec laquelle il rêvait depuis toujours d'une alliance idéale. « Ma réelle admiration pour le Parlement anglais »… « la supériorité psychologique de l'Anglais »… « la propagande anglaise géniale », etc., ou encore cette phrase carrément prémonitoire du *Haltbefehl* : « Pour se concilier les bonnes grâces de l'Angleterre, aucun sacrifice ne devait être trop grand. » Hitler ne s'exprime pas en égal mais en valet ! Or, malgré tant de preuves réitérées d'affection, Churchill n'hésita jamais à l'humilier, et ce à plusieurs reprises. Dès 1932, voyageant en Allemagne à la recherche d'indices pour une biographie sur son ancêtre Marlborough, Churchill, contacté par un émissaire nazi, avait refusé avec dédain la proposition de rencontrer leur chef de parti. Il n'avait jamais dissimulé son mépris pour *Mein Kampf*, qu'il qualifia dans ses *Mémoires* d'« ampoulé, verbeux, informe, mais gros de son message ». Hitler fulminait, telle une amante bafouée réclamant vengeance sur son amant insensible, mais secrètement prête à lui pardonner contre une génuflexion contrite et une promesse de fidélité future. « Je ne vois aucun motif qui puisse contraindre à poursuivre cette lutte », déclamera-t-il encore devant le Reichstag en juillet. Voilà la clé du *Haltbefehl* !

– Et pourquoi Hitler imagina-t-il, en dépit de tant de signaux contraires, qu'une entente était possible entre Churchill et lui-même ?

– Parce qu'Hitler, en midinette éconduite mais toujours aveuglément éperdue, était persuadé que Churchill et lui-même partageaient la même lubie concernant les Juifs. Hitler avait eu sous les yeux un article antisémite de Churchill, paru en février 1920 dans le *Sunday Herald*. Et en 1937, Churchill endossa un autre article tendancieux écrit par un associé du pronazi Oswald Mosley, où il affirmait que les Juifs, différents des autres peuples et inassimilables, étaient en partie responsables de leurs persécutions. L'article ne fut pas publié mais les cercles de Mosley en avaient fait parvenir une copie aux proches d'Hitler. Voilà la raison radicale du *Haltbefehl* du 24 mai 1940. C'est Médée maboule ralentissant les poursuivants de Jason aux cruels dépens des siens ; c'est Chimène moustachue lançant au Cid churchillien : « Va, je ne te hais point. »

– Je comprends bien, Monseigneur. Et votre rôle dans tout ça ?

– Allons, Mister Bones, n'est-ce pas clair ?

Et Luc, dans un grand sourire métallisé par les antipsychotiques :

– Mon intervention dans la caboche éméchée du dément moustachu, c'est l'amour...

La trouée

Comment en suis-je venu à lire dans les pensées ? Comment ai-je pu reconnaître et flairer DSK, dans la geôle voisine de la mienne, sans l'avoir jamais croisé ? Comment puis-je savoir ce qui traverse en ce moment précis le cerveau de la Peule dont personne ne connaît encore l'identité ?

La chose m'est apparue quand j'avais neuf ans. Mon impensablement pervers de père croupissait en prison, j'habitais seul avec ma mère un petit trois pièces à Alphabet City, Avenue B, non loin de l'immeuble où avait vécu Charlie Parker, face à Tompkins Square Park. Taraudée par le souvenir de notre bébé martyr Cordelia, ma mère ne savait me proférer sa tendresse que sous la forme d'avertissements tourmentés : « Tu vas prendre froid à sortir sans écharpe... », « Mets donc une casquette ou tu attraperas une insolation... », « Tu finiras par te briser les vertèbres avec ton skateboard... », « Cesse de lire sous les draps avec une lampe de poche, tu vas t'user les yeux... »

À son insu, par l'acrimonieuse affection dont elle me criblait, à force d'inlassables appréhensions délétères, ma mère me ravageait. Ses préventions nerveuses du pire me lacéraient l'âme. J'étouffais dans cette atmosphère raréfiée par l'angoisse, je dépérissais dans cet environnement de ronces mentales. Mais la plus à plaindre était encore ma mère. Elle me faisait penser à une amphore de porcelaine dont suinterait de l'intérieur un cyanure rongeant ses propres parois. Titubant sous la torture, elle ne pouvait empêcher de laisser gicler hors d'elle ses sempiternels petits jets corrosifs. « Ne joue pas avec ces allumettes, tu risques de mettre le feu aux rideaux… », « Lace bien tes chaussures ou tu vas te briser une jambe en trébuchant dans l'escalier… » Un jour, me disais-je, c'était elle qui allait imploser, et sa flaque de mauvais sang se répandre à l'air libre.

Je finis par me convaincre que le mieux à faire, pour la soulager, était encore d'accomplir une de ses insatiables prophéties de crécelle. Comme s'il ne s'était pas agi de fantasmes motivés par la terreur mais de prémonitions interloquées dont je ne la déchargerais qu'en les parachevant. Je devais transfuser d'elle en moi cette anxiété bouillonnante, dont les menaces torturées jaillissaient telles des bulles malignes à la surface d'une lave de souffrance en fusion.

Bientôt je n'eus plus qu'une préoccupation : par quel biais sacrifier ma santé florissante de gamin hyperactif aux craintes masochistes de ma mère ? Le suicide, issue trop évidente, n'en était pas une pour moi puisque j'aurais délaissé ma mère et définitivement empêché le transvasement de sa douleur. Ce qu'il fallait, c'était prendre sur moi l'immonde péché de mon père, fracasser ma santé en mille morceaux *sans en mourir*, afin que le vase maternel se récure enfin de sa torture, que son cœur brisé dans un sourire contemple, apaisé, mon irréparable déconstruction...

Plus facile à penser qu'à faire à neuf ans quand on déborde de vitalité. À force de chercher comment m'effacer sans mourir, j'en perdais l'appétit. C'est à cette époque que je commençai à maigrir immodérément.

Un enfant s'habitue à tout. La cage de barbelés mentaux où l'angoisse de ma mère m'incarcérait avait fini par me devenir familière. Un seul de ses avertissements demeurait incompréhensible : celui concernant la lecture. C'est vrai que je passais mes nuits à lire des *comics*, mais il me semblait évident que les yeux ne s'usent que si l'on ne s'en sert pas. C'était la seule explication plausible à l'aveuglement des médecins de Cordelia, n'ayant pas su percer à jour le démoniaque manifeste posté en face d'eux.

Un soir, j'étais en train de dévorer une aventure de Daredevil, mon héros préféré, quand le miracle arriva. Je ne parvins plus à lire les légendes ni à distinguer les infimes détails des dessins – tel le filin caché de la canne blanche de Matt Murdock quand il la transforme en nunchaku... Tout enflait, oscillait, ondulait, respirait... Je tapotai sur ma lampe de poche mais les piles étaient neuves. *C'étaient mes yeux qui s'étaient éteints !* Ma mère allait être exaucée, soulagée, je les avais enfin usés, j'étais en train de devenir aveugle ! Daredevil m'avait inoculé son handicap. J'étais sauvé.

Le lendemain, une visite chez l'ophtalmologue confirma que je souffrais de myopie aiguë – et non, hélas, de super-héroïque cécité… Je retournai en classe l'après-midi avec un mot d'excuse du médecin expliquant que les gouttes qu'il m'avait instillées dans les yeux m'empêcheraient pendant plusieurs heures de travailler convenablement. Je m'efforçai de tracer sur un cahier de malhabiles lettres cursives, observant les mots s'effilocher en charpies filandreuses dans le sillage de ma main droite sans que rien puisse interrompre leurs contorsions hiéroglyphiques. On aurait dit de maigrelets damnés bleutés tentant d'échapper à la voracité enflammée de leur jugement. En même temps, je savais que Daredevil m'avait transmis une part de son extralucidité, puisque je *voyais* nettement mon écriture zigzaguer. Ma vue brouillée parvenait à percer le flou qu'elle-même était devenue.

J'avais juste neuf ans. Je venais enfin de comprendre quelle était ma place dans l'autre Demeure. J'avais découvert la porte invisible ouvrant sur l'envers secret d'Alphabet City : je lisais le monde à ma guise.

Comme mon rachitisme, les premières manifestations de ma schizophrénie datent de cette période où la chape de la myopie s'abattit sur ma vision du monde. On me commanda des lunettes, et je pus bientôt commencer d'expérimenter mon don et ma puissance, goûtant la délicieuse expérience d'observer l'univers se fluidifier et récupérer sa consistance selon ma volonté.

Très vite, je cessai de porter mes lunettes dès que je sortais de chez moi (« Regarde bien des deux côtés en traversant la rue ou un camion va t'écraser... »), car j'avais fait une découverte annexe, qui pouvait se résumer à la loi suivante : si, de loin, je voyais beaucoup plus mal que les autres, si cette divergence minoritaire me handicapait, selon les critères de la normalité ophtalmique et d'un certain mode absurde de vie saine et sportive – un peu comme les immenses griffes de ce lémurien que les insensés nomment « paresseux » le handicaperaient s'il était chargé de coudre des baskets dans un atelier d'esclaves en Chine –, de très près, en revanche, *je voyais beaucoup mieux que n'importe qui*.

Placé à quelques millimètres d'un visage, j'en distinguais des détails dont jamais ne s'aviserait son propriétaire. Observés de tout près, la texture d'un brin d'herbe, les filaments d'un tissu, l'écorce d'un tronc d'arbre, la pigmentation mouchetée de la case d'un *comic* déployaient leur récit de fibrilles à ma seule attention. J'étais à la fois désenvoûté de la vision, grâce à un masque d'insouciance à l'égard d'une réalité opaque qui ne me captivait point puisque je ne la captais pas, et apte à susciter des expériences infinitésimales que nul ne partageait et que je pouvais égoïstement décortiquer en pensées, sans rien devoir au reste du monde.

Mon adolescence se poursuivit, toujours plus embrumée par mes lectures insomniaques, toujours plus illuminée par ma trouée de la représentation. Mon regard était devenu carrément allergique aux lunettes, comme à de mensongères prothèses de normalité. Le matin en me brossant les dents par exemple, je n'étais plus capable de distinguer clairement dans une glace à quoi ressemblait mon propre visage. Comme par une érosion en écho, cette désintégration des apparences avait pris possession de ma physionomie. Mon visage s'était dissous en une brèche avisante de mon corps, puisqu'il en était la seule partie que je ne pouvais, malgré toute ma souplesse, approcher à quelques millimètres de mes yeux. Certes, techniquement, ma myopie m'aurait permis de m'observer à mon aise, comme à la loupe, dans un miroir. Mais je savais déjà qu'un miroir est toujours un mensonge, et que se regarder dans une glace c'est nécessairement se prendre pour un autre.

En un sens, j'étais devenu celui qui me connaissait le moins. Mais en un autre sens, autrui n'avait aucun avantage sur moi. Au contraire. Autrui était entravé par la vue de mon visage, moi non. De mon cou à mon crâne, une béance pensive œuvrait pour moi, s'activait en moi, me révélant le sens caché des êtres et des choses. Ce creux d'obscure gravitation de mon regard mental était le point d'équilibre de toute compréhension. « La lumière luit dans les ténèbres, et les ténèbres ne l'ont point reçue. » Saint Jean aussi, je l'avais lu dans le brouillard de mes nuits. Son vortex verbal était comparable à ce que représentait mon regard : une obscurité se dissimulant sa propre illumination de sorte qu'aucune sociabilité ne peut en amadouer l'éclat.

J'agréais donc avec plaisir la trouée que j'étais devenu – et dont mon tatouage, quelques années plus tard, ne serait que la transposition aux yeux pétrifiés des humains –, puisque grâce à cette déchirure visionnaire je pouvais lire à volonté le texte du monde. Ma trouée avait fait de moi un habitant à part entière de *la vraie* Alphabet City.

C'est ainsi que me rendre poreux à l'invraisemblance dissimulée du monde – ce que j'appelle lire dans les pensées – devint ma seconde nature. Imperméable à la réclame que les humains produisent en permanence à propos d'eux-mêmes, je possédais la faculté symétrique de déchirer leur panoplie de propagande. Le contrecoup, c'est qu'aucune chimère ne me protégeait plus de l'invasion malsaine des autres.

La plus belle femme du monde se maquillant devant un miroir grossissant, si elle pouvait cesser une demi-seconde de croire en elle-même, assisterait horrifiée à la déformation mobile de ses traits comme si un brasier s'emparait de sa splendeur. De même, pour moi, perdant leur harmonie de façade, tous les êtres m'assaillaient de leurs monstruosités microscopiques. Quand eux croyaient parader, faire bonne figure, moi je les voyais, je les entendais, je les reniflais en train de s'effondrer sur eux-mêmes. Leurs fanfaronnades faisandées me répugnaient. Je me détournais d'eux pour étudier dans les livres les témoignages d'extralucides dans mon genre – ou dans celui de Daredevil.

Et puis, un jour d'été, je croisai Goneril.

Goneril borderline

J'étais à peine majeur et encore vierge quand je rencontrai Goneril. Elle était plus âgée de dix ans et folle à lier. Nous étions assis par hasard côte à côte à la terrasse du Sambuca's Café, à l'angle de Mulberry Street et de Canal Street, soit à la frontière entre Little Italy et Chinatown. Perdu dans mes pensées, je fixais Goneril sans pouvoir distinguer l'arête stricte de son nez, la ligne exacte de ses lèvres ni la couleur de ses yeux. Persuadée que je la dévisageais, elle se tortillait sur son siège avec de grands sourires dont elle ignorait l'invisibilité, bavardant toute seule à voix haute en italo-américain, déversant bruyamment le contenu de son sac sur la petite table qu'elle fouillait nerveusement pour *ne pas* y retrouver son rouge à lèvres, avant de renfourner son fatras et recommencer son cirque quelques minutes après, ne pas y retrouver ses clés, ne pas y retrouver son briquet, etc. Elle accumulait les fanfreluches de la séduction sans deviner que ses mimiques bas de gamme, ses simagrées sociales, tous les falbalas de sa puérilité se déployaient en pure perte devant mes yeux éteints. Bien qu'à quelques centimètres l'un de l'autre, nous étions aussi séparés que si elle s'était réellement trouvée en Italie et moi en Chine ! Pourtant, c'est cet abîme psychique entre nous qui me laissa apprécier sa féminité outrancière. Je humais son insistant parfum au patchouli, j'écoutais les nasalités italianisantes de sa voix, je percevais vaguement le coloris compliqué de sa robe d'été, je devinais les sinuosités approximatives de sa silhouette, mais ma myopie profonde, traversant les mailles de sa féminité de façade, me faisait radiographier sa sensualité réelle, palper le braille secret de son désarroi et ressentir sa solitude borderline. En un mot, je lisais dans ses pensées.

Je venais de tomber amoureux d'elle, *de l'autre elle*. Et par la même occasion de comprendre l'usage d'un puissant sens radar qui n'allait plus me quitter.

Laissez-moi vous halluciner la chose...

Dans la tête de Nafissatou Diallo

– *Tanna alaa ga ?* demande dans un grand sourire Ophelia à Syed, l'employé du *room service* en train de débarrasser un plateau devant la porte ouverte de la suite 2806.

Dans la langue d'Ophelia, cela signifie littéralement : « Il n'y a pas de démon ici ? » C'est une salutation usuelle entre deux Peuls. Ophelia en a depuis longtemps enseigné la signification à Syed, qui est libanais. Celui-ci répond du tac au tac avec un accent qui mâchonne les mots déliés du dialecte pular :

– *Jam tun*, « Seulement la paix ! »

Puis il ajoute en anglais :

– Tu peux y aller, Ophelia, la chambre est vide…

– Merci, dit-elle tandis qu'il la regarde pénétrer dans la suite.

Syed aime beaucoup Ophelia. S'il osait, il lui demanderait de sortir avec lui un soir. Elle n'en sait rien mais souvent il la regarde passer dans les couloirs, contemple sa démarche ondoyante tandis qu'elle pousse devant elle son chariot rempli de serviettes propres de tailles et de couleurs diverses, de fioles de shampoing, de savons liquides et solides parfumés. Elle est si enjouée dans son uniforme jaune et son tablier blanc qu'on croirait que c'est elle-même qu'elle prépare à toiletter, parfumer et bichonner.

Hormis ces quelques mots qu'elle lui a appris pour plaisanter, Syed ne sait pas grand-chose d'Ophelia. Il ignore qu'elle ne s'appelle pas « Ophelia », comme l'indique son badge, mais Nafissatou Diallo, un prénom et un nom trop ardus pour la fainéante clientèle du Sofitel, qui n'a pas coutume de faire des efforts de mémoire ni d'élocution. Il ignore surtout qu'il existe, dans chaque bibliothèque du monde, enfouie entre des pages célébrissimes comme dans un suaire de gloire une Ophelia qui n'est pas musulmane et guinéenne mais pâle comme un lis, folle, et flottante à jamais…

Sitôt qu'elle pénètre dans le corridor de la suite, Nafissatou se fait la même réflexion qu'à chaque fois. Elle admire le sol marbré anthracite, mais elle ne comprend pas que le décor soit si sombre dans un pays où le soleil est si pâle. Si un jour elle en a les moyens, elle aussi se fera poser chez elle du marbre frais comme un cours d'eau du Fouta-Djalon. Ce sera du marbre rose. Mécaniquement, elle énonce en entrant dans la suite d'une voix forte :

– *Hello ? Housekeeping !*

Sur sa gauche elle distingue le pied du grand lit à travers la porte ouverte de la chambre, et devant elle le salon, largement plus lumineux que le corridor au marbre noirâtre, avec une grande plante verte à gauche de la baie vitrée.

Depuis le mois d'avril, depuis que Nafissatou remplace une collègue enceinte chargée des quatorze chambres du vingt-huitième étage, depuis qu'elle a pénétré dans la suite 2806, l'une des plus prestigieuses du Sofitel, celle-ci est son critère exclusif en matière de décoration d'intérieur. Elle a orné son propre appartement du Bronx grâce à quelques idées glanées dans la suite, qu'elle a acclimatées à son goût africain. Ainsi, aux murs de son salon, ce ne sont pas des tableaux abstraits en noir et blanc qui sont accrochés mais des plumes de paon. Ce n'est pas une statuette de cheval stylisé qui trône sur sa table basse en formica mais un hippopotame en ébène. Et ce ne sont pas non plus des photos de Notre-Dame qu'elle contemple lorsqu'elle est assise dans son canapé beige – elle aimerait bien posséder un canapé en cuir blanc comme celui de la suite –, mais des vues de Conakry et de Labé.

Djinns

D'habitude, Nafissatou passe du salon au bureau qui le prolonge, jetant un œil méfiant aux deux grandes amphores noires qui encadrent le seuil du bureau. Elle ne manque pas de « tchiper » au passage – elle « fiasque », elle « mioche » –, c'est-à-dire qu'elle fait chuinter sa langue contre son palais pour manifester son dédaigneux déplaisir : *tchppppp !* Ces amphores impressionnantes lui rappellent un dessin animé égyptien gravé sur un DVD qu'un frère lui avait vendu pour Houleymatou, sa fille. La petite adorait le regarder en boucle sur la télévision délabrée du salon, jusqu'au jour où Nafissatou, le regardant aussi, sursauta en y voyant deux amphores, exactement semblables à celles de la suite, d'où jaillissaient des djinns atroces. Nafissatou éteignit aussitôt la télé, laissant hurler et pleurer la gosse, à qui elle expliqua vigoureusement en peul que chez nous on ne plaisante pas avec les djinns. Si on en croise un, en vrai ou à la télé, il faut s'enfuir au plus vite.

Pour chasser les djinns de ses pensées, Nafissatou s'efforce en remettant le bureau en ordre de fixer l'affreux tableau abstrait accroché au mur derrière le fauteuil.

C'est une immonde lavasse de bleu clair, de gris et de rouge. Aucune femme ne porterait un boubou aussi raté. Les couleurs paraissent vues à travers le prisme déformant de la chaleur émanée d'un incendie. Elle songe au feu artificiel qui orne le lobby du Sofitel, vingt-huit étages plus bas. Un jour, au Cafe 2115, le QG guinéen du Bronx, un frère essaya de lui fourguer un feu perpétuel sur DVD pour métamorphoser sa télévision en cheminée d'intérieur. Nafissatou poussa un cri strident avant de tchiper. Elle était encore terrorisée par les histoires que son père, cheikh Thierno Ibrahima Diallo, racontait aux élèves de son école coranique. Ces récits concernaient Iblîs, le Djinn des djinns. Iblîs, dont le corps est entièrement constitué de feu, fut maudit par Allah pour avoir orgueilleusement refusé de se prosterner devant Adam, dont le corps n'était constitué que d'argile. Nafi avait huit ans, elle venait de se faire exciser. La brûlure qu'elle ressentait dans le bas-ventre lui semblait directement provoquée par les flammèches jaillissant du corps de l'immonde *shaytân*. D'autant qu'Iblîs sait s'immiscer dans un corps humain à son insu, ainsi que le professait le père de Nafi aux gamins terrifiés. Marié à la Colère, continuait-il, Iblîs enfante les démons en usant de son double sexe, le mâle sur sa jambe droite, le femelle sur la gauche...

Aujourd'hui encore, tandis qu'elle se dirige vers la chambre, Nafissatou frissonne au souvenir de ces amères croyances. Elle se récite une vieille prière peule que son père lui a enseigné à psalmodier en guise de protection lorsqu'on s'est malencontreusement laissé aller à songer à un djinn :

Toute chose, sauf Dieu, est mensonge.
Tous les monstres,
S'il y a des génies, là où j'ai marché,
Ils ne sont rien.
Je les dépasse en force.
Qu'ils soient comme du feu,
Et je monterai comme un orage.
Je prendrai autorisation auprès de Dieu et du prophète,
Je les éteindrai d'un seul coup.

Nafissatou, la plus jeune fille de cheikh Thierno Ibrahima Diallo et de Hadja Aïssatou, de Tchiakoulé, dans le Fouta-Djalon, en Guinée, n'a jamais vraiment quitté l'Afrique. Sa vie se déroule sur un îlot intermédiaire entre Conakry et New York. Elle se meut en permanence dans une réalité bifide, tant son quotidien américain est lézardé par des pensées, des souvenirs, des réflexes intimement africains.

En entrant dans la chambre, elle voit d'emblée que le grand lit n'est pas parfaitement plan. Elle se courbe en deux, dos à la salle de bains, pour lisser l'épaisse couette blanche, lourde comme une dalle de béton. Le syndicat du personnel de l'hôtel avait réclamé des couvertures moins pesantes, mais il n'avait pas eu gain de cause. De toute façon Nafissatou n'avait pas signé la pétition. Elle craignait trop d'avoir des ennuis, de perdre son emploi. Elle se courbe jusqu'au sol et porte des charges lourdes depuis son plus jeune âge : ce ne sont pas quelques kilos à manier tous les jours qui vont lui faire peur. Elle irait jusqu'à soulever un phacochère pour conserver son merveilleux job et son inespéré salaire en dollars.

– Quel beau cul ! retentit une voix mielleuse dans son dos.

Elle se retourne d'un coup, tombant presque à la renverse tant la surprise la désarçonne. « Tu n'aurais pas dû penser aux djinns ! se dit-elle. Maintenant tu vas perdre ton travail ! »

Puis, face à ce gros Blanc nu en érection à l'intention de qui le mot « râblé » semble avoir été inventé, c'est au phacochère qu'elle pense spontanément. Elle réprime un sourire tout en portant la main à sa bouche, avant de se diriger vers le couloir en balbutiant :

– *Oh my God ! I am so sorry…*

Dans la tête de DSK

DSK achève de poser ses lentilles de contact, penché au-dessus du lavabo devant le miroir de la salle de bains. Il songe à « Hérodiade », la froide et belle réceptionniste de l'hôtel. Au moment où elle s'était levée pour contourner un collègue et délivrer la carte magnétique de la suite, une voix tonitruante derrière DSK avait lancé : « Quel beau cul ! » À peine étonné par une flatterie qu'il s'imaginait peu ou prou mériter, DSK s'était retourné en souriant pour voir qui avait proféré cette éructation libidinale. C'était un manager français, il arrivait à l'hôtel, comme DSK, et, sans le reconnaître, l'avait virilement pris à témoin. Hérodiade avait eu l'air de peu apprécier le compliment, mais le businessman ne s'en était pas soucié. Il ne comptait plus les femmes aux apparences revêches que cette formule magique faisait subitement fondre, avait-il confié à DSK dont il avait pris le sourire flatté pour une complicité phallocrate.

L'homme d'affaires français était un satyre beau parleur. « Quel beau cul ! » était sa phrase fétiche, avait-il expliqué à DSK qui l'écoutait distraitement en attendant sa carte. Il la proférait dès qu'il en avait l'occasion. Le satyre possédait toute une théorie sur l'alliance de mots qu'elle constitue – ce qu'il appelait l'« oxymore foudroyant ». D'une part la douceur, l'élégance, le raffinement, la suavité et la délicatesse associés à la notion de beauté ; d'autre part la brutalité virile, l'abrupt claquement sonore, la concision coïtale et la pointe de perversion anale associés au mot « cul ». Le businessman était persuadé que, de même que l'expression « Quel beau sourire ! » déclenche irrésistiblement par contagion psychosomatique un sourire chez celle à qui elle est lancée, de même « Quel beau cul ! », par son effet de bascule verbale, suscite une capitulation fessière de la beauté complimentée. Le satyre aurait pu passer plusieurs heures à décortiquer la distinction infinitésimale mais décisive entre les compliments « Quel cul ! » et « Quel beau cul ! », si DSK n'avait pas abrégé la conversation pour monter dans sa suite.

Mais s'engouffrant dans l'ascenseur avec DSK, l'expert en rhétorique érotique avait eu le temps de lui révéler que, par SMS, sa formule favorite était : « Je te veux ! » Le tutoiement employé brutalement avec une femme que l'on vouvoie d'habitude, l'impétuosité de l'injonction mêlée à la désarmante candeur de l'aveu provoquent là encore une sorte de croc-en-jambe discursif qui ne peut manquer de faire tomber l'intéressée dans vos bras sitôt qu'elle vous recroise. « Aucune ne résiste, c'est mathématique, comme un mat en trois coups : Je, Te, Veux. »

DSK avait quitté l'ascenseur froidement, sans saluer le satyre harceleur, mais sa dernière métaphore échiquéenne l'avait laissé songeur.

Depuis sa plus tendre enfance, DSK est confiant dans la sinuosité de la Parole. Il s'est toujours tiré de toutes les situations par son bagout. Au printemps 1968, à dix-neuf ans, c'est au culot qu'il avait décroché l'oral de l'ESSEC, un examen crucial qu'il avait pourtant à peine révisé. « Je serai honnête avec vous, avait-il lancé à l'examinateur en souriant et sans le quitter des yeux. Je n'ai pas préparé cette matière comme j'aurais dû. Mais ce mois de mai n'a pas non plus été une période comme les autres. Désirez-vous des étudiants immergés dans la vie de la Cité, ou des contemplatifs hors du siècle ? »

La Parole, à ses yeux, est la part d'ombre des échecs. Autant le jeu dont la passion coule dans ses veines n'admet aucune ambivalence oratoire, au point que chaque coup conduisant au mat se décline par une équation faite de minuscules, de majuscules, de chiffres et de ponctuation algébrique – « Dans la partie jouée entre Bobby Fischer et Donald Byrne à New York en octobre 1956, a l'habitude d'expliquer DSK dès qu'il désire impressionner un auditoire ignorant des subtilités échiquéennes, si par exemple, lors du coup fameux : Fxc4 + 19. Rg1 Ce2 + 20. Rf1 Cxd4 + 21. Rg1, vous substituez à cet ordre si précis, si rigoureux, si minutieusement fatal, une simple lettre à une autre, cela équivaut à balayer tous les pions de l'échiquier et à le fracasser contre un mur »... –, autant la Parole, avec son réservoir infini d'approximations vibratoires, son inépuisable trésor souple de synonymes, l'élastique ambivalence de ses milliers d'homonymes, l'incommensurable potentialité de ses jeux de mots, la largesse oscillatoire de ses sous-entendus et la polyvalence de ses invisibles notules interprétatives..., la Parole possède sur la rigueur de la réalité une puissance de malléabilité comparable à celle de la goutte d'eau qui, en quelques millénaires d'insinuation imperturbable, parvient à rogner la roche la plus solide.

Vingt siècles de goutte-à-goutte érodeur se concentrent en un seul mot. Une phrase formulée à bon escient fait plier la réalité au bon vouloir du proférateur. Et de même que la rigueur implacable du jeu favori de DSK porte le dur surnom d'« échecs », l'équivalent de son autre jeu favori, celui des mots égrenés aux oreilles d'une femme qu'on désire faire succomber, se nomme « victoires »...

En 1992, DSK avait tenu un raisonnement de ce type, un peu abscons et enjôleur comme tous ses raisonnements, en prenant son petit déjeuner avec quelques assistants le lendemain de l'inoubliable soirée karaoké où, susurrant « Love Me Tender » en se trémoussant devant Martine Aubry (alors ministre du Travail), il l'avait comiquement courtisée aux yeux de tous les participants de ce sommet franco-japonais d'anthologie. « Aux échecs, rien n'est acquis, tant les règles sont rigides. Alors qu'en paroles, tout est accessible, aucune frontière n'est figée... »

La troublante métaphore du mat en trois coups que lui avait lancée le lourdaud manager dans l'ascenseur, associée à sa confiance dans la toute-puissance magique de la Parole, l'avait convaincu sitôt installé dans la suite de rappeler Hérodiade au téléphone, pour lui proposer de monter prendre une coupe de champagne avec lui. Elle avait froidement décliné l'invitation, ce qui n'ébranla en rien la conviction de DSK, qui avait aussitôt tenté le coup avec une autre employée.

Prise en passant

Lorsqu'il sort de sa douche, ce samedi 14 mai à midi, DSK est surexcité au souvenir des deux employées récalcitrantes du Sofitel. Les fesses fermes et rebondies de la femme de chambre courbée pour remettre la couette en ordre s'offrent alors à sa vue à peine décontenancée. Au fond de lui, il a toujours été persuadé que ses désirs sont des ordres intimés au Destin, que tout ce qu'il imagine est susceptible de s'incarner à l'instant devant lui. La sphéricité féerique du postérieur de la Peule lui fait immédiatement songer à la petite boule luisante qui surplombe un pion en bois, sur un échiquier classique. D'ailleurs, cette femme si négligeable socialement n'est-elle pas un simple pion sur l'échiquier de son ascension au sommet de l'État ?

– Quel beau cul ! s'exclame-t-il machinalement, même s'il est persuadé qu'aucune parole n'est obligatoire pour bousculer une femme de chambre.

C'est comme prendre un simple pion en passant, sans y toucher ni avoir besoin d'occuper sa case…

– *Oh my God ! I am so sorry,* lance la femme de chambre en se retournant, dissimulant son visage derrière sa main aux doigts longilignes à la vue de l'organe hypertendu. Ce n'est pas qu'elle ait peur, mais elle ne peut s'empêcher de sourire en songeant à un phacochère albinos.

Cette belle main aux doigts graciles est irrésistible pour DSK. Il imagine déjà la paume affectueuse et hâlée accueillir son pénis blafard, comme le roi blanc posé en majesté sur sa case noire. Elle lui dit quelque chose en anglais dans son accent guinéen – où les *dj* sont des *y* et les *z* des *sss* (« *I don't want to loossse my yob* »). Il ne la comprend pas, y prête à peine attention. Il a la tête ailleurs.

L'état d'exacerbation psychosomatique dans lequel se trouve DSK à cette seconde précise, le détective Alan Sandomir en rendra spirituellement compte d'ici quelques heures – tandis qu'il passera les menottes à DSK pour l'accompagner devant l'immeuble de la SVU sous le crépitement de dizaines de flashs destinés à déconcerter la planète –, se remémorant une maxime en yiddish que lui citait fréquemment son père pendant son adolescence : *Wen de schmock steigt, de seikhou ist in de tukhess !* « Quand le braquemart se redresse, le cerveau se retrouve dans le cul ! »

La communication passerait mieux entre DSK et Nafissatou si elle lui parlait en français, mais elle ignore qu'il est français. Elle a bien aperçu sa photo, la veille, dans le local des employés, parmi celles des quelques VIP présents dans l'hôtel, mais les nationalités n'y sont pas indiquées. De toute façon elle ne sait pas lire. Et puis ces Blancs se ressemblent tant. D'autant qu'entre un présidentiable costumé et cravaté comme sur la photo et un économiste nu comme les finances de la Grèce, il y a de quoi s'embrouiller.

DSK comprend vaguement que quelqu'un pourrait les surprendre, qu'elle risque de perdre son emploi. Il la rassure aussitôt.

– Il ne faut pas être désolée, voyons, lui dit-il en anglais. Tu es très belle, tu ne vas pas perdre ton job. Sais-tu qui je suis ?

Il la suit dans le corridor et se précipite sur ses seins, attiré comme un aimant par l'odeur suave qui émane de son cou. C'est la crème au beurre de karité dont elle s'enduit le visage tous les matins après sa toilette. Nafissatou a beaucoup forci depuis qu'elle vit aux États-Unis. À vingt ans, elle aurait pu défiler à Conakry dans un concours de boubous tant ses traits étaient fins et harmonieux. À trente-deux ans, son visage s'est gonflé, grêlé d'acné. La crème au beurre de karité lui sert à atténuer les dégâts causés par l'alimentation trop grasse des fast-foods où Houleymatou l'entraîne régulièrement.

La veille au soir, prenant un verre au bar du Sofitel en attendant un rendez-vous galant, DSK avait eu le déplaisir de croiser de nouveau le businessman français qui l'avait déjà harcelé à la réception et dans l'ascenseur. Le bavard manager s'était assis d'autorité à côté du chef incognito du FMI, qui n'eut d'autre choix que de l'écouter vanter ses exploits face au grand tableau du bar représentant une élégante de la Belle Époque en robe longue, à l'ample chapeau surmonté d'une plume de faisan, une étole de vison sur les épaules et un petit chien sur les genoux.

– Je sais très bien qui vous êtes, avait fait le satyre beau parleur. Vous ne me reconnaissez pas mais j'étais avec vous à Kinshasa, en mai 2009. Je faisais partie de la délégation d'entrepreneurs qui vous accompagnait pour signer quelques juteux contrats au Congo. Vous aviez déboursé cent quatre-vingt-quinze millions de dollars au nom du FMI en faveur de la république du Congo, et quant à moi j'avais signé une grosse affaire avec Kabila, à qui j'avais offert en prime une jolie Ferrari jaune comme un boubou zaïrois ! Je vous prie de croire, mon cher, que Kabila ne s'était pas montré ingrat avec moi. Le soir même, dans le palace de Kinshasa où toute la délégation était descendue, une somptueuse pute bantoue m'avait rejoint dans ma chambre. Si jamais dans l'histoire une pute valut vos cent quatre-vingt-quinze millions de dollars, c'était elle ! Elle m'avait fait deux interminables fellations entre lesquelles elle s'était laissé pénétrer et sodomiser trois fois au cours de la nuit. La chambre exhalait une pénétrante odeur de foutre, de sperme, de sueur et de beurre de karité mêlés. Ne me demandez pas pourquoi, mais je n'ai jamais aussi bien forniqué que cette nuit-là ! C'est comme si c'était moi qui avais encaissé le chèque de cent quatre-vingt-quinze millions de dollars que vous aviez remis à Kabila !

DSK sirotait son whisky sans mot dire, contrarié que le satyre puisse associer sans vergogne sa générosité monétaire internationale avec une sordide anecdote prostitutionnelle. Le manager ne semblait pas s'apercevoir de l'embarras dans lequel il mettait l'économiste le plus célèbre de la planète. Il continuait d'évoquer ses souvenirs du Congo comme s'il était en tête à tête avec André Gide.

– Comment s'appelait cette faramineuse Africaine, déjà ? « Régane », c'est ça. Je ne suis pas absolument sûr de son prénom, je serais incapable de vous décrire les traits de son visage, mais je me souviens de son cul comme si elle se tenait là, maintenant, courbée à quatre pattes devant nous. Mon cher, elle avait une manière unique de faire vibrer son postérieur pendant que je la pénétrais ! Je pouvais sentir son vagin exercer une sorte de succion autonome autour de ma queue, comme si elle avait une cavité buccale supplémentaire, ferme, douce, charnue, entre les cuisses…

Est-ce la conséquence des confidences du collant manager la veille au bar ? DSK est électrifié par la bonne odeur végétale du karité de Nafissatou Diallo. Il palpe ses seins avec virulence. Elle proteste, se dégage en couinant qu'elle risque de perdre son travail. Il répète d'un ton confiant :

– Tu ne perdras pas ton travail…

Il est comme un enfant surexcité qui écartèle une peluche en poussant de petits cris de joie. Il veut arracher cet uniforme, ôter ce soutien-gorge qui l'empêche de téter gloutonnement les seins de cette belle femme.

– Ma gouvernante risque de nous surprendre, Monsieur ! dit-elle.

– Mais non, dit-il d'un ton câlin. Sais-tu qui je suis ? répète-t-il.

Il se dit quand même qu'il vaut mieux la sauter dans la chambre. Il claque la porte de la suite encore ouverte, et il entraîne Nafissatou en la tirant par le bras, exactement comme Obama l'a retenu, lui, lors de leur dernière rencontre. D'ailleurs la femme de chambre lui fait penser à Michelle Obama. La dernière fois que DSK a croisé le couple Obama, il s'est rué sur Michelle pour l'embrasser chaleureusement. Barack, que ses services diplomatiques venaient d'affranchir concernant la réputation d'« *insistent womanizer* » du directeur du FMI, n'a pu s'empêcher de retenir DSK par la manche, comme il tire sur la laisse de son chien Bo lorsque celui-ci s'élance trop impulsivement à travers les couloirs de la Maison-Blanche. La veille, dans leur lit, Barack avait fait hurler Michelle de rire en comparant la chevelure blanche et les sourcils noirs du patron du FMI aux poils du compagnon de Sasha et de Malia. « Peut-être faudrait-il le castrer ? » avait-il ajouté pince-sans-rire.

DSK, qui n'est ni castré ni très fin observateur, possède aussi peu de discernement concernant les femmes noires que Nafissatou concernant les hommes blancs. Il trouve interchangeablement belles Michelle Obama et Nafissatou Diallo. Nul ne pourrait le convaincre qu'elles sont physiquement aussi dissemblables que l'Ophelia du Sofitel l'est de la petite fiancée psychotique d'Hamlet…

L'incontestable « huuuu… huuuu… huuu… huuu… »

De même que DSK peut jouer à plusieurs parties d'échecs simultanément, il se déplace dans ses songeries comme dans une galerie de tableaux, mêlant les êtres, les lieux, les situations. Il songe à Inge, puis à Hérodiade, puis à Michelle Obama, et fébrilement il veut palper le vagin de la femme de chambre. Il veut lui arracher son uniforme, relève énergiquement la jupe en la tirant vers le plafond, un peu comme un gorille en apesanteur qui tenterait d'éplucher une banane à l'envers. Nafissatou résiste, DSK essaye de lui retirer son collant, comme s'il adoptait l'épluchage dans le bon sens, de haut en bas. Il se met à malaxer maladroitement le pubis et le vagin de Nafissatou à travers sa culotte, elle pousse un petit cri. Vaniteusement, il s'imagine qu'elle jouit déjà.

DSK n'a jamais été très adroit de ses mains, mais en érection il a l'habileté d'un homard dans l'eau bouillante. C'est comme si tout son épiderme se réfugiait dans ce gros appendice tumescent, frémissant, vibrionnant, quasiment vrombissant, doué d'une volonté propre, avide de se détacher du buste et fuser au plafond. Tandis que DSK se presse contre Nafissatou en la tirant par le bras gauche, l'appendice bat la chamade, transmettant à tout le bas-ventre un amusant tambourinement vertical, comme si un invisible chef d'orchestre avait introduit sa main droite dans le corps de DSK, grosse moufle de chair blême, et qu'il tâchait de maîtriser ce pupazzo virevoltant pour tapoter en rythme contre la femme de chambre confondue avec son pupitre.

Menant son propriétaire par le bout du nez, le pénis de DSK le soude à Nafissatou, qu'il fait brutalement tomber à genoux en tirant sur son bras gauche. Elle pousse un gémissement de douleur. Il se dit qu'il lui filera cinquante dollars tout à l'heure, quand elle l'aura terminé. Par un geste diplomatique de Jorge Tito, le directeur du Sofitel de New York, la suite ne lui a coûté que cinq cents dollars au lieu de trois mille. En moins de temps qu'il n'en faut à un éjaculateur précoce pour se déconsidérer, DSK calcule qu'un pourboire de 20 % comparé à une ristourne de 83 % est un splendide cadeau pour une employée dont le salaire au Sofitel ne doit pas dépasser 3,5 % du sien au FMI...

Il en déduit que tout va bien. En conclusion de son raisonnement économique, il lance à Nafissatou :

– *You're beautiful, suck my dick !*

Puis, tâtonnant de la queue comme s'il essayait d'ouvrir une serrure dans la nuit, DSK finit par enfoncer d'autorité son pénis entre les lèvres luxuriantes de la femme de chambre.

Il prend fermement la tête de Nafissatou entre ses deux mains et se met à aller et venir dans sa bouche en hululant :

– *Huuuu.... huuuu... huuu.... huuu...*

Nafissatou est paniquée à l'idée que ses grognements grotesques – qui lui rappellent vraiment ceux du phacochère – risquent de rameuter tout l'étage. Si sa gouvernante d'étage la surprend, elle perdra son job, sa carte verte, et on les renverra, Houleymatou et elle, dans la resplendissante poussière de Conakry.

Elle récite intérieurement une prière propitiatoire en peul, geignant sous les coups de boutoir de ce pénis blanc qui pilonne sa gorge comme s'il voulait la goinfrer de *chikwang*, un de ces bâtons de pâte de manioc enroulée dans sa feuille dont raffolent les Africains.

Que la paix de Dieu soit sur moi,
Que Dieu m'aide,
Que Dieu me donne la paix.
Au nom de Dieu, ma main.
Mon maître, ma main.

– *Huuuuuuuuuuuuuu*... fait DSK au moment où un goût âcre emplit le palais de Nafissatou.

Elle pense immédiatement à du *jakatu*, l'aubergine amère, mais un *jakatu* qui n'aurait pas été convenablement préparé, sans paprika, sans tomates, sans oignons, sans cumin ni ail. Elle recrache le sperme de DSK à trois reprises, avec un dégoût non dissimulé.

Quand elle penche son visage vers la moquette pour expulser cette semence au goût saumâtre, Nafissatou aperçoit une minuscule tache rouge sur le petit doigt du pied droit de DSK. Elle pense aussitôt que le gros Blanc souffre d'un *naw giggol*, une maladie sexuellement transmissible, et elle commence à s'affoler sérieusement. Il y a du sperme partout dans la chambre, sur son chemisier, sur le mur, par terre. Elle voudrait bien connaître le nom de cet homme, pour mieux s'en prémunir. Elle pense déjà au coup de fil qu'elle donnera à Conakry pour se faire confectionner une amulette dans laquelle seront cousues des incantations magiques en arabe.

DSK passe devant elle, tout habillé, tenant d'une main sa valise à roulettes. Il la regarde sans dire un mot. Elle voudrait l'insulter en peul mais elle est stupéfaite par la vitesse à laquelle il s'est habillé. C'est sûrement un djinn ! Nafissatou baisse les yeux et se récite une nouvelle prière de protection peule :

Là où le soleil pousse, là où le soleil veille,
Les torts, les préjudices,
Diables à la chevelure abondante,
Qui se nourrissent pendant la nuit.
Ce qui est devant moi, c'est aveugle,
Ce qui est derrière moi, c'est paralysé.

Quand DSK claque la porte de la suite 2806, la prière protectrice de Nafissatou prend une résonance prophétique. Aveugle, il vient de l'être jusqu'à la furie, lui le joueur d'échecs hors pair à la réputation d'avoir toujours quinze coups d'avance sur l'adversité. Paralysé, il le sera bientôt par la colossale machinerie à grand spectacle de la justice américaine, spectateur impuissant, menotté, exhibé, humilié, assistant à l'effondrement de sa carrière exceptionnelle aux portes du palais de l'Élysée. Car, du moment où DSK a enfourné son pénis jusqu'à la glotte dans la bouche de la benjamine de Thierno Ibrahima et de Hadja Aïssatou, de Tchiakoulé, en Guinée, il a lui-même planté le premier clou sur la croix où, dans à peine quelques heures, il sera inexorablement voué aux gémonies.

H

Ne vous avais-je pas dit que je lisais dans les pensées ? Comme prévu, les flics m'ont libéré dès l'aurore. Ils m'ont gardé une nuit à la SVU pour la forme, mais ils savent bien que je n'ai rien d'un violeur ni d'un attoucheur sexuel. Ils ont prévenu Goneril que si elle persistait à me dénoncer à tort et à travers, c'est elle qui se retrouverait en taule.

DSK, lui, doit encore comparaître au tribunal de New York, entendre la juge Melissa Jackson refuser sa caution d'un million de dollars et ordonner son incarcération à Rikers Island, où il pourra tranquillement boire jusqu'à la lie la coupe de son agonie médiatique.

L'aurore scintille sur Manhattan. J'aime ce court moment où un incendie rosé rafraîchit la ville. Je m'engage sur le pont levant de Ward's Island qui surplombe la Harlem River et mène à mon palais enchanté, le Manhattan Psychiatric Center.

Si Dieu daigne un jour baisser les yeux en direction de Ward's Island, il verra, au sud de l'île, la reliant à l'est de Manhattan au niveau de la 103e Rue, un immense H bleu azur émaillé de rouille : le Ward's Island Bridge. H pour « Hospital », ou bien pour « Hell », l'Enfer. Guérir, croupir. En tout cas ce n'est pas H pour « hasard ». Pas plus de hasard sur cette île coincée entre Manhattan et le Queens que dans l'affaire DSK ! Ainsi, on aurait tort de négliger le nom du pont ferroviaire qui relie, de l'autre côté, Ward's Island au Queens : Hell Gate Bridge, le pont de la Porte de l'Enfer…

Je profite de cette pause en forme de nomenclature théologique pour signaler à Dieu qu'en quittant l'île par le Ward's Island Bridge on peut aller en ligne droite du Manhattan Psychiatric Center jusqu'au Mount Sinai Hospital. Ce qui n'est pas anodin si l'on sait – et Dieu sait ! – que c'est un certain « Moïse » – Robert Moses – qui eut l'idée du pont dans les années 1930. Plus d'un siècle auparavant, il n'y avait qu'un pont-levis en bois destiné au commerce de coton des frères Ward, de qui l'île tient son nom. Le pont-levis avait été financé en 1807 par Bartholomew Ward et un associé, un certain Philip Milledolar. Apparemment les mille dollars portèrent malheur à la salle d'hôpital (*ward*) : une tempête a tout détruit en 1821.

De temps à autre, la barre horizontale du colossal H d'acier bleuté s'exhausse dans un craquement d'os broyés. L'arche rouillée laisse alors passer les ferries et les *heavy-lifts* transportant d'immenses grues dont la coque est décorée d'une frise caoutchoutée de pneus noirs. Lorsque le H s'élève vers le ciel, les piétons sont empêchés de traverser. C'est ainsi durant tout l'automne, l'hiver, et chaque nuit de l'année. Las de nous voir errer dans leurs parages, les riverains de l'Upper East Side ont obtenu que le pont soit interdit au couchant.

Oh ! ce n'est pas moi qui irai les blâmer. C'est vrai qu'il y a en nous autres, pensionnaires de l'île, quelque chose d'abrupt, une tenace crudité face au monde. Sans doute est-ce le legs des premiers habitants de Ward's Island, des « Sauvages », comme les appelaient les Hollandais à qui ils la cédèrent au XVIIe siècle. L'île portait alors le doux nom de Tenkenas, ce qui signifie « Terres sauvages » en delaware. Après la destruction du pont-levis, elle resta longtemps à l'abandon, avant de servir de décharge publique, puis de cimetière des pauvres. En 1847, on y ouvrit un hospice pour immigrants, qui fut un temps le plus vaste hôpital du monde. La Ville finit par acquérir l'île. Elle avait vraisemblablement pour destin d'abriter la folie car, en 1863, le New York City Asylum for the Insane, le plus grand hôpital psychiatrique au monde, y ouvrit ses portes aux schizos dans mon genre. En outre, avant qu'Ellis Island ne devînt le sas d'entrée de la misère mondiale en Terre promise, c'est Ward's Island qui tenait ce rôle. Quant à l'hôpital psychiatrique, il ne désemplissait plus. Au début du XXe siècle, quatre mille quatre cents fous à lier occupaient les lieux. Puis, la démence aimant à se distraire, la Ville installa aussi sur l'île un parc et des installations sportives.

L'île de Randall, entre la nôtre et le Bronx, lui fut amalgamée. Elle avait un temps porté le nom de Montresor's Island, ayant été acquise par un certain John Montresor, mais les Anglais la lui confisquèrent pendant la guerre d'Indépendance, et le manoir des Montresor fut détruit en 1777, signe supplémentaire que cette terre d'accueil des pauvres est une terre d'écueil pour les riches. On combla le cours d'eau entre les deux îles – cours d'eau qui portait le doux nom de Little Hell Gate, « Petite Porte de l'Enfer », et sous la direction de Moïse la construction des ponts commença : d'abord le Hell Gate Bridge, le pont de la Porte de l'Enfer, puis Triborough Bridge, qui aurait pu avoir la forme d'un K plutôt que d'un T, car c'est le jour même du krach de 1929 qu'il fut mis en chantier ; enfin notre bon vieux H azuré ocellé de rouille, en 1951, réservé aux piétons et aux bicylettes.

Parfois Antonin m'accompagne dans mes déambulations. Retournant à notre bercail hallucinatoire, nous nous arrêtons pour lire une millième fois la vieille plaque suspendue à l'entrée du pont. Antonin cite alors un poème dont le titre, affirme-t-il, est *H* : « Sa porte est ouverte à la misère. » Et c'est vrai qu'il émane une sorte de sainteté de notre H levant, levant comme l'astre jaune pâle qui miroite maintenant sur le fleuve. Les deux immenses glissières verticales qui assurent son ascension ont la diginité de Moires, d'implacables divinités indifférentes aux morsures de la rouille comme aux arabesques des tags tracés sur leurs poutrelles. Sur la vieille plaque, quelques lettres sont effacées :

FOOT BRIDGE TO WARDS ISLAND PARK BUIL   FOR
THE PEOPLE OF THE   TY OF NEW YORK   Y
THE TRIBOROUGH BRIDGE   ND TUNNEL AUTHORITY

– Mon cher ami, commente Artaud, avez-vous bien repéré le sens de ce sort dont les trous nous saluent ici comme la porte de l'Enfer accueillit l'Alighieri ?

– Pas vraiment, Antonin.

– C'est pourtant clair. Il y a une lettre qui brille par sa présence, ce Y solitaire, au bout de la seconde ligne.

– Y comme « *Yes* » ?

– Non, Y comme « *why*[1] ».

Séismes

Dans la voiture qui l'emmène de Harlem au New York City Criminal Court, DSK se fait l'effet de vivre un lent cauchemar. Un mauvais rêve où il aurait commis une faute de débutant, comme toucher une pièce avant de décider où la déplacer sur l'échiquier. Il a touché de son gros onzième doigt le petit pion noir du Sofitel, maintenant il ne peut plus reculer, et le voilà bêtement mis en échec.

1. En anglais, Y se prononce comme *why*, « pourquoi ».

Cela faisait longtemps qu'il ne s'était senti flotter ainsi en une interminable chute libre, comme l'Alice de Lewis Carroll. La dernière fois, il avait dix ans et demi. C'était à Agadir, le 1er mars 1960. La veille, le 29 février, à 23 h 40, la ville s'était effondrée sur elle-même. Écroulée dans la nuit d'un rire tellurique de quinze secondes, Agadir laissa apparaître au petit matin les mâchoires édentées et hilares de ses immeubles éventrés. Un tiers de la population était mort. La famille Strauss – le père Gilbert, la mère Jacqueline, la sœur Valérie, le petit frère Marc-Olivier et Dominique, l'aîné – faisait partie des miraculés.

Vue depuis les hauteurs, une immense salière semblait avoir saupoudré la ville de blanc. En s'écroulant, les immeubles avaient épongé toutes les ombres du sol. Blanc sur blanc, Agadir ressemblait à un échiquier délavé, injouable. Les jours suivants, le petit Dominique avait parcouru les monceaux de gravats, sonné par sa chance et bouleversé par la disparition de tous ses camarades de classe. Chaque matin il quittait les tentes de la Croix-Rouge, où les survivants étaient hébergés, pour s'enfoncer dans l'irrespirable odeur d'antiseptique que des secouristes masqués aspergeaient sur les décombres. Hébété, il sillonnait la ville, cherchant en vain un autre enfant à prendre dans ses bras.

Le ciel bleu était infernal de pureté, le soleil si blanc et brûlant qu'il semblait vouloir enfouir sous la chaux tout ce qui n'était pas lui. Les rues et les avenues, étrangement, étaient d'une tenue impeccable, comme si les décombres avaient pris soin de ne pas déborder sur les artères pour faciliter la déambulation estomaquée des survivants. À chaque pas un nouveau témoignage de la friabilité des constructions humaines surgissait, pour aussitôt s'aplatir en une obséquieuse révérence au ravage.

La gendarmerie ; l'hôtel Gautier et l'hôtel Saada, fraternisant de malchance dans l'affreuse secousse ; le Nouveau Marché, qui avait pris en quinze secondes un sacré coup de vieux, et dont la longue toiture blanche traînait à terre comme la langue exangue d'un cadavre d'animal ; la rue Thiers dévastée, comme si tous les fantômes revanchards de la Commune de Paris s'étaient entendus pour la saccager ; l'imprimerie Rapide et Chic Parisien, trônant sur ses propres gravats, encore inspirée par l'audace de son appellation ; les bateaux du port dérisoirement empilés comme de vieux joujoux à l'abandon, les lézardes gigantesques des quais, le canon de la terrasse de la Kasbah, intact parmi les débris de la muraille comme s'il avait malencontreusement tout détruit en éternuant sans prévenir ; l'agence immobilière Serfaty trônant amèrement au milieu des ruines ; l'immeuble Boly éventré en deux colonnes aussi irréconciliables qu'Arabes et Français…

C'est depuis ce temps-là que DSK s'imagine indestructible, rescapable à volonté, et qu'il bafoue toutes les prudences. Car c'est aussi depuis ce temps-là qu'il a l'impression de vivre à côté de lui-même, comme une ombre nomade, indifférent au qu'en-dira-t-on, toujours conciliant, évitant toute confrontation, négligeant les plus élémentaires précautions, accumulant bourde sur bourde en politique, se laissant empêtrer dans les situations les plus invraisemblales dont il finit d'ailleurs toujours par s'extirper quand n'importe qui d'autre y aurait sacrifié sa carrière, sa famille et toutes ses relations.

Du moins jusqu'à ce lundi de printemps 2011, à New York, où l'intraitable juge Melissa Jackson va refuser les divers arrangements imaginés par Benjamin Brafman et annoncer à DSK son transfert à Rikers Island.

Jusqu'à ce jour, le Destin semblait avoir DSK à la bonne. Affaire de la MNEF, affaire Elf, affaire Méry, affaire Tristane Banon, affaire Piroska Nagy… à chaque fois, il s'en est tiré de justesse, d'un cheveu, comme à Agadir au soir du 29 février 1960. Comme si son double, écrabouillé sous cette journée bissextile, absorbait cycliquement toutes les secousses de l'existence du DSK demeuré à l'air libre. Le jumeau écrasé du Dominique rescapé le protège à rebondissement, annulant périodiquement toutes ses malchances, mais aussi, en une contrepartie maléfique, réitérant à répétition toutes ses catastrophes. Depuis le 29 février 1960, DSK est sous le coup d'une bénédiction mâtinée de malédiction. Tout lui réussit, et tout rate en même temps sitôt qu'il prétend s'installer sur la chaise longue du succès.

On pourrait comparer DSK à Sisyphe. Échappé des Enfers comme Sisyphe, DSK est un resquilleur de la mort. Comme Sisyphe, condamné à rouler son roc sans fin, DSK pousse le fardeau de sa carrière de bas en haut pour, à peine parvenu au sommet, la regarder dévaler vers le sol en emportant dans sa chute toutes ses ambitions. Pourtant, il n'est pas un héros tragique. DSK est un Sisyphe bonhomme, rigolard, un « Sisyphe heureux » tel que l'imaginait Camus – « le philosophe

Albert Camus », énonce pompeusement le communicant Khiroun, aimant à paraître plus cultivé que ne l'exige son métier de mythomane à gages –, un Sisyphe libertin, jet-setter, décontracté, répétant : « Ou ça va, ou ça va » en boucle après chaque dégringolade... Jusqu'au 14 mai 2011.

Le hic, c'est que soixante-quatorze ans et trois mois entre les murs de Rikers Island, ça fait longuet à remonter comme pente.

L'impatience

Je m'arrête au milieu du pont pour contempler mon périmètre habituel d'errance, de Battery Park à Bronx Park South, entre le zoo du Bronx et celui de Wall Street.

Le zoo du Bronx c'est un peu chez moi, comme le centre psychiatrique. J'en connais les moindres recoins. Depuis mon perchoir, je songe aux bonobos. Les bonobos sont la spécialité de « Charles Darwin », dont la chambre jouxte la mienne au centre psychiatrique. Il m'a tout appris sur ces chimpanzés congolais. Je pense à eux en ce moment précis. Les bonobos apaisent toutes les tensions du groupe en copulant en permanence. Huit copulations bisexuelles quotidiennes d'environ dix secondes chacune par individu... Ils pratiquent le coït ventral, le cunnilingus, la fellation, la sodomie, la pédophilie, et même le *French kiss* avec la langue. Pauvre DSK qui n'a pas eu la chance de naître bonobo !

J'ai l'air de rire – la mâchoire tatouée sur ma bouche me confère un perpétuel faciès sardonique –, mais je plains sincèrement ce politicard poivre et sel qui ne songe qu'à

jouir

Jouir, jouir, jouir, jouir, jouir, jouir, jouir, jouir, jouir… Bâfrer, bander, baiser, trépigner de convoitise jusqu'à l'éjaculation suivante qui ne fera qu'amorcer une nouvelle cavalcade vers le jouir !

La tragicomédie de DSK, c'est qu'il est condamné à l'inassouvissement, car le secret de DSK, c'est qu'il ne supporte plus le passage du Temps. Ce qui lui fut révélé à Agadir, à dix ans et demi, dans une fulgurance mortifère où s'effondra sa vie d'avant, c'est que l'imperturbable et lente hélice journalière du Temps est trompeuse. À force de se lover sans fin, d'heure en heure, jour après jour, d'une saison l'autre, le Temps ploie sur lui-même tel un immense ressort. Et un jour, sans prévenir, la spirale du Temps comprimée par sa propre pesanteur aboutit à sa propre apocalyptique explosion. Un vortex de fracas, de cris, de poussière, annihile ce que les hommes ont patiemment amoncelé depuis des décennies en donnant crédit à la sereine succession des jours.

C'est depuis cette explosion du Temps que DSK ne croit plus en la succession des jours. À dix-neuf ans il était déjà marié et vivait en couple comme s'il en avait vingt de plus. À vingt ans, étudiant à HEC, il se préparait déjà au prix Nobel d'économie... À peine élu à la tête du FMI, il se voyait déjà rivaliser avec Obama en devenant le premier président juif de l'histoire de France. Et à peine décide-t-il d'annoncer une candidature attendue par toute la France qu'il noie tout espoir dans le sperme au fond du gosier d'une femme de chambre peule en grognant: «*Huuuu... huuuu... huuu... huuu...*»

Le problème de l'impatient, c'est qu'il ne *se* pense pas. Il peut être intelligent, cultivé, d'une exquise courtoisie en société, fin psychologue dès qu'il s'agit d'autrui, un ami pondéré et compréhensif, un mari patient comme un ange, un père merveilleusement permissif, un entrepreneur stratège en diable, un manager rusé comme quinze Machiavel, un politicien sournois comme trente-six Iago, son impatience vitale lui dissimule sa propre essence. Forcez l'impatient au repos d'une manière ou d'une autre – placez-le en prison, par exemple –, vous le verrez alors se rejoindre à son insu. Et ce qu'il rejoint, c'est sa perdition.

Depuis qu'à Agadir, le 29 février 1960 à 23 h 40, le Temps a trahi DSK, celui-ci ne supporte plus l'attente. Il brûle les étapes en imagination, mais c'est pour mieux s'étaler dans la vie sur les haies du parcours. Voilà ce qui explique que l'homme réputé le plus intelligent de France et de Navarre – le miraculeux économiste en chef du gouvernement Jospin, l'inventeur des emplois-jeunes et des 35 heures, le maître du management à visage humain, le gaga des nouvelles technologies tous azimuts, le chantre du capital-risque, le joueur d'échecs ayant toujours quinze coups d'avance sur tous ses adversaires... – ne voie pas ce qui lui pend au nez en jouissant dans la bouche d'une Africaine de trente-deux ans récemment immigrée aux États-Unis.

Un tel aveuglement ne s'explique que par l'impatience. Quand bien même Ophelia serait une pute patentée, quand bien même cette éjaculation aurait été négociée et monnayée selon les règles les plus traditionnelles depuis la rencontre de Tamar et de Juda dans le livre de la Genèse, n'importe quel politicard abruti de seconde zone – disons... George Bush Jr – aurait su qu'il ne fallait pas éjaculer entre des lèvres extraconjugales en hurlant : « *Huuuu... huuuu... huuu... huuu...* » à quelques mois d'une cruciale élection présidentielle !

Oui mais voilà : Dominique prudent et calculateur ne serait plus Dominique. Aucune prudence, aucun calcul ne préserve d'un tremblement de terre.

D'autant moins quand on porte le séisme en soi.

Le sexe comme délire et supercherie

Le sexe et votre ami Sac d'Os, ça fait deux. Voire dix, ce qui est la moindre des choses pour un schizophrène qui se respecte... Quant à Goneril, elle n'est pas en reste question gonades en folie.

Nous étions encore au Sambuca's Café quand elle me proposa de venir fumer un joint chez elle, à deux pas de là, dans Hester Street, toujours à la lisière floue de la Chine et de l'Italie.

L'appartement de Goneril n'était pas *banalement* bordélique, il était borderline, digne débarras dérangé de son esprit éparpillé. De même qu'elle avait frénétiquement déversé le contenu de son informe sac en tissu à fleurs sur la table du Sambuca's Café – pour *n'y pas* trouver on ne savait quoi, comme si ma présence était le vide-poche de sa sensualité suprêmement délirante –, elle avait transposé tout le contenu de son cerveau malade dans l'inénarrable décoration du deux pièces d'Hester Street.

C'était un fourre-tout de genres, de pays et d'époques où rien ne rimait avec rien, un cafouillis de symbolismes coexistants, un fourmillement d'influences déstructurées par une secousse sismique. Chaque meuble, chaque bibelot, chaque objet, chaque couleur, chaque poster, chaque vêtement en vrac semblait n'avoir pour objectif que de sauter à la gorge de l'objet le plus voisin. Ce n'était même pas une absence de décoration, c'était la querelle faite style, l'amphigouri en trois dimensions, le règne de l'inquiétante inimitié des choses entre elles, tapies dans l'atmosphère, attendant le signal de la charpie. Inutile de préciser qu'un être humain se sentait aussitôt de trop en pénétrant dans ce champ de mines esthétique.

Confronté à cette chamaillerie de charabias, un autre que moi – un bien voyant – se serait enfui en courant. Mais j'étais moi, et si à l'époque je n'avais pas encore revêtu l'égide d'encre de mon tatouage, je pratiquais déjà couramment l'adversité du monde externe. Rien ni personne n'était susceptible de m'ébranler, pas même un appartement où le Désordre n'aurait pas reconnu ses petits.

À peine entrée, Goneril se mit entièrement nue, chantonnant « Like a Virgin » de Madonna sans cesser d'avancer vers le fond de l'appartement en laissant s'affaler sur le sol sa jupe paysanne et son chemisier blanc imprimé d'un immense « SS » rose. Elle m'invita à m'installer à mon aise depuis la salle de bains où elle préparait son chillum fantaisie en forme d'Olive Oil.

En l'attendant, je ramassai son chemisier et me mis à l'examiner de près. Je voulais m'assurer que je n'avais pas halluciné un sigle nazi.

Surgissant de la salle de bains, elle hurla :

– TU AIMES MON CHEMISIER, MON CHOU ? IL VIENT DE LA BOUTIQUE PORNO GAY SO SEXY, OÙ TOUT CE QU'ILS VENDENT PORTE LEUR ADORABLE LOGO « SS »...

– Des gays néonazis ?

– TU ES DINGUE OU QUOI ? nasilla-t-elle dans son bel accent italo-new-yorkais. QUEL EST LE RAPPORT ?

Je n'insistai pas, comprenant que la logique la plus minimale et Goneril, ça faisait aussi au moins dix...

Elle s'installa au pied du fauteuil hippie où je m'étais assis, bénissant mon don de mauvaise vue qui empêchait le motif vomitif de m'hypnotiser. Elle commença, après l'avoir allumée, par s'enfoncer Olive Oil dans le vagin, la faisant aller et venir deux ou trois fois en m'expliquant :

– C'EST POUR ÉPICER NOTRE TRIP, DARLING. ÇA DONNE UN BON GOÛT À L'HERBE, ET COMME MA COPINE OLIVE EST LESBIENNE SUR LES BORDS, JE LA FAIS UN PEU JOUIR POUR QU'ELLE N'OUBLIE PAS DE NOUS RENDRE LA PAREILLE.

Puis, s'adressant à son chillum comme à un bébé ou à un chiot :

– VIENS COMBLER TA MAMA, MON AMOUR... VIENS LÀ, MA BELLE, QUE JE TE SUÇOTE LA FRAMBOISE...

Elle pourlécha voluptueusement le chillum avant d'inhaler une interminable bouffée de haschich, la retenant dans ses poumons un temps phénoménal. Je crus qu'elle expérimentait une nouvelle sorte de suicide par apnée psychotrope, mais, sans reprendre son souffle, elle me débraguetta sans cesser de chantonner, lèvres closes, « Time Is on My Side » des Stones, puis se pencha sur moi et rejeta toute la fumée contre mon sexe, toussant comme une dératée avec des mouvements hoquetants du menton et de petits chevrotements, *HI... HI... HI... HI... HI... HI...*, comme si elle s'était métamorphosée en chèvre et mis dans l'idée de me brouter l'entrejambe.

Dire que j'étais parfaitement à mon aise serait exagéré. J'avais vingt ans, jamais une femme n'avait touché la moindre parcelle de mon corps. Se contentant de m'infuser son angoisse, ma mère ne me caressait plus depuis que j'avais trois ans – fût-ce pour un baiser avant de partir à l'école. Puis, à partir de neuf ans, mon brouillard radiographique m'avait servi d'invisible cuirasse élastique. Radiographier les humains m'était dérisoirement aisé, il suffisait que je décide de m'approcher assez près pour lire dans leurs pensées, mais le bourbier qui leur servait d'âme me révulsait. Je n'autorisais donc personne à me frôler, pour ne pas me mettre malgré moi en mesure de le traverser. Depuis le transvasement de don entre Daredevil et moi-même, j'étais décidé à ne plus laisser personne m'inoculer son intimité sans mon expresse permission…

Mais Goneril était si extravagante, si poignante, même dans la nudité et l'excitation érotique où les êtres pourtant se stéréotypent spontanément, que je lui accordai cette faveur : un accès temporaire à mon corps inerte.

La manière dont Goneril me fit l'amour – moi-même demeurant passif et observateur – participait d'un style qu'on pourrait nommer antiaristotélicien : la contradiction hystérisée en était le principe majeur.

Elle commença par se renfoncer Olive Oil dans le vagin avant de m'en effleurer les lèvres et la langue tout en me masturbant doucement, gémissant des ni non ni oui inouïs – « *Nyes* », « *Yos* », et toutes leurs variantes… – qui appartenaient à je ne sais quelle novlangue mysticoïde. Elle inaugura aussi de nouvelles catégories grammaticales, comme l'injonction négativo-affirmative : « Fais-moi bien pas jouir ! » ou la contradiction revendiquée : « Non non non c'est bon ! »

– Oh… *Nyes* ! prends-moi, *Nyos* ! continue stop ! (*Je ne l'avais toujours pas touchée.*) non non encore ! non, c'est bon, *yos* ! *Sister* Olive goûte-moi le *cacchio* de ce petit saligaud ! ouvre-toi, ma pucelle, ce beau gosse va nous défoncer ! *yeon* ! va-t'en tu fais mouiller Olive ! oh… mon suc sur ta queue ! Arrête plus loin ! baise mon Olive aussi, c'est une garce ! une fausse lesbienne ! salopard, tu la violes d'amour ! envoie tout jusqu'au fond de ma chatte tellement tu me dégoûtes ! (*Proféré assez hors de propos puisqu'elle était encore en train de me faire une fellation enfumée.*)

PETIT SALAUD, MAMA VA TE DÉFONCER LE CUL AVEC SON CHILLUM ! FUME-MOI LA FRAISE ! DONNE-MOI TA LANGUE, JE TE DÉTESTE, TA QUEUE EST TROP MÉCHANTE, CONTINUE ! *NYES NYES NYES* ! *MAAAAMAAAAA MIAAAAA*, TU FAIS JOUIR MON OLIVE ! PRENDS-LA DANS TA BOUCHE, *HI... HI... HI... HI.... HI...* (*Chevrotements bizarres.*) BAISE MON KARMA, DÉFONCE MON TAO *SO SEXY*, JE TE MANGE AVEC MA CHATTE ! MON *BAGGY DI OSSA*. *ARRAPATO MIO*, SALOPARD DE MA VIRGINITÉ ! *SISTER* JANE, OLIVE OIL, MES AMOURS, MANGEONS CETTE BELLE QUEUE AVANT QU'IL NE VOUS DÉFONCE, VOUS ÊTES DEUX BELLES SALOPES, *NOYEAH* ! JE VOUS INTERDIS DE JOUIR AVANT MOI ! TOI AUSSI MON *BAGGY*, *NOUI* ! JE TE MANGE TOUT TON SUC AVANT QUE TU JOUISSES, JE TE VIDE LES COUILLES POUR NOURRIR OLIVE ET JANE, ELLES T'ADORENT, BEAU SALOPARD ! CONTINUE ARRÊTE TOUT ! *NO SI NO* ! *PORCO DELICIOSO* ! TU FAIS FONDRE TOUT MON YIN-YANG PAR LA CHATTE, ARRÊTE TOUT ! ARRÊTE ENCORE ! *HI... HI... HI... HI... HI... HI... HI... kouff kouff kouff* !

Comme je ne faisais personnellement aucun mouvement ni ne prononçais aucun mot, je compris vite que Goneril était aussi frigide que folle à lier.

J'en conclus par la même occasion que ce dont tout le monde faisait tant de cas, le sexe, n'était qu'une vaste et drolatique supercherie.

« ***Ooooh nooooo !*** »

Goneril venait juste de me faire éjaculer dans son chillum « pour punir la salope lesbienne Olive Oil », et elle finissait sa dernière bouffée de « Marijane ensemencée » quand un bruit de clé se fit entendre dans la porte d'entrée.

L'homme étrange qui pénétra dans l'appartement ne parut pas décontenancé par ma présence. Vêtu en rouge vif et blanc immaculé, telle une figure de carte à jouer, il eut au contraire un sourire courtois en me découvrant comme si nous nous saluions au cours d'un cocktail mondain.

Sans lui adresser un regard, sans avoir l'air surprise non plus, Goneril me dit :

– *BAGGY*, JE TE PRÉSENTE KENT, MON EX. EX, JE TE PRÉSENTE *BAGGY DI OSSA*, TON EFFACEUR.

Kent se rua vers moi la main tendue, exhalant un courtois « *How do you do ?* » avec un accent britannique aussi sereinement grave que celui de Goneril crépitait italiennement dans les aigus. Son sourire était si sincère, sa poignée de main si vigoureusement sympathique que je le soupçonnai d'être ravi de me refiler Goneril, comme si elle était une vipère chauffée à blanc dont on ne se débarrasse qu'en la passant à autrui par une chaleureuse poignée de main !

Pendant que Goneril prenait un bain en chantonnant « Angie » des Stones, faisant clapoter si violemment l'eau de sa baignoire que je crus qu'elle tentait de noyer Olive Oil qui se serait débattue, Kent et moi faisions connaissance devant deux verres d'un bloody mary qu'il nous avait préparés dans les règles de l'art.

– Ne laissez jamais un Américain vous servir à boire, mon cher. Ce sont tous d'incultes cow-boys crottés qui ne valent pas la corde avec laquelle ils ont pendu les Indiens et fouetté les Noirs ! Connaissez-vous Londres, par hasard ?

– Non, mais je le regrette. Je ne me suis jamais beaucoup éloigné d'Alphabet City…

– *Oh lovely !* fit Kent comme si j'avais répondu positivement à sa question, ou comme si Alphabet City était le paradis sur terre. (*Ce l'était, mais nul n'en savait rien…*)

Sortant de sa salle de bains où elle avait fait tant de clapotis et de boucan qu'elle ne nous avait pas entendus rire et deviser, Goneril lança à Kent d'un ton grinçant :

– POURQUOI ES-TU ENCORE DEVANT MOI, PUISQUE TU N'EXISTES PLUS !

En réalité, si je m'installai chez Goneril à partir de ce jour, Kent ne quitta pas les lieux pour autant. Il accueillait les remarques nasillardes de Goneril sans réagir, comme si elle avait eu raison de l'éradiquer mais qu'en retour elle aussi avait été abolie de sa propre Albion mentale.

Vêtu jour et nuit comme s'il partait à la chasse au renard, Kent était un personnage infiniment attachant, calme comme un cadavre et à peu près aussi fanatiquement aliéné que Goneril ou moi-même. Goneril me confia qu'il était l'héritier d'une des plus riches familles d'Angleterre. Personnellement, je m'entendais très bien avec ce richissime parasite de quarante-trois ans dont l'âge mental ne semblait pas dépasser celui d'un garçonnet, mais dont les anecdotes anglaises me divertissaient.

Pourquoi était-il venu à New York ? Ses relations avec son père – « Lord Pound », surnom donné par Goneril – s'étaient un peu tendues après qu'il eut dilapidé trente millions de livres sterling en vingt-quatre heures à la suite d'une petite boulette immobilière.

Kent était en instance de divorce. Restée à Londres,

sa femme lui réclamait une fortune, le faisant surveiller jour et nuit par un avocat-espion. Il avait dû planquer sa Maserati, sa Bentley, son yacht et son hélicoptère dans le garage paternel. Le temps de préparer son exil américain, il n'avait plus quitté sa maison à deux étages, située en bordure de Hyde Park, que dans une vieille Coccinelle d'occasion repeinte en gris, au volant à droite, à laquelle il était si attaché qu'il l'avait fait transbahuter à prix d'or avec lui à New York.

Goneril, considérant Kent comme carrément téléporté à Londres par ma seule existence, m'abreuvait *en sa présence* de détails le concernant, s'interrompant néanmoins de temps à autre pour lui demander une précision, ou pour l'insulter ou le railler, levant alors la tête vers le plafond comme s'ils étaient désormais en communication télépathique par-dessus l'Atlantique…

– L'ex de Kent est une lesbienne patentée. Quand j'étais en vacances à Londres, cette salope m'a sauté dessus un jour que nous étions seules. Tu entends, Kent ? (*Lancé au plafond à un lustre en forme de poisson en papier japonais.*) ta salope d'ex a essayé de me violer.

Kent, jouant apparemment le jeu de la télépathie, répondit avec flegme :

– *Oh, lovely… !*

C'était sa formule de prédilection. Son autre expression favorite était « *Ooooh nooooo !* », si par exemple on lui apprenait quelque chose qu'il ignorait.

Kent ne parlait jamais de sa famille, c'était Goneril qui tenait tous les comptes de cette fantastique et fantomatique fortune dont Kent, parfaitement discret et détendu, ne laissait rien paraître.

Kent avait deux tics hilarants dont il ne semblait pas soupçonner l'existence : le premier consistait à sortir la langue et à se masser le bout du nez avec, tout en vous fixant droit dans les yeux. Cela signifiait peu ou prou qu'il était content de lui, lorsqu'il venait de trouver une bonne repartie par exemple. L'autre tic était un recroquevillement de tout son faciès, son visage venant s'effondrer dans le siphon de ses lèvres où se rejoignaient son menton et son nez, exactement comme une marionnette du *Muppet Show*. La signification physiognomonique reste inconnue à ce jour.

Parfois, malgré la téléportation, Kent et Goneril entamaient une sorte de dialogue, comme s'ils jouaient une pièce de théâtre pour un seul spectateur. Goneril le houspillait dans la cuisine, le traitant d'abruti (« *ASSHOLE* »), tandis qu'il se contentait de rétorquer dans son lancinant accent british :

– Tu as raison, *darling,* tous les hommes sont des abrutis !

– Et les femmes ? Kent, intervenais-je depuis le salon pour lui témoigner un peu de complicité flegmatique, que peut-on en dire ?

– Oh, les femmes, elles sont grotesques...

J'éclatai de rire (c'était avant mon tatouage de squelette ; depuis c'est lui qui ricane pour moi) et répétai toute la soirée la trouvaille de Kent : « *Men are assholes, women are ridiculous*... » Kent riait comme un enfant avec moi en se lapant le bout du nez de plaisir, apparemment peu habitué à un tel succès, tandis que Goneril boudait tout en nous insultant en italien à voix basse.

« *Money kills my heart* »

Un soir, Kent me surprit en train de lire à la lueur d'une bougie. Il me demanda négligemment, par politesse, de quoi parlait mon livre, puis parut passionné dès que je le lui expliquai.

– C'est l'essai d'un anarchiste britannique, Nathan Diesz-Kaspeg, consacré à la folie de l'argent. Le titre, *Money kills my heart*, « L'argent me fend le cœur », est tiré de Shakespeare. Ton compatriote entend démontrer que l'argent est démentiel par nature, et pas seulement par l'usage immodéré qu'on peut en faire. D'ailleurs, explique-t-il, seuls ceux dotés de cette forme particulière de démence nihiliste peuvent espérer en jouir, au péril de leur santé, de leur vie, et bien sûr de leur propre fortune.

– *Oh, lovely !*

– Diesz parle d'un philosophe allemand, ton quasi-homonyme, Kant, qui a défini l'argent comme une substance aussi paradoxale qu'un cercle carré. Cette chose, dit-il, dont il n'est possible d'user qu'en l'aliénant puisqu'on n'en a l'usage qu'en s'en débarrassant. L'argent ne vaut en effet que si on le cède…

– Kant ! dit Kent. Mon jumeau ! Où est-il, que je le serre dans mes bras ?

– C'était au XVIIIe siècle, dis-je. Il entendait d'ailleurs cette aliénation de l'argent au double sens, puisqu'il qualifiait la fièvre de posséder, dont l'argent est le mot d'ordre, comme une inclination délirante et, concluait-il, parfaitement méprisable.

– *Ooooh nooooo !*

– Console-toi, tu as un autre jumeau symbolique dans la personne d'un philosophe autrichien du XXe siècle, Ludwig Wittgenstein, mort à Cambridge au tout début des années 1950. Héritier d'une des plus grandes fortunes d'Europe, il insista pour se faire entièrement déposséder de son héritage au profit de ses sœurs et de son frère pianiste manchot. Il était si riche qu'il avait dû rayer de son vocabulaire le mot « dilapider » ! Il fallut qu'il insiste comme un fou, c'est le cas de le dire, auprès du notaire de sa famille pour devenir pauvre comme Job après avoir été riche comme Crésus. L'opération s'avéra légalement encore plus délicate que s'il s'était agi de l'inverse. L'argent entravait sa pensée, prétendait-il. C'est une question d'« ambiance », disait-il. Dans une autre ambiance que la sienne, au fond toujours factice, l'argent n'a plus aucun sens, il disparaît. Décontextualisé, l'or n'est que le plus ordinaire des métaux. *Gold* est un *God* sans ailes.

– *Lovely !*

– Il y a aussi, au XIXe siècle, ce Suisse émigré en Californie, Suter, dont le colossal amoncellement de biens fut dévasté du jour au lendemain lorsqu'un de ses paysans découvrit une grosse pépite d'or, par hasard, en bêchant la terre. Sur le papier, vu les pépites dont son domaine regorgeait, de très gros propriétaire terrien à l'ancienne il devenait carrément l'homme le plus riche du monde. En réalité cette richesse superlative lui fit tout perdre. Tous ses ouvriers le quittèrent pour devenir chercheurs d'or, et son domaine fut entièrement saccagé par les fouilles anarchiques et injugulables. Comme si le gain, dès qu'il se prend pour lui-même, se condamnait à voir la perte fructifier à ses dépens. C'est le paradoxe inverse du *potlatch* des Indiens, où l'on est « riche » à la mesure de ce qu'on détruit et dilapide... Ce livre raconte aussi que, à partir de 1971, lorsque la monnaie se détacha sans retour de l'étalon-or, les économistes la surnommèrent « *fiat money* », d'après le verbe qui dans la traduction latine de la Bible désigne la création du monde *ex nihilo*. Autant dire que l'argent participe du néant. Il puise son illogique existence dans le tonneau de Danaïdes du non-être. Il ne peut par conséquent s'alimenter que d'anéantissement : soit celui de son inexistence concrète, soit celui de la misère qu'il provoque toujours, figure de prou décharnée de sa luxueuse nef affolante lancée à l'assaut du monde. Les Chinois semblent avoir trouvé un moyen de renverser la vapeur en inventant la monnaie funéraire, la *Hell Money*, l'argent infernal. C'est une monnaie aux montants extravagants qui n'a aucun cours légal, n'est destinée qu'à son propre sacrifice par le feu, censée servir d'argent de poche dans l'au-delà au défunt sur la tombe de qui on le détruit. Mais les Chinois aussi ont été rattrapés par la démence de l'argent, et il leur a brisé le cœur, comme à tout le monde. Un autre chapitre est consacré à un compatriote à toi, Isaac Newton, l'homme à la pomme qui tombe. C'était un paranoïaque halluciné et dépressif, et la propre victime du bourreau de travail qu'il était lui-même. Après la mort de sa mère et une période de grave crise mentale, il s'intéressa au problème de la fausse monnaie, dont la fabrication et la mise en circulation vous coûtaient la tête à l'époque. En 1697, devenu *Master of the Royal Mint*, « Maître de la Monnaie royale », Newton commença par suggérer un bain de sang : un cinquième de la monnaie en circulation en

Angleterre, affirmait-il, était fausse. Confondus, les coupables étaient déclarés traîtres à la Couronne et démembrés. Newton conduisait en personne les interrogatoires des escrocs suspects. Il obtenait toujours des aveux.

– *Craaaaaaaack! Brrrrrrrr...*, fit Kent, impressionné par sa propre onomatopée de membres humains écartelés.

– Son pire ennemi fut une très riche crapule nommée William Chaloner, un roublard, un pervers qui accusa la Monnaie royale, donc Newton, de favoriser les faux-monnayeurs en leur donnant clandestinement des outils de contrefaçon. Il demanda à inspecter l'Hôtel des Monnaies, proposa d'améliorer leurs procédés de fabrication, et inventa même un outil permettant d'empêcher toute contrefaçon. Lui-même, durant ce temps, ne cessait de s'enrichir en fabriquant de la fausse monnaie! Ce petit génie du mal aurait été le cauchemar d'un homme normal. Pour un paranoïaque hypergénial comme Newton, c'était au contraire une bénédiction de pouvoir croiser le fer avec sa chimère persécutrice incarnée! Chaloner se prit sur le bec toute la divine perspicacité, l'intuition phénoménale, la colossale puissance investigatrice du concepteur de l'espace absolu, du découvreur de la gravitation universelle et du spectre de la lumière, du fondateur du calcul infinitésimal... Quelle chance avait le Pervers face au Paranoïaque qui, à vingt-trois ans, avait classifié les cubiques des fonctions dérivables et exposé leurs tracés avec asymptotes, inflexions et points de rebroussement?

– *Oooooh noooo!* Qu'est-ce que ces mots peuvent bien vouloir dire?

– Je n'en ai aucune idée. Mais inutile de te dire que Newton prouva par A + B les doigts dans le nez la culpabilité de Chaloner, qui fut pendu et écartelé *fissa*.

– Oh, *lovely* ! Qu'y a-t-il sur notre époque dans ton livre ?

– Eh bien, un chapitre est consacré à la démence du système financier contemporain. Il y est question de la spéculation à la baisse, qui explique que la ruine des uns soit un facteur d'enrichissement pour les autres, et qu'il soit financièrement plus rentable de détruire l'économie que de la soutenir. Bien des financiers parient ainsi au moment où nous parlons sur l'écroulement de l'Europe, tel George Soros en 1992 empochant un milliard de dollars pour avoir parié sur la baisse de la livre sterling. La déréglementation a pris des proportions incontrôlables depuis que Clinton, en 1999, a précisément abrogé le *Banking Act* de 1933 qui forçait les banques à demeurer dans les bornes d'une judicieuse prudence… C'est à partir de là que les traders ont pris le pouvoir, faisant rémunérer par des sommes surréalistes leurs vols planés de vautours du Chiffre au-dessus des champs de ruines du chômage, de l'esclavage et de la pollution. Leur blague préférée consiste à taxer de « socialistes » les banquiers à l'ancienne dont les salaires sont évalués par équipes… Mais tu sais quel est le chapitre le plus étonnant de mon livre ? C'est celui qui explique que le meilleur économiste de l'histoire fut aussi le plus dément : Adolf Hitler. Avant-guerre, la politique économique du Troisième Reich fut l'application la plus audacieuse du keynésianisme. Emprunts massifs pour les grands travaux publics, canaux, chemins de fer, autoroutes, de sorte qu'en 1935 l'Allemagne hitlérienne était le pays industrialisé le mieux purgé de la plaie du chômage. Une autre de tes compatriotes, une femme nommée Joan Robinson, disciple marxiste de Keynes, a ainsi pu s'exclamer : « Hitler avait déjà trouvé le moyen de guérir le chômage avant que Keynes n'eût fini d'en expliquer la cause. » Mais on ne résiste pas longtemps à la démence de l'argent. Quelques années plus tard, le dingo, devenu lui-même richissime grâce aux ventes forcées de *Mein Kampf*, allait transformer l'Europe en champ de ruines...

– Tu sais, *Baggy*, me dit Kent après m'avoir écouté avec un vif intérêt, pour moi, l'argent n'a aucune signification. Ce n'est pas à cause de l'argent que je suis en conflit avec mon père depuis qu'il m'a coupé les vivres. Moi, je pourrais tout à fait vivre heureux avec seulement quinze mille dollars par semaine !

– *WELCOME IN THE REAL WORLD !* hurla Goneril au poisson en papier japonais du plafond...

Kent fut mon premier et dernier ami, et cette amusante période de notre trio psycho la plus belle de ma vie. Malheureusement, six mois seulement après ma rencontre avec Goneril, le trio se disloqua. Kent devait rentrer à Londres se réconcilier avec « Lord Pound », son père, et régler la question de son divorce.

Il accepta que je l'accompagne à l'aéroport. Il portait son pantalon blanc, ses bottes montantes, sa veste rouge vif et même la casquette noire rigide des chasseurs de renard anglais. Nous prîmes sa vieille Coccinelle londonienne, Kent s'installa au volant, à droite. Nous étions en retard, Manhattan était embouteillé, mais Kent conduisit avec une dextérité phénoménale, louvoyant entre les taxis jaunes et les bus de touristes rouges à deux étages, bifurquant en un éclair, faisant des têtes-à-queue dignes de James Bond. C'était un acrobate mécanique impressionnant, répondant aux insultes des chauffeurs de taxi comme si elles étaient des compliments par de très calmes : « *Don't mention it…* »

Arrivé en crissant des pneus devant la porte de l'aéroport qui conduit au comptoir de la British Airways, Kent sortit en sifflotant de la Coccinelle, me lança un jovial : « Maserati oblige ! » – comme pour se justifier d'avoir été si prodigieux d'Hester Street jusqu'à JFK –, avant d'offrir gentlemanesquement sa voiture avec clés et papiers d'assurance à un clochard éberlué qui somnolait près de nous…

Je retournai à pied chez Goneril.

Quelques mois plus tard, j'entamai mon premier séjour au Manhattan Psychiatric Center.

Passage du Temps

Contrairement à Kent, DSK n'aime pas la vitesse. Il exècre le Temps, plus exactement il redoute son *passage*. Le Temps ne s'écoule pas comme un fleuve, il passe, comme on le dit d'un ange. Si vous n'avez pas d'aptitude à écouter le silence de ce passage, si votre agitation pathologique vous fait invariablement souiller ce silence, vous n'entendrez jamais rien à l'enseignement de l'ange du Temps. Ainsi, par exemple, il faut posséder le secret de la lenteur pour être vraiment rapide. DSK n'est pas rapide, il est brusque, prompt, fougueux, ardent, brutal, pressé, empressé. Ça n'a rien à voir. Il suffit d'observer la démarche chaloupée de DSK quand il est en forme, tel un boxeur avançant vers le ring, le cou engoncé dans le buste, jetant des œillades obliques à droite et à gauche… L'impatience faite homme ! Et pas n'importe quelle impatience, non : il ne s'agit pas d'arrivisme ni de carriérisme, bien au contraire. Il s'agit de l'impatience d'en découdre avec la prochaine secousse sismique ! Sa passion du risque vient de là. Au ski, par exemple, sa manie d'entraîner ses proches vers les couloirs hors piste les plus périlleux : il ne peut s'empêcher de titiller les avalanches. Sa monomanie puérile pour les gadgets électroniques vient également de là – son Psion, son Mac, son iPad, son BlackBerry… –, sitôt acquis déjà dépassés par une nouvelle version toujours déjà virtuellement obsolète. Toujours plus d'instantanéité digérée à peine effleurée. Échapper au leurre de la pérennité, virevolter plus vite que la mort.

Fuir, fuir, fuir… Jouir, jouir, jouir…

Le problème, avec cette permanente fugacité que rien n'apaise, c'est la dévoration de tout par la faim d'arriver à des fins qui se confondent avec elle. À quoi rime cette impatience intrinsèque ? À rien, justement. DSK erre dans le rien depuis que le cataclysme d'Agadir l'a dépossédé d'une partie de lui-même. DSK est scindé en deux par la hache du destin, exactement comme l'immeuble Boly à Agadir après la catastrophe, dont les deux parties restèrent dissociées par un empilement de paliers pentus effondrés les uns au-dessus des autres comme un millefeuille bancal et désarticulé.

Voilà pourquoi DSK ressassa : « Sais-tu qui je suis ? » à la femme de chambre interloquée – laquelle aurait été bien en peine de lui répondre, la bouche encombrée de sa trépidante érection... Parce qu'il l'ignore lui-même ! « Quel est celui qui peut dire qui je suis ? » demande Lear en zigzaguant dans les décombres de son royaume perdu. Telle est aussi la question qui tenaille DSK au moment de chavirer.

Son ombre est là, elle l'accompagne depuis toujours. Le petit Dominique broyé sous les gravats le suit de sa présence discrète, indiquée par l'infime point rouge sur le petit doigt de son pied droit, qui effraya tant la femme de chambre. Les ancêtres juifs ukrainiens du côté maternel de DSK auraient su, eux, qu'il ne s'agissait pas d'une maladie sexuellement transmissible. Ils auraient instantanément reconnu la marque du dibbouk, cette âme condamnée à errer pour ses péchés, qui adhère à un corps et lui inocule l'abîme du vice, de la folie, du désarroi et de l'incohérence.

C'est au Manhattan Psychiatric Center que j'ai appris ce qu'était un dibbouk, comme la signification de l'expression en yiddish dont Sandomir affubla DSK *in petto*.

Il y a un malade, on l'appelle « Franz Kafka », c'est un drôle de type, un Juif anciennement pratiquant. Il parle par énigmes. Nul ne sait pourquoi ni comment il s'est retrouvé là. Il est là, c'est tout, et il parle, et nul ne l'écoute à part moi, qui ne le comprends pas davantage que les autres. Lui seul ne craint pas mon tatouage de maori morbide. Il me regarde à travers ma carcasse d'encre, semblant voir ce que les autres fuient. Un jour, Franz s'est rendu compte que je l'écoutais avec plus d'attention que les autres. Il s'est tourné vers moi, dans la salle de lecture, et m'a déclaré :

– Puisque vous paraissez avoir à cœur de m'écouter, vous allez m'entendre. L'impatience, m'annonça alors Franz, est le propre de ceux qui ignorent leur essence.

Ce furent ses seuls mots, mais bizarrement, comme s'il s'agissait du sésame de notre temps, tout me devint clair.

Échecs et Juifs

Plusieurs d'entre nous possèdent au Manhattan Psychiatric Center ce que j'appelle leur *alter dingo*, leur jumeau négatif. Le mien, c'est l'obèse Homer, je vous le présenterai un jour. Celui de Kafka, c'est Bobby, « Bobby Fischer » comme on surnomme ici le meilleur joueur d'échecs du MPC. Bobby est un vrai génie sur soixante-quatre cases, mais il lui en manque une dans à peu près tous les autres domaines. Particulièrement sur une question qui l'obnubile : la juive.

Kafka fait preuve d'une inlassable mansuétude à l'égard de son alter dingo.

– Ce n'est pas lui qui s'exprime, plaide Franz. C'est sa douleur. Il se complaît dans cette boue pour se protéger, comme un éléphant se recouvre de limon pour empêcher les insectes et le soleil de tarauder son épiderme délicat. Quand on aime les éléphants, on n'est pas indisposé par la boue dont ils sont enduits. Ses insultes antisémites ne m'accablent donc pas, parce qu'elles sont juives et parce qu'une fois le plat servi je peux prendre ma part de cette nourriture abominable, de cet aliment empoisonné, mais antique aussi, et même éternel.

Franz a compris qu'il y avait une intime corrélation entre l'antisémitisme de Bobby et sa génialité échiquéenne. De même que, pour Bobby, le monde entier se réduit à un échiquier de soixante-quatre cases, que la multiplicité des événements est entée sur l'infinitude des combinaisons de mouvements possibles, de même plaque-t-il en écho sur l'immense miroitement du monde la grille de l'antisémitisme, grille à un casier unique dans lequel Bobby fourre tout l'univers, voyant de tout temps et partout le triomphe de la malice juive. Qu'un train déraille au Japon, c'est un coup des Juifs. Ce sont les Juifs qui ont doté la Corée du Nord de la bombe atomique. Ce sont les Juifs qui provoquent la famine en Afrique. Ce sont les Juifs qui spéculent sur les krachs boursiers. Ce sont les Juifs qui ont fourni les matériaux défectueux pour la construction de Tchernobyl. Et surtout ce sont les Juifs qui s'acharnent contre lui, Bobby Fischer. Les Juifs qui ont convaincu Bush de lancer un mandat contre lui en 1992, lorsqu'il est allé rejouer contre Spassky à Sarajevo en pleine guerre. Les Juifs qui lui ont dérobé tous ses avoirs à Pasadena. Ce sont même les Juifs qui ont organisé l'éruption du volcan Eyjafjallajökull en Islande, au printemps 2010, pour punir ce beau pays de l'avoir accueilli et de lui avoir offert la nationalité islandaise.

– Eyjafjallajökull ! éructe-t-il. « J't'affole et j't'encule ! »… Si c'est pas signé des serpents juifs !

Inutile d'essayer de raisonner Bobby Fischer. Autant vouloir convaincre un homme qui a attrapé une insolation un jour de canicule que le soleil ne l'a pas pris en grippe, lui, personnellement.

– Vous savez, S. d'O., m'explique Kafka, Bobby dit souvent que les échecs et lui sont indissociables, qu'ils sont son alter ego. Il est intriqué corps et âme dans le monde étriqué des échecs. Bobby joue donc aux échecs avec le mot « JUIF ». Il le déplace sur l'échiquier de sa cervelle comme il déplacerait tantôt une reine, tantôt un cavalier, un pion, une tour, un fou... Il fait occuper au mot « JUIF » successivement toutes les positions, il le fait entrer dans toutes ses combinaisons. Mais comme on ne peut jouer aux échecs qu'à deux, et que le mot « JUIF » est par conséquent aussi utilisé *contre lui* par l'adversaire, c'est donc, croit Bobby, que le mot « JUIF » veut sa perte. Voilà son drame. Le mot « JUIF » est son principal ennemi autant que sa seule ressource mentale. Bobby a toujours eu d'incroyables talents pour la ventriloquie. Ses vitupérations paranoïaques reviennent à expectorer son antisémitisme pour l'avoir face à lui et poursuivre ses parties en tête à tête avec lui-même. Vous savez, j'ai souvent été confronté à l'antisémitisme le plus vil, le plus bête, le plus infantile parfois. J'y ai beaucoup réfléchi. En un sens, l'antisémitisme est la seule façon dont l'antisémite parvient à exprimer au Juif l'amour et l'admiration qu'il lui porte. Il faut dire que, depuis toujours, les Juifs ont imposé au monde des choses auxquelles le monde serait peut-être arrivé lentement et à sa manière, mais en face desquelles il a pris une attitude d'opposition, parce qu'elles venaient de gens étrangers. Quelle occupation terriblement stérile que l'antisémitisme et tout ce qui s'y rattache, et cela, c'est aux Juifs que le monde le doit.

– Je comprends que le sort de Bobby vous concerne, Franz, mais comment expliquer que vous soyez le seul Juif dont il tolère les douces remontrances ?

– C'est simple. Bobby est irrévocablement scindé, déchiré par son jeu contre lui-même... et moi... eh bien moi, qu'ai-je de commun avec les Juifs ? C'est à peine si j'ai quelque chose de commun avec moi-même... Voilà pourquoi je le comprends si bien et lui pardonne toutes ses offenses. Et voilà pourquoi il me considère comme son seul allié.

Bobby s'est installé dans un coin de la bibliothèque, il feuillette le *Protocole des Sages de Sion* en exultant à chaque page : « Ah ah ! Je m'en doutais ! Je le savais ! Ah Ah ! » Kafka et moi nous approchons de lui. Il s'interrompt aussitôt pour nous prendre à témoin de la puissante perfidie des Juifs.

– Ils sont partout ! Ils possèdent tout ! Les USA ne sont qu'une vitrine ! Le gouvernement est la marionnette des Juifs. Ils ont gagné des millions et des milliards de dollars avec Hollywood, avec la Banque, avec la Presse, et maintenant avec Internet. Ils mènent le monde à sa perte avec la bombe atomique, l'industrie nucléaire et la manipulation génétique. Ils mélangent le poisson et l'humain, c'est de la démence perverse !

Franz laisse Bobby se soulager en exhalant sa déblatération démente, puis il le prend au mot pour tenter de le ramener doucement vers la rive de la raison.

– Voyons, Bobby, si tu penses que les Juifs mélangent les gènes d'un poisson et d'un humain, c'est uniquement parce que *Fischer* veut dire « pêcheur ». Tu es psychologiquement sous l'influence d'une association morbide de mots...

– Je ne crois pas à la psychologie. Je ne crois qu'aux bons coups.

– Mais si les Juifs sont responsables de tout le malheur du monde, comment expliquer qu'ils aient eu eux aussi leur dose de malheurs dans l'histoire ancienne et récente ?

À chaque fois que Franz parle et l'oblige à s'interrompre, Bobby prend un air d'enfant grondé. Il semble écouter, voire réfléchir au sens des paroles du seul être au monde qui garde son calme face à son inlassable fureur. Puis, quand Franz a parlé, Bobby hoche doucement la tête de haut en bas, comme s'il cherchait ses mots, comme si une partie de lui approuvait tristement Franz. Mais bientôt il repart de plus belle dans sa furibonderie, comme s'il avait décelé un mauvais coup, comme si on n'avait pas respecté les règles – par exemple en déplaçant un fou par ricochet au-dessus de plusieurs autres pièces, comme aux dames...

– Quels malheurs ? C'est de la propagande, de l'esbroufe ! Hitler, ce grand homme, avait bien compris que les Juifs n'étaient pas les victimes mais les bourreaux ! Personne n'a jamais été gazé dans les camps hitlériens, c'étaient des camps de travail, « le travail rend libre », c'était écrit à l'entrée. Mais les Juifs détestent travailler, ce sont des parasites qui s'engraissent du labeur des autres.

– Allons, Bobby, tu parles comme ta mère. Quand tu n'avais que douze ans, elle souhaitait que tu deviennes vite champion du monde pour pouvoir enfin passer à autre chose et te trouver un vrai travail !

– Elle avait raison ! Tous les Juifs devraient être forcés de travailler. Il faudrait commencer par en exécuter quelques millions, ceux qui ont mis leur grappin de mort sur les USA, tous ceux qui ont pris le pouvoir sur la planète, et enfermer tous les autres dans des camps de travaux forcés, comme ils ont fait en Chine. Dix ans, vingt ans, le temps nécessaire pour leur enseigner la moralité, la décence, et le Christ, à ces serpents juifs ! Le Christ que ces enculés ont martyrisé et massacré pour pouvoir bien se foutre de sa gueule dans leurs synagogues ! Quel dommage qu'ils aient eu aussi la peau d'Hitler !

Franz se tait quelques instants. Il contemple Bobby avec peine, mais sans désespoir. Bobby fuit son regard et se remet à consulter compulsivement le *Protocole des Sages de Sion*.

– Un gouvernement mondial secret et satanique ! Ha ha ! Je l'avais bien dit !

Franz tente une nouvelle approche pour extirper Bobby Fischer du démentiel brasier dans lequel il se tortille :

– Sache que les Juifs ne t'ont jamais voulu aucun mal, Bobby. Bien au contraire. Tu incarnes ce qu'ils admirent le plus, ce qu'ils transmettent à leurs enfants bien-aimés depuis toujours, la virtuosité mentale, la vélocité intuitive se jouant de tous les obstacles, le respect des règles et leur transgression avisée à la fois. Sais-tu comme les Juifs ont été émus de te voir adopter la défense Benoni dans la troisième partie de ton match contre Spassky ? Les incirconcis, en esthètes un peu vains, ont trouvé que c'était inélégant de jouer de la sorte ton cavalier sur le bord de l'échiquier. « Cavalier au bord, cavalier mort », pensaient-ils tous. Mais tes frères les Juifs, mon Bobby, ils ont été émus aux larmes. Ils savaient, eux, que *Ben Oni* signifie en hébreu « fils de ma douleur », que c'était le premier nom de Benjamin, « fils de ma droite », l'enfant de Jacob et de Rachel. Ils ont compris que le revers de ta douleur, mon Bobby, c'était ton génie et ta force…

– Je m'en doutais ! Les serpents juifs se croient dans ma tête ! Ils veulent envahir ma pensée, me manipuler en m'envoyant des messages par la radioactivité de l'air. Ils essayent même d'entrer en contact avec moi par les plombages de mes dents ! Tout ça pour me faire trébucher et ricaner de moi ! Ce sont eux qui m'empêchent depuis tant d'années d'écrire mon livre qui démontrera au monde entier que la finale entre Karpov et le serpent juif Kasparov était un coup monté par les Juifs, une arnaque arrangée. Pour m'empêcher de révéler la vérité, les Juifs, tous infiltrés à la CIA, la « Coalition Israélite Accapareuse », m'ont dérobé ma bibliothèque, toutes mes notes, toute ma correspondance privée, toute ma collection de livres consacrés aux échecs…

Inutile de vous dire que Bobby est particulièrement remonté contre DSK. Le « *Disgusting Sex King* » incarne à ses yeux la domination libidinale juive du monde. Bobby ne fait pas de différence entre le Jouir et le Juif. Tous les Juifs de la planète se sont ligués pour jouir sur son dos, se réjouir de ses malheurs, et plus généralement de ceux du monde dont ils organisent la perte en secret et dont ils ricanent et qui les font exulter communautairement depuis au moins la crucifixion du Christ.

– Pourquoi croit-on que les Juifs se balancent d'avant en arrière sur leur maudite Thora à la synagogue ? Ils se bidonnent ! Ils se tiennent les côtes ! Ils se gaussent des Gentils ! Ils les ridiculisent ! Ils se flattent de tout le mal qu'ils font aux Gentils à travers le monde, et ils en rient ! Ils n'en peuvent plus de pouffer d'avant en arrière, laissant croire aux naïfs qu'ils prient et qu'ils étudient leurs rouleaux démoniaques !

La vue de DSK menotté a donc autant exalté Bobby que si Hitler avait été nommé président à la place d'Obama, « ce roi noir des serpents juifs ».

– C'est une merveilleuse nouvelle ! Il était temps que ce salopard de Juif s'en prenne plein la gueule. Finissons-en avec les Juifs ! Le dicton « On récolte ce que l'on sème » s'applique aux Juifs. Il est temps qu'on cesse de prendre des gants avec eux et qu'on se débarrasse de cette vermine !

Franz balance la tête avec commisération.

– Voyons, Robert James Fischer, comment peux-tu penser de telles choses qui nous mèneraient à notre perte, toi comme moi…

– Ne prononce pas mon nom ! Les Juifs m'observent en ce moment même…

– Mais bien sûr que je t'observe, Bobby. J'essaye de te comprendre pour t'aider. Tout ce que tu énonces des Juifs est aussi absurde, étant donné qui tu es, que de jouer aux échecs contre toi-même…

Bobby semble méditer un court instant cet argument *ad hominem* de Franz, puis il reprend :

– Et alors ! J'ai commencé en jouant aux échecs contre moi-même. Je déplaçais les blancs, puis je déplaçais les noirs… Je jouais des parties entières, jusqu'à mettre échec et mat l'autre type. Je gagnais à chaque fois !

Bobby rit doucement. Impossible de décider si c'est « l'autre type » qui rit de son aliénation ou lui-même qui savoure ses victoires…

– Bobby, as-tu pris le temps de lire cette nouvelle de l'écrivain S. Z. que je t'avais recommandée ? Il y décrit la folie d'un joueur d'échecs qui passe son temps à jouer contre lui-même. « Vouloir jouer aux échecs contre soi-même, dit-il, est aussi paradoxal que de vouloir marcher sur son ombre. »

– Stefan Zweig, *pfuiii* ! crache Bobby par terre. Ce serpent juif au nez crochu !

– En ce qui te concerne, Bobby, être antisémite ce n'est pas seulement jouer contre toi-même, c'est *tricher* contre toi-même en espérant que l'autre, c'est-à-dire toi, ne s'en apercevra pas ! Et cette nouvelle de I. B. S. que je t'ai prêtée, où il explique que « quand la folie s'empare de vous, vous ne pouvez plus vous arrêter. Comme on dit, vous vous coupez la langue pour vous la cracher au visage ». L'as-tu lue ?

– Isaac Singer ! Un fils de rabbin ! Un salopard circoncis ! grince Bobby.

– Robert, soupire Kafka, quand accepteras-tu de comprendre que tu es juif, aussi juif que moi ? J.U.I.F ! Ta mère était juive, J.U.I.V.E, tes deux pères, le biologique et celui dont tu tiens ton nom, étaient juifs, J.U.I.F.S… Tes rares amis étaient J.U.I.F.S, Bobby. Tu te souviens de Barbara Streisand que tu fréquentais à seize ans à l'Erasmus Hall High School ? Vous déjeuniez tous les jours ensemble à la cafétéria du lycée. Elle te trouvait singulier et solitaire, mais si sexy ! Tout Brooklyn rêvait de vous fiancer ! C'est parce que tu l'as dédaignée qu'elle a amputé son prénom d'un *a*. Tout le monde t'adorait, Bobby, on t'appelait en yiddish *de oysergeveynlekh kind*, le gosse extraordinaire ! Et que dire de ta manière miraculeuse de jouer aux échecs, Bobby, ta précision, ton inventivité, ton sens de l'improvisation, ton inlassable audace : totalement talmudiques ! Et ton sens de l'humour, Bobby ! En 1961, quand tu as fait cette fameuse interview pour le *Harper's Magazine*, celle qui fit éclater à la face du monde ta folie antisémite, à la question de savoir si tu te considérais comme le meilleur joueur de tous les temps, meilleur que Capablanca, Steinitz et Morphy, tu as répondu que tu n'aimais pas que la presse colporte ce genre de déclarations, cela te faisait passer pour un égocentrique, mais la réponse à la question était : « Oui »... Qu'est-ce qui n'est pas juif chez toi, Bobby ? Ton énergie est juive, le débit de ton élocution est juif, tes sarcasmes sont juifs, ton triomphalisme rieur est juif. Quand le maître international philippin Cardoso a joué contre toi, à quinze ans, et qu'il t'a proposé d'abandonner d'entrée la partie pour gagner du temps, tu lui as ri à la face, et tu l'as vaincu ! *Mazel tov !* Ta bonté aussi est essentiellement juive, comme lorsque tu fus le seul à rendre visite au souffreteux et génial Mikhaïl Tal à l'hôpital, en plein tournoi de Curaçao en 1962. Le *bikour olim*, la visite aux malades, l'une des *mitsvoth* les plus essentielles du judaïsme... Mon Bobby, il faut te rendre à l'évidence, tu n'as rien d'un membre des Jeunesses hitlériennes... Même ta *meshugas*, la surexcitation hélicoïdale de ton antisémitisme, est typiquement juive !

– C'est un coup monté des Juifs si je suis juif, bredouille Bobby. Ils me manipulent par les plombages de mes dents, ils m'envoient des ondes subliminales…

J'interviens pour aider Franz à raisonner l'irraisonnable.

– Sais-tu que DSK t'adore, Bobby ? Il t'idolâtre. Il connaît toutes tes parties par cœur…

– Qu'est-ce qu'il croit, ce sale Juif mou et flasque, qu'il va m'impressionner avec son petit score de 2000 au classement ELO ! *Pfuiii !* (*Il crache de dégoût par terre.*) Ce violeur de musulmane ! Connaissez-vous la différence entre un bon juif et un mauvais juif ? Le bon juif vous encule juste plus lentement ! Ne me parlez pas de ce Dégoûtant Salopard Kleptomane du Foyer Manipulateur Israélite !

– Qu'il te porte aux nues ne te fait donc aucun plaisir ?

– Que peut-il comprendre à ce que je suis ! Je ne suis pas un génie aux échecs, je suis un génie qui se trouve avoir choisi de jouer aux échecs… Lui, il est comme tous les Juifs, un violeur, un voleur, un parasite ! Il n'a jamais travaillé de sa vie et maintenant il veut aussi se faire de l'argent sur mon nom ! Ils m'ont déjà tout volé, ces dégoûtants salopards de menteurs. Ces enfoirés de Juifs veulent détruire tout ce pour quoi j'ai travaillé toute ma vie. *Fuck the Jews !* C'est Hitler, ce grand homme, qui avait raison !…

Comme c'était prévisible, les vociférations de Bobby ont fini par retentir aux oreilles de Luc, qui vaguait posément dans les couloirs. Luc nous rejoint, toise Bobby d'un air condescendant, puis, comme un chat repu jouerait avec une souris cocaïnée, il se gausse de l'hitlérisme de maternelle de Bobby Fischer.

– Le Congrès Juif pour la Domination Sexuelle du Monde m'a chargé de vous féliciter de votre réjouissante candeur, mon jeune ami. Vous faites partie des crétins antisémites les plus prometteurs. Vous êtes une si ridicule caricature de la haine des Juifs que vous provoquerez par contraste davantage de circoncisions que votre misérable bêtise affolée ne fera jamais d'émules.

Bobby écarquille ses yeux et cherche son air. Satan – je veux dire Luc – le terrorise manifestement. Il bredouille quelque chose en baissant le regard vers le sol, un mantra mathématique, une ritournelle alphabétique, une litanie échiquéenne pour se protéger des sarcasmes de Luc Ifer :

– 1.d4 Nf6 2.c4 e6 3.Nf3 c5 4.d5 exd5 5.cxd5 d6 6.Nc3 g6…

Il ânonne la plus célèbre de ses parties contre Spassky, en 1972. C'est son talisman, sa protection incantatoire, sa façon de nier le monde extérieur lorsque celui-ci devient trop menaçant.

– Mon mignon pousseur de pions, que savez-vous d'Hitler ! Vous êtes aussi bête qu'un Allemand en 1933. Vous avez pris l'habitude de ne faire confiance qu'à votre cervelet obnubilé, à votre pauvre vision du monde en noir et blanc, à votre appréhension globale et prédictive de l'éparpillement sur une planche de trente-deux figurines grossièrement sculptées et lustrées, à votre mémoire de toutes les combinaisons jouées depuis Philidor jusqu'à vous… Bel exploit, si l'on veut, comparé au ronflement intellectuel du gallinacé *sapiens* moyen... Mais enfin il vous manque l'essentiel pour comprendre le monde, le jauger, le juger, trancher et le combattre, petit pion pioupiou. Et cet essentiel, c'est l'oreille ! L'oreille, mon microbe, l'oreille est un juge incorruptible que l'on ne doit jamais négliger. Vous autres, les poussifs pousseurs de bois, vous n'utilisez jamais votre oreille, d'où tant de déconvenues dès qu'on sort des sentiers battus d'une planchette carrée de 35 cm de côté où il ne s'agit, comme l'a exprimé Stefan Zweig, que d'« acculer un roi de bois dans un angle » !

– 7. Nd2 Nbd7 8. e4 Bg7 9. Be2 O-O 10. O-O Re8 11. Qc2 Nh5 12. Bxh5 gxh5...

Kafka intervient pour faire cesser cette pénible torture.

– Monsieur I., allons... Quel intérêt pour un esprit de votre capacité de tarauder un cerveau si manifestement affaibli ? Pourquoi ne pas aller taquiner quelqu'un de votre envergure ?...

Dérangé en pleine récréation, Luc tourne inéluctablement son regard flamboyant de haine sur Franz, et crache :

– Névrotique puceau pragois dégingandé ! Seriez-vous en train de me défier ? Vous, le cancrelat encastré dans son castelet !

– Loin de moi, répond Kafka avec modestie. Je pense que la grandeur ne devrait se mesurer qu'à la grandeur, pas au désastre...

Assez intelligent pour entendre le double sens de la phrase qui concerne autant son contentieux de fond avec Franz que son jeu cruel avec Bobby, Luc se sépare de nous lentement, non sans menacer :

– Entendu, Tubercule Boy. Mais que votre protégé cesse de me provoquer avec son néonazisme de foire. Hitler m'appartient…

Puis Luc s'en va comme s'il n'était pas venu. Sans doute songe-t-il déjà à tourner son atroce verve sur un autre objet. Sa misanthropie est trop hyperbolique, sa fureur trop universelle pour s'attarder à prendre longtemps en considération un seul et même « *homo ça-pionce* ». « Mon mépris ne fait acception de personne », ressasse-t-il souvent avec morgue.

Fumée sans feu

Bobby a raison sur un seul point, concernant DSK : celui-ci n'est pas le prodige de labeur que tous imaginent. Très tôt, il comprit que nul ne remettait jamais en cause un Sujet Supposé Supérieur. À Bercy, comme plus tard au FMI, les rapports qu'il prétendait analyser ligne à ligne jour après jour lui étaient invariablement prémâchés par une zélée kyrielle de collaborateurs. En quinze minutes il dévorait ce que des esclaves dociles et consciencieux avaient mis quinze jours à documenter, trier, analyser, expliciter, rédiger, suscitant l'admiration universelle pour sa compréhension fulgurante des questions ardues, sa capacité titanesque de concentration et ses aptitudes hors du commun de bourreau de travail… Quant à ses verdicts, improvisés en permanence, ils n'avaient aucun mal à impressionner les niais par leur pédagogie puérile et simplificatrice des méandres de la plus faramineuse des fausses sciences : l'Économie.

Dans *Money kills my heart*, le livre que j'avais vanté à mon ami Kent, Nathan Diesz-Kaspeg cite longuement un homme qui s'y connaissait en fumisterie économiste :

> Ceux qui parlent d'argent ou en font le sujet de leur enseignement et donc leur gagne-pain tirent prestige, estime et avantages pécuniaires, comme les médecins ou les sorciers, de la croyance soigneusement cultivée qu'ils entretiennent une association privilégiée avec l'occulte – qu'ils ont des perspectives sur un domaine totalement inaccessible aux gens ordinaires. Source de satisfaction professionnelle et, à l'occasion, de profit personnel, cette attitude n'en constitue pas moins elle aussi une escroquerie bien connue. Il n'est rien, s'agissant de l'argent, qu'une personne dotée d'une curiosité, d'un zèle et d'une intelligence raisonnables ne puisse comprendre... L'étude de la monnaie est, par excellence, le domaine de l'économie dans lequel la complexité est utilisée pour déguiser la vérité et non pour la révéler... Tout porte à croire que la fréquentation prolongée de l'argent développe le pharisaïsme, l'ineptie politique et la propension à adopter un style pompeux et déplaisant... La première chose qui vienne à l'esprit de la presse et de l'opinion publique, c'est l'idée d'un génie financier. Elles aiment croire l'une et l'autre que, lorsqu'il s'agit d'affaires aussi importantes, il existe des individus d'une intelligence et d'un pouvoir transcendants qui peuvent transformer rien en quelque chose...

L'homme qui a écrit ces lignes n'était pas – à la différence de NDK – un anarchiste subversif, un anticapitaliste radical ni un nihiliste acharné. Il fut lui-même l'un des plus brillants économistes de sa génération, d'obédience keynésienne, comme DSK mais mille fois plus fin, et longtemps conseiller de plusieurs présidents américains, de Roosevelt à Johnson en passant par JFK.

Son nom était JKG : John Kenneth Galbraith.

Dans la longue liste des attrape-gogos économistes, ce n'est pas sa fausse science qui caractérise DSK, c'est *toute son existence,* qui est une vaste chimère.

Lire ? Méditer ? Bâtir ? Écrire ? DSK en est incapable. Il est littéralement hanté par le séisme. Tout ce qu'il fait et dit s'en ressent. Lorsqu'il se présenta aux primaires socialistes, en 2006, il ne put s'empêcher de rendre inconsciemment hommage à Agadir : « Je disais il y a quinze jours, je sens un frémissement. Le frémissement est devenu un tremblement, puis le tremblement un mouvement. Et demain, je n'ose pas dire... »

C'est donc logiquement au cœur de la crainte et du tremblement qu'il est le plus à l'aise. Il y fait des merveilles. Le 12 janvier 2010, quand Haïti se désagrège, DSK est le premier sur le pont du FMI. Il débloque en quelques heures des fonds considérables, annule la dette du pays martyr, évoque un plan Marshall... Tout ça pour des résultats à peu près nuls, l'avidité des intermédiaires corrompus danaïdant tous les dons comme à chaque fois qu'une catastrophe majeure a lieu dans le tiers-monde. Mais DSK a joué son rôle, il a dansé et jonglé avec les milliards sur les décombres. Le reste importe peu.

Ce n'est pas que sa réputation de surdoué du calcul prévisionnel soit fausse – s'il n'était pas si jouisseur, il aurait fait un excellent professeur de maths ou de statistiques –, c'est surtout qu'il a l'art et la science de la fumisterie absolue dans un univers – l'Économie – où la fumée dissimulant l'inexistence du feu est la règle ultime. Après la secousse du 29 février 1960, à Agadir, expulsé de son immeuble brinquebalant, le petit Dominique pensa que la ville était envahie de brouillard. C'était la poussière des immeubles en ruine. Ce lui fut une révélation existentielle : contrairement au proverbe, il pouvait y avoir de la fumée sans feu…

Le seul livre que DSK ait jamais « écrit », en 2001, s'intitulait précisément *La Flamme et la Cendre*… C'est un ouvrage où Dominique se livre peu. Il explique en introduction avoir trouvé le temps de l'écrire après ce qu'il nomme pudiquement « deux années de turbulences », qui l'ont obligé à démissionner en novembre 1999 du plus beau poste de sa carrière : ministre de l'Économie, des Finances et de l'Industrie.

De quoi sont constituées les turbulences dans le plan de vol du ministre ?

D'une toute petite bourde sur un vieux document de la MNEF lui octroyant six cent mille francs comme conseil.

Qu'est-ce qu'un « conseil » ?

« Un conseil, expliqua DSK lors d'une interview chicaneuse, ça participe à des réunions, ça passe des petits bouts de papier en cours de réunion, ça consiste à réfléchir avec le client sur la stratégie à suivre et à checker les documents. »

Un équivalent au mot « conseil » ?

Fumiste grassement rémunéré.

Jouir jouir jouir… Fuir fuir fuir.

En quoi consiste la bourde ?

Un numéro de téléphone sur le document incriminé n'existait pas à la date indiquée…

« Allô, bonjour, puis-je parler à DSK, j'ai besoin d'un conseil ?

– Désolé, la ligne sur laquelle vous l'appelez n'est pas encore installée, revenez dans dix ans, on vous le passera… »

DSK n'est pas méchant : il a la tête ailleurs. Seulement, autant se faire rémunérer 600 000 francs (91 000 euros, 130 000 dollars, 573 000 mille yuans, 60 millions CFA) pour passer des petits bouts de papier en réunion n'a en soi rien de criminel, autant antidater un document pour dissimuler une manœuvre de corruption l'est.

Autre bourde ?

La cassette vidéo Méry, sur laquelle un financier occulte et maître chanteur véreux met gravement en cause le président de la République Jacques Chirac. C'était en 1996. En 1999, la cassette, potentiellement nuisible lors de prochaines élections, refait brusquement surface pour se voir confiée à… DSK ! par son ancien collaborateur nommé Belot. DSK songe alors mollement à se présenter à la mairie de Paris, la cassette serait un sérieux atout contre Chirac. La vidéo commence à circuler. La Justice s'en mêle, réclame la cassette. « Ô ma chère cassette ! » Ça tourne au Molière : l'Étourdi DSK prétend avoir égaré la cassette chez lui sans l'avoir jamais visionnée… Personne ne croit Tartuffe DSK mais, là encore, l'affaire est classée sans suite. Seulement Dom Juan DSK doit abandonner Bercy et sa couronne d'économiste en chef.

Fuir fuir fuir… Jouir jouir jouir…

Quoi encore ?

L'affaire Elf. Au sein d'un colossal bourbier de corruption internationale, DSK aurait trafiqué de son influence pour obtenir un emploi fictif à Évelyne, sa fidèle secrétaire depuis dix-sept ans… Comparée à la démesure du scandale Elf, la bourde de DSK est infinitésimale, mais elle est passible.

Passible de quoi ?

De rien. L'affaire s'achèvera dans la fumée et le flou le plus complet par un non-lieu, comme les précédentes.

Grâce au petit Dominique endormi sous les décombres d'Agadir, DSK a sauvé sa peau à trois reprises. Pas son emploi. Tel est donc ce qu'il nomme dans son livre une « parenthèse douloureuse » : « J'en ai tiré des leçons. J'ai médité sur mes faiblesses. J'ai découvert ce qui pouvait me renforcer. J'ai éprouvé le poids de l'isolement. J'ai mesuré le prix des amitiés. Je sors de l'épreuve plus averti et plus endurci. »

Je, je, je… Jouir jouir jouir… Plus averti ? Plus endurci ?

DSK n'est pas un mauvais bougre, seulement il n'est pas très prophète non plus.

Misère de l'Économie

Je n'ai pas lu la bluette socio-économicoïde de DSK. Feuilleter cette sorte de sous-littérature militante m'est aussi répugnant que de m'injecter de l'héroïne frelatée ou du crack de seconde main. Textes comme dopes, je ne me shoote qu'aux substances les plus dures.

Je n'ai pas lu l'essai de DSK, c'est « Karl Marx » qui s'en est chargé. Karl est un voisin de chambre de Franz Kafka, auquel il n'adresse jamais la parole. Je soupçonne Marx d'être aussi antisémite que Bobby, mais Kafka, apparemment, n'en a cure... Marx est un psychorigide doté d'un merveilleux sens de l'humour. Cela semble une contradiction dans les termes, mais si on le lui fait remarquer, Karl se contente de rétorquer : « Allez en parler avec Hegel. Sa chambre est au dernier étage, au bout du couloir, il vous expliquera la signification du mot "dialectique"... »

Voici donc le compte rendu de lecture de Karl, intitulé *Misère de l'Économie*, qu'il a tenu à taper sur un ordinateur, à relier et à plastifier :

Misère de l'Économie

Un spectre hante le livre de M. Strauss-Kahn. C'est le spectre de l'écrivain fantôme. Car de même que le titre *La Flamme et la Cendre*, tiré d'une citation de Jaurès, n'est pas de M. Strauss-Kahn, le livre non plus n'est pas de M. Strauss-Kahn. L'auteur en est un *ghost writer*, comme disent gothiquement les Britanniques, expression élégamment traduite en « nègre » par les Français, que ne hantent pas les fantômes de leurs colonisés.

Néanmoins, dans le genre pensum de politicard tâchant de reconstituer son réseau détruit, le fantôme n'a pas démérité. Il a empilé les citations emphatiques (« Si "mal nommer les choses, c'est ajouter au malheur du monde", comme le disait Albert Camus… ») et les apitoiements qui n'engagent à rien (« Ma conviction est que le sous-développement économique de pans entiers de la planète ainsi que les conditions de vie dramatiques dans lesquelles se débattent encore des milliards d'individus constituent les principaux enjeux des décennies à venir »).

Hélas, M. Strauss-Kahn achève son programme économico-politico-roublard par une fausse question qui annihile tout le sérieux déployé durant les trois cent quatre-vingts pages précédentes :

> Le Coca-Cola réussira-t-il là où ont échoué Alexandre, César et Napoléon ?

On a peine à croire que l'homme qui rédige cette phrase grotesque – mais peut-être est-ce son spectre mal inspiré ? – se rêvait prix Nobel d'économie à vingt ans.

* * *

En apparence, M. Strauss-Kahn rêve d'aboutir à une société « pacifiée et harmonieuse » sous prétexte (exprime-t-il à grand renfort de pourcentages et de statistiques socio-économiques) que la dichotomie vengeresse entre les classes, que j'ai jadis décrite et théorisée, serait dépassée...

Dépassée ? vraiment ? cette définition du prolétariat dans le *Manifeste communiste* ? « Ces travailleurs sont obligés de se vendre morceau par morceau telle une marchandise ; et, comme tout autre article de commerce, ils sont livrés pareillement à toutes les vicissitudes de la concurrence, à toutes les fluctuations du marché. »

Demandez aux chômeurs européens jetés sur le pavé par la délocalisation, demandez aux esclaves de Chine et d'Asie du Sud-Est qui les remplacent si peu avantageusement si ma définition du travailleur comme marchandise est dépassée !

Demandez aux divers responsables de la crise des *subprimes* en 2008, qu'Obama s'est hâté de remettre en selle sitôt élu, s'ils désavoueraient mon affirmation selon laquelle « le pouvoir d'État moderne n'est qu'un comité qui gère les affaires communes de toute la classe bourgeoise » !

Demandez aux spéculateurs qui ruinent des nations entières en tapotant leurs ordres sur leurs claviers d'ordinateur s'ils ne sentent pas couler dans leurs veines « l'eau glaciale du calcul égoïste » !

Demandez aux suicidés des entreprises de télécommunications s'ils n'ont pas expérimenté « l'exploitation ouverte, éhontée, directe, dans toute sa sécheresse » !

Demandez aux traders attardés s'ils ne connaissent pas cette « espèce de vertige pour faire du profit sans produire. Ce vertige de spéculation, qui revient périodiquement, met à nu le véritable caractère de la concurrence qui cherche à échapper à la nécessité de l'émulation industrielle » !

Demandez à Piroska Nagy si elle nierait que « nos bourgeois ont pour principale distraction de séduire les épouses les uns des autres » !

Il faut convenir qu'il n'y a rien d'inédit dans aucune découverte de la science économique.

En tant qu'elle se prend pour une science exacte, l'Économie dissimule comme une partie honteuse l'existence, au *fondement de la société*, d'antagonismes de principe, de luttes sans répit, guerre impitoyable tantôt cachée tantôt ouverte. Certes les acteurs, les armes, les modalités de cette guerre se modifient avec la transformation des conditions historiques de l'accumulation empoisonnée du Capital. Mais le principe de l'antagonisme perdure et se perpétue depuis la nuit des temps.

Qui nierait que le Bourgeois de 2011, le Petit-Bourgeois de 2011, le Prolétaire de 2011, l'Aristocrate de 2011 et surtout la Machine en 2011 ont peu en commun avec ce qu'ils étaient en 1848 ? Le moulin à bras donna la société avec le suzerain ; le moulin à vapeur, la société avec le capitaliste industriel ; et l'iPad nous a donné la bonhomie tape-à-l'œil de M. Strauss-Kahn. Mais si les classes classiques, si, surtout, *leurs frontières respectives* ont fondu comme neige au soleil qui ne se couche jamais sur l'Empire du Capital, la Lutte, elle, n'a pas disparu. Loin s'en faut ! Toutes les classes anciennes se sont amalgamées en une seule et même caste servile, contre laquelle c'est le Gouffre qui est en guerre...

* * *

Revenons au cas particulier de M. Strauss-Kahn. On ne comprend rien à M. Strauss-Kahn si l'on ignore que deux déités peuplent son panthéon : John Maynard Keynes et Joseph Aloïs Schumpeter. M. Strauss-Kahn mériterait de s'appeler M. Schumpeter-Keynes, tant il partage avec ses deux ancêtres un dédain transcendantal pour les écueils de la réalité. Maladroit jusqu'au burlesque dans la gestion quotidienne de ses besoins vitaux – ce que démontre sa dernière incartade à New York –, mais gorgé de grands mots et de théories farfelues, M. Strauss-Kahn ne fait que suivre sur ce point Keynes et Schumpeter, qui dégringolèrent du haut de leur Olympe théorique dès qu'il s'est agi de gagner concrètement leur vie...

M. Keynes, le fondateur du FMI, M. Keynes, le père putatif de M. Strauss-Kahn, M. Keynes, dont la réputation de jeune manitou monétaire n'était plus à faire après la publication en 1919 des *Conséquences économiques de la paix* – ouvrage qui lui apporta richesse et notoriété –, se ruina aussitôt après en spéculant maladroitement contre le mark. S'il n'avait été renfloué par son éditeur, nul n'aurait plus jamais entendu parler de ce délicieux inverti britannique qui mourut en 1946 en regrettant... quoi donc ? de ne pas avoir davantage pu contribuer à résoudre le chaos de l'économie mondiale ? Non, mais de ne pas avoir assez bu de champagne.

Quant à M. Schumpeter, le chantre de la « destruction créatrice » et de l'« ouragan perpétuel » – on imagine ce que M. Strauss-Kahn, gorgé de séismes jusqu'à la glotte, peut entendre à de telles notions ! –, lorsqu'il eut à s'occuper concrètement de la direction de la banque Biedermann à Vienne, il la conduisit *illico presto* à la faillite ! Voilà bien une illustration du *crétinisme parlementaire*, qui relègue dans un monde imaginaire ceux qui en sont atteints et leur enlève toute intelligence, tout souvenir et toute compréhension pour le rude monde extérieur.

Contrairement à M. Keynes, qui s'imaginait avoir « démoli les fondements ricardiens du marxisme », M. Schumpeter a tenu à me rendre hommage comme « prophète ». Mais M. Schumpeter, né l'année de ma mort, s'est apparemment autorisé le culot de me critiquer et de me déformer tout en prétendant me fêter. Par exemple, M. Schumpeter n'agrée pas l'idée, que j'ai reprise à Adam Smith, selon laquelle un portefaix diffère moins d'un philosophe qu'un mâtin d'un lévrier, et que c'est la division du travail qui a mis un abîme entre les deux. M. Schumpeter est persuadé qu'un capitaine d'industrie ou un économiste est plus subtil qu'une femme de ménage... C'est que M. Schumpeter n'aura pas eu l'occasion de comparer M. Strauss-Kahn et Mlle Diallo !

Je ne discuterai pas en détail ici les thèses de M. Schumpeter. M. Schumpeter a assez d'épigones qui s'entr'écharpent sur le sens de ses propres malaxages de cycles, prédictions pessimistes et péans roucoulés au nom des divins « entrepreneurs ». Qu'il suffise de savoir que M. Schumpeter et moi-même ne sommes d'accord que sur un point : la société capitaliste court à sa perte. Je m'en réjouis, lui s'en désole.

Ce qui enthousiasme M. Strauss-Kahn chez M. Schumpeter, c'est l'idée que la société est un immense bouillon de culture darwinien dont les secousses sismiques et les crises récurrentes servent à la purgation du système. Ces crises sont provoquées par l'apparition des révolutionnaires prodigieux que sont les « entrepreneurs ». Thomas Edison, Henry Ford, ou aujourd'hui Steve Jobs, cette troisième déité essentielle du panthéon de M. Strauss-Kahn. Steve Jobs ? Ce gourou caractériel qui a réussi l'exploit de débiliser à outrance des millions de fanatiques hypnotisés par leurs gadgets de geeks incarnant le stade ultime du fétichisme de la marchandise ? Lui-même.

Nul doute que si M. Schumpeter avait connu Steve Jobs, il en eût été le grand chantre. Faute de mieux, c'est M. Strauss-Kahn, en gaga du management et des nouvelles technologies, qui se charge de la prêtrise. Steve Jobs est assurément le Dieu jaloux de M. Strauss-Kahn. C'est les yeux doux tournés vers Steve Jobs que M. Strauss-Kahn peut, dans son ouvrage, faire l'éloge des capitaux à risque :

> Il a longtemps été dit que les capitaux à risque manquaient à notre pays, au point que les projets innovants (donc risqués) ne trouvaient pas de moyens de financement. Le capitalisme français était un capitalisme sans capital, le capitaliste français un rentier frileux. Loin de moi l'idée de prétendre que cette période est totalement révolue. Mais la mise en place de fonds de réassurance publics, permettant de répartir sur la collectivité les risques que les individus pouvaient hésiter à prendre, a largement contribué à résoudre ce problème.

M. Strauss-Kahn aura beau triturer son iPad 2 dans tous les sens – assemblé à Shenzhen par un esclave exténué de Foxconn trimant douze heures par jour pour un salaire de misère –, il n'y trouvera pas la justification d'un système où ce n'est pas le « risque » qui est rentable mais la Catastrophe elle-même. Un système où des « agences de notation », tout en distribuant les mauvais points aux États tremblotants, telle une institutrice hystérique des bonnets d'âne à des cancres ruisselants de honte, en profitent pour spéculer sur l'effondrement des États ainsi dégradés afin de gagner *in petto* des fortunes ! Agiotez, agiotez ! C'est la Loi et les prophètes !

« Les murs s'effritent », écrivait M. Schumpeter en 1942. Quelle délicate expression ! Mais non ! M. Schumpeter, les murs ne s'effritent pas, c'est l'univers qui vire au vortex !

***

Mutatis mutandis, le bon M. Strauss-Kahn incarne l'école *philanthrope*, celle qui nie la nécessité de l'antagonisme ; elle veut faire de tous les hommes des bourgeois ; elle veut réaliser la théorie en tant qu'elle se distingue de la pratique et qu'elle ne renferme pas d'antagonisme. Il va sans dire que, dans la théorie, il est aisé de faire abstraction des contradictions qu'on rencontre à chaque instant dans la réalité. Cette théorie deviendrait alors la réalité idéalisée.

Donnons quelques illustrations de la réalité idéalisée telle que *nous la vend* M. Strauss-Kahn – car il ne faut jamais négliger que M. Strauss-Kahn *parle d'or* aux oreilles des marchés financiers :

Nous sommes en mars 1998. M. Strauss-Kahn, fringant ministre de l'Économie, claironne sa foi en la réalité idéalisée :

> La consommation est présente, l'investissement est annoncé, le chômage décroît, les comptes publics sont équilibrés, l'inflation est terrassée, les taux d'intérêt sont faibles : cela fait peut-être trente ans que personne n'avait pu, en France, réunir autant de facteurs positifs pour la croissance.

Onze années et quelques séismes économico-financiers plus tard (crise des marchés obligataires en 1998, éclatement de la bulle internet et krach boursier en 2001, crise économique majeure en

Argentine en 2001, crise des *subprimes* en 2007...), soit à l'automne 2009, M. Strauss-Kahn, hôte du G20 réuni à Pittsburgh, nous ressert la ritournelle de la béatitude théoricienne :

> Ce que nous tentons de faire, ici à Pittsburgh, c'est de créer un nouveau monde. Un monde de la coopération, de la coordination. Ça veut pas dire qu'y aura pas encore des conflits, des disputes, mais c'est un monde dans lequel, sur la question financière et économique, tout le monde a compris qu'il fallait travailler ensemble. Avec le soutien budgétaire qu'a été demandé par le FMI et mis en place par les pays, on a déjà évité l'effondrement. Rappelez-vous il y a un an, on disait : « Est-ce qu'on va pas avoir une crise comme la crise de 1929 ? »

M. Strauss-Kahn se réjouit donc d'être passé à un cheveu du désastre ! La belle dialectique ! Et à quoi veut-il en venir ?

> Les pays du G20 veulent travailler et veulent qu'il y ait une machine derrière, qui fournisse des rapports, des avis, des analyses, des conseils de politique économique. Cette machine, c'est celle du FMI. Et donc, moi je suis assez optimiste sur la possibilité de travailler ensemble, de fournir aux chefs d'État les éléments dont ils ont besoin, et d'organiser, autant que faire se peut, la planète économique, en limitant les risques.

Écoutons encore M. Strauss-Kahn vanter la nouvelle gouvernance capitaliste mondiale et le rôle moteur du FMI au cœur de cette formidable machinerie à dissiper les orages :

> On entre dans une nouvelle phase de la gouvernance mondiale, plus compliquée, plus longue, ça va être plus dur, il va y avoir des hauts et des bas, on va avancer parfois, parfois reculer, ça va pas se faire en une nuit. Construire cette gouvernance mondiale, dominer l'économie mondiale, ne pas la laisser entièrement sous la domination des marchés est pas quelque chose qui va se faire en une réunion de deux jours à Séoul ou ailleurs. Chaque G20 sera une étape dans cette direction...

M. Strauss-Kahn est apparemment aussi dépourvu de connaissance historique que jadis M. Proudhon, ignorant comme lui que ce sont les souverains qui, de tout temps, ont subi les conditions économiques, mais que ce ne sont jamais eux qui leur ont fait la loi.

M. Strauss-Kahn, bon bourgeois et économiste philanthrope, nous fait l'apologie d'un système sans le comprendre. De même que M. Strauss-Kahn n'écrit pas les livres qu'il écrit avant de les relire, il n'a probablement pas lu les rapports du FMI avant d'y être nommé. Il n'a donc jamais eu vent d'une étude datant de 2005, expliquant comment la réorganisation de structure du financement immobilier par le biais de la titrisation (soit le dispositif qui sera deux ans plus tard responsable de la crise des *subprimes*) assurait... l'accroissement de la stabilisation financière ! M. Strauss-Kahn n'a pas lu non plus un autre rapport de septembre 2006 assurant que la probabilité d'un risque systémique dans la finance américaine était... extrêmement bas ! Encore quelques mois de béatitude répugnante, et la catastrophe planétaire des *subprimes* venait balayer les fanfaronnades financières des experts en clowneries du FMI. Ce qui n'entama pas pour autant la débonnaireté bedonnante de M. Strauss-Kahn.

Nous sommes maintenant en octobre 2009. Écoutons M. Strauss-Kahn nous expliquer que la crise grecque, bon an mal an, est en passe d'être résolue :

> Il vient d'y avoir des élections en Grèce, et la gauche au pouvoir a gagné. Ce qui m'intéresse, c'est que le gouvernement en place, avec le programme du FMI, a été compris par l'opinion et que l'opinion est derrière le gouvernement. C'est jamais arrivé dans le passé ! C'est jamais arrivé dans le passé que, avec un programme aussi dur que celui que les Grecs sont amenés à supporter, parce que la situation est très difficile, on arrive à faire comprendre à la population que c'était nécessaire, et que finalement, en majorité, elle soutienne le gouvernement en place.

En 2009, M. Strauss-Kahn vante la docilité des ouailles hellènes sous la houlette du bon berger FMI. Que cela ne soit jamais arrivé « dans le passé », M. Strauss-Kahn doit s'en réjouir très fugacement, car cela n'arrivera plus dans l'avenir non plus. Aujourd'hui, deux années à peine après ces déclarations charlatanesques, la calamité grecque est plus contagieuse que jamais ; l'Italie, l'Irlande, l'Espagne et le Portugal sont en bonne place sur le podium du pire ; la zone euro est sur le point d'imploser ; et les Grecs pressurés, enchaînant grève générale sur grève générale, ne sont pas près de refaire confiance à aucun gouvernement ni à aucune péroraison paupérisante des marchés financiers.

Quant à M. Strauss-Kahn, à l'heure où je rédige ces pages, il risque pour les soixante-quatorze ans à venir de se contenter de dispenser ses avisés conseils de gestion à l'administration de Rikers Island depuis sa pauvre cellule…

***

Admirons les circonlocutions clownesques de M. Strauss-Kahn, assurant la propagande de cette grande entreprise publicitaire et cache-sexe du misérable néolibéralisme qu'est le FMI :

> Ce qui est la grande force du FMI, et c'est pour ça qu'il obtient la place aujourd'hui qu'il a bes… dont le monde a besoin, c'est l'indépendance des milliers d'économistes qui travaillent au FMI, qui travaillent de façon collective, qui sont pas tout seuls, on peut pas écrire des choses parce que ça vous passe par la tête, y

> a des procédures de révision de ce qui est écrit par les pairs, mais à l'arrivée l'indépendance des chercheurs du FMI est garantie par le traité. Et c'est justement ce qui fait la force... Comme disait Keynes, lorsque le FMI a été créé en 1944, c'est « la puissance de dire la vérité », c'est ça, l'arme du FMI. Et donc, le directeur du FMI, il est bien incapable de corriger un rapport qui a été revu à l'intérieur...

Quel « talent disert et onctueux de dire ce que l'on ne pense pas », *that glib and oily art to speak and purpose not...* On a vu ce qu'il fallait penser des rapports « puissants comme la vérité » du FMI. Mais c'était avant l'avènement inspiré de M. Schumpeter-Keynes ! M. Strauss-Kahn s'imagine en effet que tous les problèmes du globe terraqué en temps d'apocalypse financière tiennent à l'indocilité des hommes d'État, qui n'écoutent pas suffisamment les conseils de la merveilleuse équipe d'experts indépendants avides de vérité du « nouveau FMI ».

> Le grand pari du XXIe siècle, c'est l'invention d'une gouvernance mondiale. Et au cœur de cette nouvelle gouvernance mondiale, il y a le nouveau FMI. Et c'est ça le rôle qu'il faut jouer aujourd'hui : fournir au G20 des analyses, des politiques économiques à suivre, et pour ça il fallait que je réforme le FMI pour qu'il en soit capable. Ce qui a été fait.

Ce FMI nouvelle formule, martèle M. Strauss-Kahn, a si peu à voir avec l'ancien FMI tant critiqué que « peut-être un jour il faudra faire évoluer son nom ».

M. Strauss-Kahn semble oublier que le cynisme est dans les choses, et non dans les mots qui expriment les choses.

* * *

Il est temps de dévoiler le secret de l'incorrigible optimisme de M. Strauss-Kahn. Qu'est-ce qui lui permet de faire des claquettes au bord de l'abîme ? Qu'est-ce qui le fait se réjouir, les talons clapotant dans la lave, de ne pas avoir encore basculé dans le cratère ?

Le secret de M. Strauss-Kahn, c'est qu'il ne voit congénitalement pas *où est le Mal*.

Dans son livre écrit par un autre en pleine turbulence personnelle, M. Strauss-Kahn plaint les délaissés du Système, convaincu que le Système aurait pu être amendé si l'on avait plus tôt suivi ses conseils grassement rétribués. Pour M. Strauss-Kahn, paternel et patelin, les salariés sont majoritairement heureux et spontanément capitalistes grâce à leur épargne. Ces salariés « avisés, informés et éduqués, qui forment l'armature de notre société », en constituent la « grande couche moyenne centrale ».

C'était en 2002.

En 2009, *fuit Troja*. Troie n'est plus. Toutes les prévisions optimistes de M. Strauss-Kahn sont parties en fumée – sans parler de l'été 2011 où ne demeurent ni flamme ni cendre ! Nul pourtant ne semble pouvoir empêcher M. Strauss-Kahn de continuer de prodiguer sermons, avis, conseils à tout va, sans jamais lui-même prendre au sérieux ses propres circonlocutions benoîtes et contradictoires :

> Je crois que partout, dans tous les pays, quand on explique à la population pourquoi on doit prendre une mesure, même quand elle est parfois difficile, on arrive à la prendre. Ça ne veut pas dire que tout le monde est content, mais on arrive à avancer.

Le lecteur ne rêve pas. À l'automne 2009, au cœur de la pire crise financière que le monde ait connue, alors que le système néolibéral vient de manquer d'un cheveu de s'effondrer en entraînant avec lui une ribambelle de désastres majeurs... le bon professeur Schumpeter-Keynes, directeur général du FMI, « banquier de la planète », « médecin-chef de la crise », est en train d'expliquer qu'il suffit d'expliquer à la population comment régler ses problèmes pour que ceux-ci, par une pédago-magie d'un nouveau genre, soient en partie résolus et que le monde avance ! Quelle admirable dialectique !

Tel était l'enthousiasme de M. Strauss-Kahn, jusqu'à sa brutale mise au cachot un beau jour du mois de mai 2011, et tels sont les tréteaux de l'économie de la Misère, et les coulisses de la misère de l'Économie.

Au moment où j'arrive aux dernières lignes du curieux manifeste de Karl, une voix dans mon dos déclare :

– *Bomb Wall Street !*

Je me retourne, et je m'aperçois que Guy a tout lu par-dessus mon épaule.

« Guy D. » est un autiste alcoolique anonyme français, très chaleureux, qui a l'habitude de se présenter en prononçant son prénom et son initiale avec un fort accent américain : « *Gaï-Di* », de sorte que beaucoup ici le prennent pour un guide.

– Tu as lu Marx ? Qu'en penses-tu, Guy ?

Il ne me répond pas, fait un signe de silence en plaçant un doigt sur ses lèvres closes, puis, me montrant un écran de télévision placé au mur, énonce :

– Le spectacle va commencer.

Il est bientôt midi, et en effet DSK se prépare à comparaître devant la juge Melissa Jackson sous les objectifs des caméras du monde entier.

Grignotages

Guy, Karl, Antonin et moi allons nous installer à une table dans la salle à manger du centre psychiatrique. Nous contemplons le show sur un immense écran plat placé en hauteur, en buvant un verre d'eau.

Sans nous demander notre avis, Homer vient s'attabler avec nous. « Homer Simpson », c'est son surnom ici parmi les pensionnaires, en référence à ses deux cents kilos de mal-être et de vacuité. Homer a tellement l'air de s'être extirpé – avec peine – d'un dessin animé satirique qu'il est le seul, ici, à n'avoir jamais remarqué mon tatouage aussi irréel que sa silhouette de baudruche ventripotente. Est-il seulement laid ? Il est au-delà de la laideur, exorbité de sa propre apparence. Homer est mon alter dingo, mon antipode, mon jumeau négatif. Son obésité et mon rachitisme ont ceci de comparable que nos corps nous ont fuis. Le mien s'est évaporé sous un squelette d'encre, le sien a été englouti sous la bouffe immonde dont il se repaît à longueur de temps.

Homer est littéralement devenu ce qu'il consomme. Ce qu'il consomme, ce n'est pas de la nourriture mais sa réclame, la reproduction falsifiée d'ersatz élaborés dans des éprouvettes. Traité comme un container à déchets par la propagande agroalimentaire depuis son enfance, Homer s'est métamorphosé en sa propre déjection, exproprié de son corps au profit de toutes les publicités de nutritions surnaturelles diffusées nuit et jour sur tous les postes de télévision. Le corps martyr d'Homer est imprégné d'images abjectes et désirables, huileuses et trafiquées, fondantes et plastifiées, suppurantes de calories, glorieuses de graisse, éclaboussantes de dépendance, rutilantes de volonté abolie.

Rwunch… rwunch… rwunch… rwunch… Difficile de ne pas l'entendre, il mâchonne son cheeseburger sans s'intéresser à personne, et surtout pas à lui-même. Je cesse de le dévisager pour me concentrer sur l'écran de télévision. Là, autre tintamarre, celui du cliquetis des appareils photo qui canardent DSK. *Rlaclaclac… rlaclaclac… rlaclaclac… rlaclaclac…* On se croirait en pleine huitième plaie d'Égypte dans un champ de blé envahi de sauterelles voraces, d'autant que les mâchoires de Homer répondent aux insectes médiatiques en faisant goulûment craquer une tranche de bacon… *Rwunch… rlaclaclac… rwunch… rlaclaclac… rwunch… rlaclaclac…*

Dans ce brouhaha grignotant, j'essaye de distinguer ce que déclarent les avocats des deux camps, avant que la juge Melissa Jackson ne décide si DSK sera libéré sous caution ou s'il restera en prison en attendant sa prochaine comparution.

Le Cri

De tous les magistrats siégeant au Criminal Court, DSK n'aurait pu tomber plus mal que sur la juge Melissa C. Jackson.

Petite-fille de Robert Houghwout Jackson, le procureur en chef des États-Unis au procès de Nuremberg, la juge Jackson n'est pas exactement une majorette. Si grand-papa Robert a fait condamner Goering, Streicher, Frick, Ribbentrop, Hess, Rosenberg en 1946... ce n'est pas un sosie français de Jay Leno au regard torve qui va effrayer Melissa, quand bien même il serait « l'un des hommes les plus puissants au monde », comme titrent les magazines depuis maintenant près de deux jours que l'Affaire a éclaté.

La juge Jackson n'a pas pu ne pas voir les tabloïds claironnant l'ignominie du « *Great Seducer* » : « Le Perv », « *French Whine* » (Le Français pleurnichard), « *French Diss* » (Le Français insolent), « *Sleazy Money* » (L'Argent répugnant), « *Pompous French Honcho* » (L'arrogant Patron français)... Autant les journaux européens, tétanisés, insistent sur l'aspect Grandeur et Décadence de la catastrophe : « DSK Le Drame », « L'impensable scénario », « KO », « DSK Out », « *Der Absturz* » (Le crash), « Coup de tonnerre sur la présidentielle », « Le coup d'arrêt »,

« DSKgate », « Les portes de l'Élysée se ferment pour DSK »..., autant les tabloïds américains tirent à l'arme lourde contre le Français, assurés de faire d'autant plus de tirages qu'ils médiront des grenouilles capitulardes de la guerre en Irak...

Tout cela ne fait pas rire la juge Jackson. Avec les sillons rigoureux de son front, ses orbites enfoncées, ses joues creusées, ses lèvres fines, elle fait penser au personnage d'Edvard Munch dans son tableau *Le Cri*. Melissa Jackson, c'est le Cri muni d'une tignasse raide, d'une veste en tweed à carreaux noirs et blancs, d'un pull noir à col ras, d'un collier de perles blanches, d'une montre d'homme au bracelet en cuir noir, qui lance à DSK mal rasé, col de chemise ouvert et imperméable noir froissé : « Pas de "Quel beau cul !" avec moi, *French guy* ! »

La notoriété internationale de DSK n'impressionne pas la juge Jackson. Elle est coutumière des procès retentissants. La chanteuse Courtney Love, l'actrice Rosario Dawson, le basketteur Jayson Williams, la rappeuse Foxy Brown... ont eu affaire à elle. Durant sa comparution, en 2007, Foxy Brown s'était prétendue atteinte de surdité. Lorsque la juge Jackson lui ordonna de cesser de mâcher son chewing-gum, la rappeuse tira insolemment la langue pour témoigner que sa bouche était vide. Furieuse de cet outrage à magistrat, la juge avait ordonné d'attacher la rappeuse à son banc, ce qui n'avait pas été sans mal à cause des nombreux bracelets que Foxy Brown portait aux poignets. La rappeuse s'était débattue, avait insulté la policière qui la menottait. La petite-fille du procureur qui fit pendre quelques nazis de haut rang intima alors : « *Hit her* », « Maintenez-la ! » à la flic...

DSK, lui, est d'une amabilité à toute épreuve. Il s'est vu ôter ses menottes avant d'entrer dans la salle, puis on l'a installé sur le banc complètement à droite de la juge Jackson qu'une vitre épaisse sépare de toute éventuelle saillie incongrue du Français.

King Look

La veille, quand on l'a exhibé pour son *perp walk* avant d'aller subir des examens médicolégaux, il n'avait pas encore récupéré ses lentilles de contact. Sa myopie mêlée à la fatigue lui donnait l'air hébété d'un sanglier happé en pleine nuit par les phares d'une voiture. Le *perp walk* est inconnu en France, où majoritairement les scandales, les enquêtes et les arrestations mijotent à l'étouffée en une ratatouille de honte, de non-dits, de passe-droits et de collusions. Cette tradition yankee consiste à faire passer un suspect, coupable ou innocent, sous les fourches caudines des journalistes. Le *perp walk*, c'est le tapis rouge de l'infamie – « fameux » et « infâme » ne sont-ils pas de même racine ? –, infamie qui s'applique autant au suspect qu'à la meute des journalistes.

Le *perp walk* est la part sacrificielle de l'Amérique, offerte à l'omnipotence des mass media. Le *perp walk* est le bouc émissaire sacrifié au Roi Regard. Qui oserait se proclamer innocent – donc invisible – dans un univers où King Look a tous les droits, et aucun devoir.

C'est J. Edgar Hoover, le paranoïaque tordu travelo partouzeur obsessionnel patron du FBI, qui inaugura le *perp walk*. Le type qui écoutait les conversations téléphoniques de Marilyn Monroe et de Frank Sinatra, faisait chanter Eleanor Roosevelt, assassiner les Black Panthers et les militants indiens, espionner et discréditer Hemingway, le type que la Mafia tenait entre ses mains… savait mieux que personne que l'innocence était une trop vieille idée pour le Nouveau Monde.

Quand J. Edgar Hoover, au cours de ses orgies au Plaza de New York, yeux maquillés, en jupe rouge et bas de dentelle, se faisait investiguer par son adjoint Clyde Tolson, il mettait toujours le même disque : une cantate de Bach, dont le chœur exprimait ses plus intimes convictions.

Den Tod niemand zwingen kunnt
Nul ne peut contraindre la Mort
Bei allen Menschenkindern,
Parmi le genre humain,
Das macht'alles unsre Sünd,
La faute en revient à nos péchés,
Kein Unschuld war zu finden.
Il n'existait pas d'innocents.
Davon kam der Tod so bald
C'est pourquoi la Mort fut si prompte
Und nahm über uns Gewalt,
À s'emparer de nous,
Hielt uns in seinem Reich gefangen.
Et à nous retenir captifs dans son empire.

Et Hoover et Tolson, beuglant en chœur « *Kein Unschuld war zu finden* », « Il n'existait pas d'innocents », éjaculaient ensemble en entonnant « Alléluia ! »…

Au royaume de King Look, se proclamer innocent n'a aucun sens. Ce qui compte n'est pas ce qu'on proclame mais ce que l'on voit : *F.B.Eye…* Dans Federal Bureau of Investigation, le mot essentiel est « investigation », bien sûr, où se laisse entendre le « vestige », c'est-à-dire la trace. Et de la trace au crime, il n'y a qu'un pas : précisément celui du *perp walk*…

Le *perp walk* de DSK, qui horrifia tant les Français, succède à une longue liste de *perp walks* demeurés célèbres. Le 24 novembre 1963, Lee Harvey Oswald avait fait retarder le sien, réclamant son pull noir avant d'être vu à la télé. Il ignorait que ce ne serait pas pour son pull qu'il allait passer à la postérité de la disgrâce, mais à cause du coup de revolver de Jack Ruby.

Qui est coupable ? Qui est victime ? Qui est innocent ?

Lorsqu'il fut arrêté après avoir jeté un téléphone portable à la tête d'un employé d'hôtel, en 2005, l'acteur Russell Crowe exécuta son *perp walk* revêtu d'un blouson de la police de New York, ce qui donna l'étrange impression que les flics venaient de coffrer l'un des leurs…

Qui est coupable ? Qui est victime ? Qui est innocent ?

Mais la plus belle ironie du sort veut que tandis que des milliers de regards à travers le monde se posaient sur DSK menotté pour son « *perv* » *walk*, celui-ci ne voyait rien en retour parce que ses lentilles jetables déshydratées gisaient sur le sol d'une petite cellule d'un commissariat de Harlem.

« Ce qui est devant moi, c'est aveugle… », avait psalmodié Nafissatou en recrachant la semence de DSK sur la moquette.

On devrait toujours se méfier d'une malédiction africaine.

Transparence

La veille de sa comparution devant la juge Jackson, tandis que DSK se faisait examiner à l'hôpital – afin de relever son ADN et d'examiner d'éventuelles griffures sur son torse –, lorsqu'on lui demanda s'il avait besoin de quelque chose, il ne réclama ni à boire ni à manger mais des lentilles SofLens Bausch & Lomb, qu'on lui procura immédiatement.

Aujourd'hui, donc, c'est avec un regard frais qu'il observe, assis sur son banc, l'obscène meute des téléobjectifs le mettre en joue telle une bête de proie. La scène constitue une sorte de retour du pendule phallique, érection contre érection : tu lui as mis ton pénis entre les lèvres, nous te mettons nos objectifs dans la face.

Par désinvolture fataliste, il a croisé les bras et étendu ses jambes, toisant avec un mépris contenu les journalistes qui le mitraillent sans discontinuer. *Rlaclaclac… rlaclaclac… rlaclaclac… rlaclaclac…* Regardez-le, notre Sisyphe surmené, foudroyé au sommet une fois de plus. Fatigué, humilié, ulcéré, incrédule, dédaigneux et pessimiste à la fois. S'il s'est assis de la sorte – en une posture qui ne manque d'ailleurs pas d'élégance : la nonchalance de celui qui n'a plus grand-chose à perdre –, c'est qu'il connaît bien ce transat désastreux de son destin sur lequel il lui faut, une fois de plus, s'installer et attendre, lui que le goutte-à-goutte des minutes horripile. Une fois de plus le monde s'est écroulé autour de lui.

« Tout ça pour ça ! » songe-t-il tristement.

Les cernes sous ses yeux ont pris une allure pathétique. Ils ont descendu d'un cran après le choc de son arrestation, glissant vers les joues et formant deux sillons cireux, comme si on lui avait greffé des fentes de machine à sous de part et d'autre de l'arête nasale, dans lesquelles deux pièces d'un euro se seraient coincées…

– Affaire 51030, sous-section 2A, *Dawmineak Shtrouse Can*, énonce un officier noir et chauve avant de tendre le dossier à la juge Jackson.

DSK se lève de son banc et vient calmement rejoindre Benjamin Brafman en réprimant sa démarche chaloupée de boxeur de séismes. Il commence par jeter un œil à la juge Jackson, qui ne lui accorde pas un regard. Elle fixe Brafman tandis que le greffier énonce les chefs d'inculpation. DSK n'est pas à son aise. Il a l'impression inhabituelle d'être transparent.

La dernière fois que cela lui est arrivé, c'était pendant la présidentielle de 2007, à Charleville-Mézières, lors d'un meeting en l'honneur de Ségolène Royal. La vedette que tout le monde imaginait devenir la première femme présidente de la République française était en retard. DSK s'improvisa chauffeur de salle, faisant un vibrant éloge de Ségolène qui y fut parfaitement insensible, oubliant de le remercier lorsqu'elle monta enfin à la tribune. Melissa Jackson et Ségolène Royal font partie de ces femmes sur lesquelles le charme mielleux de DSK n'agit pas. La Française est fille d'un lieutenant-colonel d'artillerie de marine, l'Américaine petite-fille du vengeur des monstres nazis ; elles aiment les hommes à poigne, stricts et secs, pas les richissimes rondouillards libidineux.

Brafman a longuement expliqué auparavant à DSK le déroulement de la séance, qu'il n'aurait pas droit à la parole, que le moindre manquement de sa part serait très mal vu, et que la juge Jackson ne blaguait pas avec le règlement. Forcé au mutisme, DSK se sent en situation de pat sur un échiquier. Impossible de jouer un coup sans mettre son roi en échec.

Il commence par fixer du regard la juge Jackson, presque par réflexe, puis, se heurtant à sa propre invisibilité – la juge n'ayant d'yeux que pour Brafman et l'adjoint au procureur –, DSK regarde furtivement vers le plafond… Brafman prend la parole, il donne l'adresse de son cabinet et déclare officiellement :

– Je suis l'avocat de M. Strauss-Kahn dans cette affaire.

Debout à sa gauche, DSK le regarde et l'écoute, se concentrant pour ne pas être tenté de lancer un sourire enjôleur à la juge. Sa tête dodeline de la juge à Brafman, car dès qu'il croise le non-regard de Melissa, il est souffleté par cette indifférence et son visage rebondit vers Brafman, qui laisse maintenant la parole à l'accusation.

Micro-mimiques

C'est Artie McConnell, l'assistant du procureur, qui annonce la demande de refus de libération sous caution de DSK.

– Je demande que M. Strauss-Kahn soit placé en détention préventive.

DSK fixe sombrement de biais le jeune avocat au

costume, à la chemise, à la cravate, à la coupe de cheveux et à la dentition impeccables. Voilà le genre de pingouin compassé qu'il pulvériserait en deux ou trois remarques bien placées s'il en avait l'opportunité dans une controverse à armes égales.

Quand DSK est en forme, nul ne résiste à sa verve astucieuse.

En 2002, il avait ridiculisé Sarkozy – à qui McConnell lui fait un peu penser – lors d'un débat télévisé consacré à la durée du travail. DSK avait pris le gamin démago de haut, réduisant à néant ses statistiques falsifiées et déconsidérant son slogan publicitaire : « Travailler plus pour gagner plus » – formule si imbécilement simpliste qu'elle allait lui faire gagner la présidentielle en 2007 ! Blême, ulcéré, Sarkozy avait dû rappeler à DSK lui faisant la leçon qu'il n'était tout de même pas son professeur. « En effet, le foudroya DSK, vous n'auriez pas fait cette erreur si vous aviez été mon élève… »

Quel brio ! On n'avait plus vu ça depuis le débat entre Kennedy et Nixon en 1960. Torturé par ses souvenirs de scolarité ratée, Sarkozy avait le même regard humilié que lorsque à dix-sept ans il lisait sur son bulletin scolaire, en philosophie : « Trop de beaux discours, pas assez de réflexion. »

Artie, lui, ne se soucie pas de DSK. Ce qui est ingrat si l'on songe que ce type doit au Français sa soudaine célébrité planétaire. Jusqu'au 14 mai 2011, jour où il était de permanence à la Sex Crime Unit, Artie n'était qu'un des cinq cents substituts du procureur de Manhattan. Puis un flic lui téléphona dans le cadre d'une plainte pour tentative de viol au Sofitel. C'est ainsi que ce post-adolescent au teint rose et aux cheveux courts qui n'a que vingt-quatre amis sur sa page Facebook se retrouve aujourd'hui sous le feu de milliers de regards.

Artie continue son argumentation, lisant studieusement son texte. DSK, qui n'a jamais eu besoin de notes pour emballer une audience, retient un haussement d'épaules.

– Directeur général du Fonds Monétaire International, c'est un homme politique, c'est une figure internationale qui compte de nombreux amis..., énonce Artie.

DSK retient un sarcasme : « Tout le monde ne peut pas se contenter de vingt-quatre amis sur sa page Facebook, Mister McConnell ! »

Puis Artie évoque une autre affaire similaire dans laquelle DSK aurait été impliqué. Un quart de seconde, le nom de « Tristane Banon » et l'expression « chimpanzé en rut » viennent à l'esprit de DSK, qui les refoule aussitôt lorsque Artie évoque les « ressources financières considérables » du prévenu et l'absence d'accord d'extradition entre les USA et la France.

– S'il rentrait en France, il est clair que nous ne disposerions d'aucun mécanisme juridique qui garantirait son retour aux États-Unis pour faire face aux charges...

La juge Jackson interrompt Artie :

– De quelle autre affaire parliez-vous ?

Sitôt qu'elle a ouvert les lèvres, DSK détourne son visage d'Artie pour regarder la juge. Son air de carnassier polémiste prêt à déchiqueter l'adjoint au procureur – si on lui laissait seulement placer un mot ! – se radoucit aussitôt en celui d'un nounours chagriné prêt à donner tranquillement à Melissa en tête à tête toutes les explications qu'elle désirerait. Artie explique qu'il lui manque encore des éléments concernant cette autre affaire, qu'il a besoin de plus de temps. La juge Jackson le prie alors de continuer.

– M. Strauss-Kahn n'a aucune raison de rester aux États-Unis, poursuit McConnell, insensible au regard carnassier de DSK dont les lèvres sont serrées d'énergie colérique contenue.

Les caméras font un gros plan sur son visage. Il est comme embelli par la gravité de la situation. Comme si le DSK au sommet de sa gloire – celui qui tapotait sur l'épaule d'Obama avec un ricanement maléfique lors du G20 – n'était pas le bon. Au G20, vedette parmi les vedettes, puissant parmi les puissants, boursouflé de contentement, possédé par son élection à la tête du FMI, subjugué par la beauté de Michelle Obama, il arborait un rictus caricatural, plissant les yeux comme s'il cherchait son chemin après s'être égaré dans le fog de son propre triomphe, allant jusqu'à ne pas voir la main tendue de Barack pour lui dire au revoir. Aujourd'hui, pauvre Lear déchu à Manhattan, jouant la plus cruciale partie d'échecs de sa vie, il est redevenu beau, il a rajeuni, sa physionomie s'est remodelée autour de son regard intelligent, comme un masque de cire caressé par une flamme virtuose...

Maintenant qu'il est au fond du gouffre, le fin visage fantomatique du petit Dominique enterré à Agadir a repris possession de ses traits.

– Il a toutes les raisons, continue Artie en lisant consciencieusement sa déclaration, et toutes les ressources pour quitter le pays.

DSK ferme les yeux une demi-seconde, esquissant une légère moue pour indiquer l'absurdité de cette hypothèse. Ses yeux repartent furtivement vers le plafond pour ne plus croiser le non-regard de la juge, puis il se reconcentre sur Artie.

– Nous pensons qu'il pourrait payer pratiquement n'importe quelle caution et qu'un million de dollars est un petit prix à payer pour sa liberté et la chance d'éviter des poursuites pour ses délits.

DSK a trouvé un moyen de parler sans parler : il esquisse de micro-mimiques qui en disent long sur ce qu'il pense de l'argumentation d'Artie. Il le toise de bas en haut durant un dixième de seconde, par exemple, lorsque Artie évoque le million de dollars. Ou bien il remue imperceptiblement la tête de droite à gauche et de gauche à droite, comme pour signifier : « N'importe quoi ! », avant de revenir surveiller Artie du coin de l'œil.

Autant DSK se sent proche par de nombreux côtés de Brafman, l'ami juif des mafieux italiens comme lui l'est des grands patrons français, autant tout l'oppose à Artie McConnell. Brafman l'avait prévenu, ce beau gosse irlandais aux cheveux courts est « superlativement goy » : aimable, froid, calme, ordonné, consciencieux, lent, compréhensif, impassible, impavide, obéissant, studieux et à peu près aussi émotif qu'un métronome…

Le seul mot français qu'Artie connaisse, par exemple, hormis « bonjour » et « merci », c'est « fourchette ». Pas celle avec laquelle DSK dévore des pâtes aux truffes à cent dollars chez Scalinatella, non, mais cette fine membrane qui relie la partie postérieure des petites lèvres du vagin, dont la moindre égratignure atteste une pénétration forcée. Sa science de la fourchette vulvaire a permis à Artie de gagner plusieurs procès en démontrant que la victime n'était pas consentante, contrairement à ce qu'affirmait son violeur. Ainsi Artie connaît-il en théorie l'état de la « fourchette » de Nafissatou bien mieux que DSK qui l'a pourtant agrippée à pleine main. Car Artie a eu sous les yeux le rapport médicolégal de l'hôpital St Luke's Roosevelt où Nafissatou a été conduite dès l'après-midi du 14 mai. Il a patiemment étudié le schéma de la zone vaginale décrivant une « rougeur sur la fourchette », vers le bas, « entre 5 et 7 heures ».

Il sait de quoi il parle.

La lenteur

– Nous allons bien sûr examiner les faits, mais cela prendra beaucoup de temps et de ressources pour vérifier tout cela…

DSK se dandine doucement comme si on venait de lui verser du sable dans son col de chemise grand ouvert. Cette allusion au temps, son ennemi intime, lui est particulièrement désagréable. Toujours de la même voix posée et monocorde, Artie continue son plaidoyer comme s'il parlait d'un fait historique qui se serait déroulé sur la lune il y a trois siècles :

– Il a retenu une employée d'hôtel dans sa chambre, il l'a agressée sexuellement, il a essayé de la violer et l'a forcée à pratiquer une fellation…

Rlaclaclac… rlaclaclac… rlaclaclac… rlaclaclac…

Les photographes ne perdent pas une miette du récit d'Artie, leurs obturateurs dévorent ses paroles en même temps que les chances de DSK d'obtenir sa libération sous caution.

– S'il était condamné, il encourrait une peine de prison importante au titre de chacun de ces chefs d'accusation, un maximum respectivement de vingt-cinq ans, de quinze ans et de sept ans. Du fait de la nature de ces délits, il serait possible qu'il ait à purger ces peines de façon consécutive.

DSK ne se dandine plus, il ne regarde même plus Artie, il titube carrément sous les coups répétés de l'horloge égrenant insupportablement sa menace de milliards de secondes… DSK sent la partie lui échapper. C'est comme si son adversaire, non content de jouer aux échecs en suivant les règles infantiles du jeu de dames, se saisissait de l'horloge de blitz et lui en assénait de grands coups sur le crâne pour l'empêcher de réfléchir.

Rlaclaclac… rlaclaclac… rlaclaclac… rlaclaclac…

– Compte tenu de l'importance de l'affaire, compte tenu du potentiel de preuves supplémentaires qui existent, M. Strauss-Kahn a des motifs supplémentaires de prendre la fuite. Nous savons qu'il a les ressources politiques, financières et humaines pour s'enfuir et éviter les poursuites. C'est une personne qui dispose de moyens, c'est une personne sophistiquée, intelligente, c'est une personne qui a les ressources nécessaires pour éviter capture et poursuite s'il était libéré. Il dispose de réseaux importants, de contacts qui peuvent l'aider partout dans le monde. Je l'ai dit, c'est un ressortissant français, il a des liens de longue date avec la France où il occupait des postes importants, alors qu'il n'a pratiquement aucun lien avec les États-Unis, et s'il a des liens avec les États-Unis, ils se trouvent être en dehors de New York.

Brafman et DSK regardent Artie avec une consternation contenue. Comment peut-on être si lent, si ennuyeusement répétitif, si caricaturalement posé, si insupportablement pondéré !

En écoutant Artie, il revient à la mémoire de DSK le passage d'un roman de Philip Roth qu'Anne lui lisait en riant, allongée sur une chaise longue au bord de la piscine intérieure de leur riad de Marrakech. Le héros songe à se faire enterrer sur une colline, dans un cimetière chrétien, auprès de sa maîtresse croate, puis il se ravise : « Mais avec qui est-ce qu'il pourrait bien discuter, là-haut ? Il n'avait jamais trouvé de goy qui parle assez vite pour lui. »

DSK cligne machinalement de la paupière droite. Ses vieux tics le reprennent. Il n'ose même plus diriger son visage vers la juge Jackson, elle risquerait de penser qu'il lui fait de l'œil au pire moment, juste quand Artie rappelle au monde entier que DSK est français, donc séducteur, bâfreur, baiseur, dégoûtant comme un camembert qui dégouline, volatil comme une bulle de champagne, ithyphallique comme une baguette de pain, et fuyard comme un conscrit de 1939 en pleine débâcle devant l'armée allemande…

Au moment où McConnell nie tout lien du Français avec New York, Brafman se penche brièvement vers DSK pour lui souffler une remarque :

– Je vais évoquer votre fille new-yorkaise…

DSK, qui ne sait plus comment échapper à l'exaspérante lenteur d'Artie, croit que Brafman veut engager la conversation. Il se penche à son tour vers l'oreille de l'avocat et lui rappelle que son billet d'avion était réservé depuis longtemps, ce qui contredit l'hypothèse de sa fuite. Mais Brafman, tout en opinant, l'interrompt d'un geste autoritaire de la main.

Dépité comme un enfant grondé pour avoir gêné une conversation d'adultes, DSK ne sait plus vers où se tourner. Il fixe ses pieds en se dandinant, il relève le visage vers la juge puis se reprend aussitôt, fuyant son adamantine indifférence en toisant le mur du fond du tribunal sur lequel est inscrite la maxime théologico-monétaire américaine : « *In God we trust.* »

Il ne pouvait rien imaginer de pire : sa liberté, sa carrière, sa vie sexuelle se jouent en ce moment… et il s'ennuie !

– Il a donc la possibilité, les moyens et les raisons de prendre la fuite, ce qui justifie pleinement notre demande de détention préventive…

DSK lève le visage vers la maxime en clignant des yeux, réprimant une mimique d'exaspération tandis qu'il pense : « Tu l'as déjà dit ! Accouche, connard ! »

– Nous ne savons pas de combien de comptes bancaires il dispose, ni où se situent ses comptes. Nous ne savons pas quels sont ses investissements, ou les actifs dont il dispose, liquides ou non…

Songeur, DSK fixe la maxime. « Si seulement je lui avais donné cent dollars, pense-t-il, je n'en serais pas là. »

Tandis que McConnell conclut son argumentaire sur les divers passeports et documents diplomatiques que risque de posséder l'affreux Français fuyard, quelque chose attire l'attention de DSK. Il ne l'avait pas vu jusqu'à maintenant, car il est placé de biais par rapport à lui, mais le moniteur de l'ordinateur de la juge Jackson est en veille depuis le début de la séance. Or DSK vient d'apercevoir le logo baladeur de Windows qui sert d'écran de veille par défaut à tous les PC du monde. Pauvre femme ! compatit DSK. Personne ne lui a expliqué comment modifier son écran de veille !

Il a beau être un inconditionnel d'Apple, DSK connaît parfaitement le fonctionnement d'un PC. À Washington, sur le bureau commun de leur résidence, Anne possède un PC en vis-à-vis de son propre Mac, et c'est lui qui régulièrement lui installe des programmes et en modifie les réglages. Si seulement il avait l'opportunité d'improviser une de ses brillantes comparaisons entre les avantages respectifs des Mac et des PC à la juge Jackson, sa libération sous caution serait dans la poche. Oh, rien de sexuel, aucun sous-entendu malvenu, aucune métaphore libidinale, nul geste déplacé en manipulant la souris, non, rien que de la technique, de l'expertise, et au passage un peu d'humour britannique dans son anglais impeccable…

DSK se remémore un vieux texte d'Umberto Eco qu'il avait adoré, établissant précisément un parallèle entre utilisateurs de PC et utilisateurs de Mac, pour conclure que les premiers étaient typiquement protestants, les seconds typiquement catholiques… Lui pense justement l'inverse. Il adorerait déployer ses sophismes devant la juge Jackson pour lui démontrer qu'on peut être français sans être futile.

Hélas, il n'est ni catholique ni protestant, mais un simple Juif d'Agadir aux origines ukraino-tuniso-alsaciennes. Et au ton sec dont la juge Jackson remercie McConnell et passe la parole à « Mister Brafman », il sent de plus en plus que sa place à lui ne sera ni dans la cathédrale Mac, ni dans le temple Windows, mais dans un gourbi déconnecté à Rikers Island...

Deux Juifs

– Si nous acceptons la position du procureur, commence Ben Brafman, aucun étranger qui a réussi dans ce pays ne pourrait être libéré sous caution. À moins que le procureur ne soit absolument convaincu de tout ce qu'il veut savoir, ce qui prendrait entre un et six mois.

Brafman parle vite, sans hésiter, dans son accent percutant de Brooklyn. Il sait où il veut en venir. S'il démarre sur la lenteur manifeste d'Artie à réunir des preuves, c'est qu'il entend au contraire parvenir promptement à son but. DSK n'a aucune idée de la stratégie complexe que Ben a pu préparer. Il le regarde d'un air hébété en se dandinant. Lors d'une rencontre préparatoire, Brafman lui a intimé le silence, ainsi qu'à tous ses proches, sa famille, ses amis, et surtout ses intarissables communicants, exigeant la plus entière confiance. Ici, dans son fief, le maestro c'est lui.

– Ce monsieur a droit à une caution, continue Ben. Il n'a pas de casier judiciaire, il a soixante-deux ans, il a quatre enfants, et ce qui est dit à propos de ses liens avec les États-Unis et New York est tout simplement erroné.

En effet il a une fille qui vit à Manhattan, et sa femme et lui-même vivent à Georgetown, à Washington D.C. Il s'agit d'une personnalité connue, respectée sur le plan international. C'est probablement la personne la plus identifiable au monde aujourd'hui depuis ces dernières soixante-douze heures.

DSK a le sentiment qu'on parle d'un autre que lui. Il continue d'arborer un air abruti de fatigue et empreint de perplexité. Il n'est pas coutumier de ce type de rhétorique réaliste, sans ambages, visant l'efficacité pure, dépourvue d'idéologie. Ça le change de la propagande crétine que Fouks, Khiroun et Finchelstein lui mettent entre les lèvres à Paris à longueur de temps – comme lorsqu'ils lui soufflèrent d'acheter devant des caméras le disque débile consacré au footballeur Zidane pour son petit-fils…

– J'ajouterai également qu'il nie ces accusations, qu'il est présumé innocent par la loi, ce qui n'est pas ressorti des propos du procureur. En fait c'est une affaire tout à fait défendable. Il y a d'ores et déjà un certain nombre de questions très importantes qui sont apparues lors d'une enquête préliminaire. Et il se pourrait tout à fait qu'il soit exonéré de ces accusations.

Benjamin Brafman en a vu d'autres. Ce petit scandale sexuel d'une personnalité inconnue aux USA n'est rien, judiciairement parlant, comparé aux cas atroces ou grotesques qu'il a déjà traités. Le « beurre de canard » pédophilique de Michael Jackson, là c'était du gros calibre, même si Brafman se fit vite remplacer par un avocat plus compatissant avec le célébrissime prépubère attardé. Et une pipe obtenue à la va-vite dans une chambre d'hôtel, c'est un chef d'accusation qui aurait bien fait rire Paul Castellano, le chef de la famille Gambino dont Brafman obtint l'acquittement d'un des membres lors du procès collectif de 1985. Sans parler de Puff Daddy, jugé pour avoir dégainé son flingue et fait feu en pleine boîte de nuit devant cent cinquante témoins, ni de Jay-Z, accusé d'avoir donné deux coups de couteau à son producteur, ni de Daphne Abdela, complice à quatorze ans du poignardage et de la noyade d'un courtier à Central Park, ni de Peter Gatien dont les discothèques servaient de braderie aux dealers d'ecstasy...

– Depuis son arrestation, il a essentiellement fait preuve de coopération, il n'a en aucun cas cherché à contrecarrer l'enquête. Ce qui est très important pour lui, c'est que la lumière soit faite pour que son image en ressorte propre. Et je dois dire que c'est une affaire éminemment défendable, il a droit à une caution.

DSK écoute Brafman en flottant pensivement. Lui, l'abonné aux bourdes, l'habitué des scandales, le bredouilleur de justifications vaseuses dès que la justice le harcèle, il n'envisage pas à quel point Brafman maîtrise les raffinements labyrinthiques du système judiciaire américain. Si l'avocat new-yorkais n'a rien à apprendre sur le fonctionnement *assez banal, au fond*, d'un DSK, l'inverse n'est pas vrai. DSK n'a pas la moindre idée de ce qui peut motiver quelqu'un comme Benjamin Brafman.

Contrairement à ce qu'imaginent tous les antisémites de la planète, galvanisés de haine, suintant de rageuse bêtise en contemplant en boucle sur YouTube ces deux richissimes comploteurs sionistes ligués contre une pauvre immigrée noire musulmane, Benjamin *H'ill* (« Achille » en yiddish) Brafman, fils de Rose et de Shlomo (« Solomon ») Brafman, et Dominique Gaston André Strauss-Kahn, fils de Jacqueline Fellus et de Gilbert Strauss, n'ont quasiment rien en commun.

DSK est le jouisseur que l'on sait, aussi maladroit qu'il est ambitieux. Dans la longue histoire des présomptueux, depuis le Pâris d'Homère jusqu'à Donald Trump, on ne saurait comparer à DSK, question bévue fatale, que le comte de Fiesque, dont le cardinal de Retz a raconté la conjuration ratée. Le 2 janvier 1547, tandis que son complot était sur le point d'aboutir, qu'il allait bientôt régner sur les Génois, alors qu'il se ruait en armes et armure sur la planche humide qui le menait à la galère capitane de Doria, son ennemi et bientôt sa victime, un faux pas l'envoya pourrir avec ses armes, son armure et ses ambitions dans la vase au fond du port de Gênes, amalgamant pour l'éternité Fiesque avec fiasco…

« Ainsi, écrirait aujourd'hui le cardinal de Retz, finit cette grande entreprise présidentielle, ainsi croupit en prison jusqu'à cent trente-six ans Dominique Strauss-Kahn, directeur du FMI, que les uns honorent de grands éloges, et les autres chargent de blâme, et que plusieurs excusent. »

DSK n'a de juif que sa naissance, son nom et sa femme. À Agadir, il vivait comme tous les enfants de colons, loin du mode de vie des Juifs marocains si proche de celui des Arabes. Ses parents étaient assimilés à la bourgeoisie française libérale de gauche. Le judaïsme était aussi étranger à DSK que le taoïsme à Golda Meir. C'est Finchelstein qui a forgé le mythe du « pilpoul » familial à destination de l'électorat juif de DSK, confondant les conversations politiques animées aux dîners des Strauss, militants socialistes depuis la SFIO, avec l'art subtil de la controverse auquel se forment traditionnellement les Juifs pieux qui étudient le Talmud – un des ouvrages sacrés consubstantiels au judaïsme dont DSK n'a jamais ouvert une page de sa vie.

Contrairement à Brafman.

Brafman est ce qu'on appelle en yiddish un *mensch*: un homme droit, bon, courageux, travailleur, débordant de vitalité, de ténacité et d'audace. Ses grands-parents, ses parents, lui-même, sa femme, ses enfants et ses petits-enfants ont toujours été des *frime*, des Juifs orthodoxes pratiquants. Son frère est rabbin, son fils est rabbin, même certains de ses clients ayant eu maille à partir avec la justice américaine furent des rabbins !

DSK, pour Brafman, c'est un *alter kicker*, un « vieux lubrique », et pire que tout *a goyishe kop*, un type qui pense, parle et vit comme un Gentil, sans réfléchir à l'histoire de son peuple ni à sa propre existence spirituelle. Brafman au contraire a construit toute sa vie privée et professionnelle autour de son amour du judaïsme. Il ne plaide pas le *shabbes* (le samedi), il va *davene* (prier) à la synagogue régulièrement, il vit au cœur d'un quartier orthodoxe à Cedarhurst, dans la proche banlieue de New York, où il se comporte autant que possible selon le *derekh eretz*, le savoir-vivre digne d'un bon Juif.

Certes, c'est une grande gueule narcissique, un comédien-né, un gagman refoulé ; il adore palabrer devant un auditoire, raconter sa vie en multipliant les anecdotes pathétiques liées à l'extermination d'une partie de sa famille autant que les apartés comiques dont il a le secret ; il n'a jamais brillé dans ses études, ni à la *yeshiva* où il somnolait plutôt que de s'échiner sur la *michna* et la *guemara*, ni plus tard en étudiant le droit à l'Ohio Northern University ; il a défendu et par conséquent dû fréquenter les pires crapules, des voleurs, des violeurs, des fraudeurs, des dealers, des assassins, des sadiques et des dégénérés...

Mais nul – hormis « *Hashem* », son Dieu – ne peut ôter à Ben Brafman qu'il est un bon Juif ni, surtout, *a yiddishe kop*, un cerveau juif...

A yiddishe kop se distingue d'abord par sa vivacité. Ben Brafman parle comme il pense, vite et bien. Lors du procès de Peter Gatien, Brafman fut le seul à remarquer qu'un des témoins portait le même costume qu'un autre la veille. Les témoins n'ont durant un procès droit à aucun contact visuel ni verbal, et encore moins à s'échanger des costumes. Affaire classée. *A yiddishe kop* se caractérise aussi par sa finesse psychologique. Brafman excelle lorsqu'il s'agit de se mettre au niveau du jury pour l'amadouer, ne se montrant jamais condescendant ni comminatoire, évoquant des séries télévisées populaires ou lançant des plaisanteries hilarantes destinées à demeurer célèbres dans toutes les écoles de droit outre-Atlantique : « Le procureur voudrait que vous croyiez son histoire. Moi j'aimerais bien être plus grand de 15 cm (6 *inches*), mais aucun de nous deux n'obtiendra ce qu'il désire. » Ou bien : « Mesdames et messieurs, voici Sean "Puff Daddy" Combs. On peut en parler comme "Sean". On peut en parler comme "M. Combs". On peut en parler comme

"Puff Daddy". On peut tout simplement en parler comme "Puffy". Mais on ne peut certainement pas en parler comme d'un coupable. »

L'humour, bien entendu, est une caractéristique *sine qua non* d'un *yiddishe kop*.

Lors de leur première entrevue, tandis que DSK racontait point par point sa version des faits, la première chose qui vint à l'esprit de Brafman écoutant ce Français jouisseur lui décrire sa frasque, ce fut un souvenir de son père, Solomon, qui lui récitait en yiddish une *aggada*, une historiette tirée du Talmud de Babylone : « Rabbi Akiba avait coutume de railler les pécheurs qui cédaient à leurs désirs. Un jour, Satan lui apparut sous les traits d'une belle femme au sommet d'un arbre. Rabbi Akiba saisit le tronc de l'arbre et commença à grimper pour la rejoindre. À mi-chemin, Satan se fit reconnaître et déclara : "S'ils n'avaient pas déclaré au Ciel : *Aie des égards à Rabbi Akiba et à son enseignement*, ta vie n'aurait pas valu deux sous !" »

Ainsi avait été éduqué Benjamin *H'ill* Brafman, exigeant pour lui-même et tolérant avec autrui. Lorsque tout le New York médiatico-judiciaire lui reprocha d'être allé se pavaner aux mafieuses funérailles de Castellano, il se contenta de rétorquer : « C'était un homme raffiné et intelligent. Nous discutions d'art et de musique. Quand quelqu'un est mort, vous ne portez pas de jugement sur son existence. »

Prosopopée

– Il a accepté l'examen médicolégal qui était demandé, poursuit Brafman sans se déconcentrer, il est prêt à rester à New York, il a restitué son passeport, il réside avec sa fille à New York, il s'engage à ne pas quitter New York sans l'approbation du tribunal. Sa femme, qui est en train d'arriver, demande qu'il soit libéré sous caution…

La juge Jackson reprend la parole :

– Vous avez tout à fait raison, monsieur Brafman. Il est vrai que les mêmes règles s'appliquent à votre client qu'à n'importe quelle autre personne. Et vous savez que je suis une juge qui sait être équitable. Mais en même temps il ne m'appartient pas de déterminer s'il est coupable ou innocent. La seule chose que j'ai à décider, c'est de savoir s'il y a un risque véritable qu'il quitte le pays. C'est la seule chose que j'ai le droit d'examiner. Et le fait que votre client ait été à JFK à bord d'un avion est quelque chose d'assez préoccupant pour moi.

La rythmique claire et nette du speech de Brafman a eu un étrange effet sur la juge, comme s'il avait interverti les pôles de la culpabilité et de l'innocence, la forçant à *se justifier* !

Quel est le secret de Brafman ? Comment réussit-il à tirer des plus abyssaux mauvais pas les pires crapules, les pervers les plus infâmes, les fraudeurs les plus irréductibles ? Et s'il est vrai qu'il n'y a *presque* rien en commun entre lui et DSK, ce *presque rien* ne serait-il pas la clé de tout ?

Comme DSK, Ben Brafman possède son séisme ténébreux autour duquel son entière chronologie tournoie. Lui aussi a connu sa nuit décisive, lui aussi porte en son sein sa catastrophe intime, la laisse diriger sa vie, ses pensées, ses décisions. La différence avec DSK, c'est que Brafman en est parfaitement conscient et que lui, de son séisme, est sorti vainqueur.

Comme le 29 février 1960 à Agadir est le jour décisif de DSK, celui de Benjamin Brafman est le 9 novembre 1938, à Vienne.

Benjamin n'allait naître que dix ans plus tard, mais son père, Solomon Brafman, lui transmit le récit de la Nuit de Cristal telle qu'il l'avait vécue à l'âge de vingt ans. Transmettre, raconter, expliquer, enseigner, ressasser, c'est peu dire : Solomon Brafman *greffa* la *Kristallnacht* à même le cerveau de son fils Benjamin, de sorte que soixante-dix ans après, le 10 novembre 2010, lors d'une soirée de commémoration à la synagogue Beth Sholom de Lawrence, dans la banlieue de New York où Solomon (« Sol ») Brafman, mort en 1999, aimait venir *davene* (prier) et discuter, lorsque Ben Brafman prend la parole devant un large auditoire, il n'hésite pas à parler au nom de son père. Littéralement, en lui empruntant son nom et sa voix.

Benjamin est tellement habité par son père que c'est lui, le père, qui prévient l'auditoire que « mon fils parle pour moi »... Et voici ce que Solomon Brafman, revenu d'entre les morts par le miracle de la prosopopée de son fils, raconte :

En 1938, l'année où éclata dans la Flachgasse Strasse, à Vienne, comme dans toute l'Allemagne et l'Autriche, le pogrom qui allait entrer dans l'histoire sous un nom si poétique et si trompeur – car il s'agissait du prodrome d'une barbarie sans nom –, Avraham Barukh Brafman (« Mon père », déclame Ben Brafman prosopopant au nom du sien), le père de Solomon, le grand-père de Benjamin, était un modeste *schneider*, un tailleur. Il possédait une petite boutique de confection spécialisée dans les costumes et les uniformes de policiers, lesquels fréquentaient sa boutique en voisins, parfois en amis. Avraham Brafman était un *talmid hakham*, un érudit à la longue barbe blanche, poursuit son fils Solomon par la voix de son petit-fils Benjamin. Avraham était connu comme un homme honnête, pieux, pacifique, doux, respecté par tout son voisinage, y compris par les policiers autrichiens auxquels il faisait crédit lorsqu'ils n'avaient pas de quoi payer leurs uniformes.

« Avraham était un homme bon avec sa femme, ses enfants, ses voisins, les étrangers. Un homme sans ennemis, du moins le croyait-il, témoigne Solomon par la voix de son fils. C'est aussi ce que croyaient tous les Juifs à Vienne, en 1938, que nous n'avions pas d'ennemis… Le bruit de la *Kristallnacht* fut horrible. Il y eut plus que du verre brisé lors de la *Kristallnacht*. Des vies, des rêves, des familles furent brisés. Le bruit des gens hurlant, des Juifs traînés hors de leur foyer, tabassés sur le pas de leur porte, les vitrines de tous les magasins juifs vandalisées, les vitrines du magasin de mon père brisées et détruites par des hommes en uniforme, certains portant l'uniforme que mon père leur avait confectionné et qu'ils n'avaient pas encore payé. Des gens qui la veille encore étaient nos voisins, nos amis, et qui tentaient maintenant de nous assassiner parce que nous étions juifs. Pour nulle autre raison. »

DSK a vécu le séisme d'Agadir à dix ans, Brafman est né dix ans après la Nuit de Cristal. Pourtant, là encore, c'est comme si la mémoire et l'amnésie avaient interchangé leurs polarités. Les rares fois où DSK s'est confié à des journalistes ou à son biographe, ce fut pour tenter maladroitement d'agencer de pâles souvenirs qui ne disaient rien de ce qui s'était passé en lui. « J'étais à moitié endormi, c'était irréel... », explique-t-il. Ben Brafman, au contraire, prosopopant au nom de son père, est d'une précision extraordinaire. Il se souvient de tout, les noms, les sons, les odeurs, les paroles, les sentiments, chacune des pensées de son père, Solomon Brafman, allant sauver le rouleau sacré de la Thora de sa synagogue en flammes...

« L'odeur était pire que le bruit, celle du feu, d'incendies immenses de haut en bas de la Flachgasse Strasse et de toutes les autres rues. Mon quartier, de la fumée noire, des flammes immenses consumant ma *shule* (synagogue), ma belle et grande *shule*, notre Thora, nos *sefarim* (livres sacrés) jetés dans la rue, sur lesquels on avait uriné puis auxquels on avait mis le feu... »

Comme DSK, Benjamin Brafman est hanté. Mais Brafman aime cette hantise, loin de la refouler et d'en être le jouet malgré lui. Il lui doit son talent, son énergie, sa ténacité, sa foi en son rôle de grand avocat d'un petit peuple victime de toute une nation.

Aussi, ce 10 novembre 2010, faisant revivre la Nuit de Cristal à l'auditoire tétanisé de la synagogue Beth Shalom, prosopope-t-il comme il plaide, avec la même efficacité hypnotique qu'il déploie au tribunal pour convaincre de la bonne foi d'un client ou de la mauvaise d'un témoin, se spiralant en paroles comme un oiseau de proie autour des mêmes mots-clés :

« Des Juifs traînés de force dans la rue, battus, assassinés, arrêtés, sauvagement humiliés. Personne ne fut épargné. Jeunes gens, vieillards, enfants pleurant et criant, le bruit du verre brisé, le bruit des familles brisées. Le bruit de ma *shule* en train de s'effondrer. Je m'élançai hors de mon appartement, ma mère hurla en pleurant : "*Shlomo, geyt nicht !*", n'y va pas. Mon père, Avraham Barukh, dit : "*Los hem avegeyn*", laisse-le partir. "*Wir darfen rateven die yiddishkeit, wir darfen rateven die thoïras*", il faut sauver le judaïsme, il faut sauver les rouleaux de la Thora… »

Et Solomon Brafman, toujours prosopopé par son fils Benjamin, raconte comment il bondit hors de chez lui, déterminé à se battre quand tout son univers familier s'effondrait. La synagogue de son quartier et de son enfance était en flammes. Il se rua à l'intérieur, agrippa la Thora qui commençait à brûler, l'emporta avec lui…

Fuyant l'Europe, Solomon portera sa Thora emmitouflée dans des langes, affirmant aux gardes-frontières qu'il s'agissait du cadavre de son enfant qu'il voulait enterrer dans sa nouvelle patrie.

Comme une part de Dominique – la part non maudite – est restée ensevelie à Agadir, une part essentielle de Benjamin a été rescapée avec cette Thora sauvée des flammes par son père et emportée contre son sein tel un nouveau-né. « Plus tard, continue Brafman au nom de Solomon, j'ai compris que j'avais peut-être été épargné afin d'avoir mes quatre enfants – dont Benjamin – et la Thora, notre Thora de la *Kristallnacht* que j'avais sauvée et que j'ai aimée toute ma vie comme si elle avait été mon cinquième enfant. »

L'inversion de toutes les polarités

Le soir du 1er mai 2011, deux semaines exactement avant que DSK n'aille dormir en prison à Harlem, Brafman s'exprimait à nouveau dans sa synagogue de Lawrence.

Synagogues, tribunaux, caméras, journalistes... Brafman ne refuse jamais de s'exprimer devant un auditoire. Il a toujours adoré le *stand-up*, au point de vouloir un temps en faire son métier. S'il s'est dirigé vers des études de droit, c'est principalement parce que le *stand-up* ne lui permettait pas de vivre, et aussi parce que la plaidoirie, telle que Brafman la conçoit, n'est autre qu'une forme anoblie du *stand-up*. Même l'humour y est une arme décisive. Lors du procès de Puff Daddy, Brafman évacua en une boutade la question raciale qui risquait d'envenimer les délibérations. Il se présenta aux jurés en expliquant comment le distinguer de Johnny Cochran – avocat star de la communauté noire américaine engagé également par Puff Daddy : lui, Ben Brafman, portait toujours une épingle à cravate.

Tout le tribunal éclata d'un rire franc et apaisé en découvrant que ce petit homme bourré d'énergie juive était un complice si décomplexé de la communauté noire.

Le dimanche 1er mai 2011, devant le même auditoire de la synagogue Beth Sholom de Lawrence où il avait déjà prosopopé au nom de son père six mois plus tôt, Benjamin Brafman se tient à nouveau debout pour parler.

Pas d'humour aujourd'hui. Il s'agit d'un *stand-up* très particulier, un *stand-up* en accord avec la formule rituelle inscrite en hébreu sur l'armoire de la Thora que les fidèles ont sous les yeux tous les jours en priant : *Da lifnei mi atah omed*, « Sache devant Qui tu te tiens debout »...

Pas d'humour, donc, mais de nouveau une prosopopée dramatique. Cette fois, c'est son grand-père maternel qui parle par la voix de Ben. Et les premiers mots qu'il prononce sont : « Je n'ai pas survécu... »

« Je n'ai pas survécu. J'ai été assassiné à Auschwitz. Mon nom est Yechiel Michoel Friedman. J'ai autorisé mon petit-fils à parler pour moi ce soir, mais ce n'est pas son discours. C'est *mon* discours. Mon petit-fils parle à ma place parce que, bien que j'aie été assassiné, on ne m'a pas réduit au silence. »

C'est une effarante incantation – une invocation des morts venant visiter les vivants pour témoigner de leur passé et juger leur présent – à laquelle se livre calmement, gravement, vigoureusement Benjamin Brafman. Il enveloppe toute la synagogue dans son effroyable description du massacre de la famille Friedman à Auschwitz. Cette histoire est leur histoire. Cette famille est leur famille. La petite Haya Sarah, âgée de deux ans – « Ma première petite-fille », dit Yechiel Michoel Friedman par la voix de Benjamin Brafman –, qu'un monstre arracha des bras de sa mère pour lui briser le crâne contre un mur avant de la jeter dans un four crématoire, est leur petite-fille à tous, elle est la petite-fille de tous les Juifs du monde convoqués ce soir, 1er mai 2011, par l'extraordinaire

Benjamin Brafman prosopopant au nom de tous les Juifs assassinés par les nazis.

« Aujourd'hui, je vous parle en tant que *neshama*, une âme au ciel, où moi et des millions de mes frères et sœurs sommes assis à une place d'honneur qui nous est réservée, nous que vous nommez *kedoshim*, les saints, dont les vies ont été prises uniquement parce que nous étions juifs... »

Continuant de parler pour son grand-père, sans que personne le sache ni le perçoive Benjamin Brafman livre la clé de son secret, la révélation de sa motivation la plus intime, de son opiniâtreté hors du commun et de son sacerdoce digne d'un véritable hassid.

«... uniquement parce que nous étions juifs, des vies arrachées il y a moins de soixante-dix ans, lorsque tout un pays était gouverné par des sauvages, quand le monde civilisé resta sur le côté, et par son silence déclara que c'était OK d'écraser le crâne d'une petite fille de deux ans, puis, alors qu'elle était encore vivante, de la jeter hurlant de terreur dans un four en flammes. Que c'était OK de gazer et de brûler, d'assassiner ses parents et ses grands-parents. C'est une nation civilisée, cultivée, qui a fait ça, et c'est un monde civilisé qui l'a contemplé et n'a rien fait pour empêcher notre massacre. Le monde a entendu nos hurlements mais n'a rien fait. Le monde a senti l'odeur de notre chair qui brûlait mais s'est détourné de nous. Le monde a entendu ma Hayala ("petite Haya") hurler vers sa mère et n'a rien fait, parce que Hayala était une enfant juive et qu'à cette époque l'assassinat systématique d'enfants juifs, entrepris d'une manière efficace et organisée par des monstres en uniforme officiel, c'était OK. Bien plus, c'était encouragé, applaudi. Les assassins étaient récompensés par des médailles, applaudis comme des héros pour le meurtre de nos enfants, pour le meurtre de ma petite-fille. »

Le monde entier, pour Benjamin Brafman, porte un uniforme qu'il ne mérite pas. Le monde entier dissimule, sous l'uniforme de l'Honneur, de la Loi, de la Justice et de la Solennité, le Mal à l'état pur.

Comme les policiers habillés par son grand-père se métamorphosant en vandales éructant de haine, comme les gardes qui assassinèrent sauvagement sa propre petite cousine Haya Sarah, le monde légal des hommes en uniforme est, dans une polarité inversée, le monde du meurtre et de l'indifférence aux crimes les plus abjects, l'univers où la société majoritairement sauvage encourage l'assassinat de l'innocence, de la piété, de la sobriété et de l'honnêteté juives.

Voilà pourquoi Benjamin Brafman, un petit homme si drôle et si pieux, si bon, si élégamment vêtu, si soucieux de sa communauté, de sa famille, de ses descendants comme de ses ancêtres, a décidé de devenir l'avocat de la Mafia, des rappeurs délinquants, des fraudeurs compulsifs, des dealers mondains, des meurtriers psychotiques, des délinquants sexuels et même de l'impétueux DSK – de tous ceux que le monde considère comme des rebuts, des bannis, des souillures sur l'uniforme de sa légitimité et de sa respectabilité de façade.

« La plupart des gens qui viennent me voir sont dans une situation désespérée, ressasse Brafman aux journalistes français qui découvrent ce petit homme que toute l'Amérique connaît déjà depuis des années, s'imaginant qu'il leur parle de son métier alors qu'il évoque un tout autre plan. Et moi, ce que je sais faire, c'est les maintenir en vie, en bonne santé, pugnaces, quand le monde s'effondre autour d'eux. »

Voilà pourquoi Benjamin Brafman a aussi peu l'air du Juif religieux qu'il est pourtant – ne portant pas la kippa, ni la barbe, ni les *pailless* (les papillotes). Voilà pourquoi Benjamin Brafman s'accoutre en dandy cossu, avec son inséparable épingle à cravate. Voilà pourquoi Benjamin Brafman fraye avec la pègre comme s'il était l'un des leurs. Et voilà pourquoi, lorsqu'il parle à des Juifs orthodoxes revêtus de l'uniforme sombre des gardiens de la Loi juive, il leur tient, ce soir du 1er mai 2011, au nom de son grand-père assassiné par des hommes en uniforme, un discours si rude : « Si je vous dérange ce soir, très bien ! Si ma franchise et le terrible récit d'un meurtre brutal vous donnent des cauchemars cette nuit, très bien ! Je veux que vous soyez effrayés, attristés, furieux, amers et vigilants… Laissez-moi vous dire quelque chose. Vous croyez savoir ce qu'est la prière ? Vous croyez savoir ce qu'est la foi parce que vous êtes religieux ou parce que vous priez tous les jours ? Laissez-moi vous parler de la vraie prière, de la vraie croyance : dans ma chambre à gaz, tandis que le gaz nous remplissait les poumons, tandis que les flammes calcinaient notre peau, nous hurlions : “*Ani maamin*”, “Je crois en toi, *Hashem*”. De notre souffle expirant, nous avons crié : “*Shema Yisroel Hashem Elokenou Hashem Ehad*…” – mes dernières paroles, criées tandis que le gaz emplissait mes poumons, que j'agonisais, terrorisé à l'idée que toute ma famille avait été ou serait bientôt massacrée. »

Et Brafman continue, impitoyablement, à décrire en détail l'atroce inversion de toutes les polarités qui manqua de réduire uniformément à néant non seulement le peuple juif, non seulement sa famille et celles de tous ses auditeurs, mais lui-même, Benjamin *H'ill* Brafman, qui n'aurait jamais vu le jour si son père et sa mère n'avaient pas miraculeusement échappé à leur sort, à l'uniformité d'une barbarie sans nom…

« Vous pensez que cela ne peut pas à nouveau se produire ? Pourquoi ? Parce que vous avez de belles vies ? que vous vivez à une époque civilisée ? Nous avions une belle vie ! Nous vivions à une époque civilisée ! Nous étions heureux et complaisants, mais nous n'étions pas vigilants, et nous avons marché droit vers l'Holocauste. Nos voisins, toute une nation d'hommes et de femmes ordinaires, cultivés, intelligents, courtois, se sont transformés en monstrueuses bêtes meurtrières qui s'exceptèrent de l'humanité et nous imposèrent un degré de brutalité indescriptible aujourd'hui, indescriptible alors, et que nul n'aurait pu prévoir – et pourtant c'est exactement ce qui a eu lieu… Ce fut même pire que le pire récit véritable que pourrait vous faire un survivant, parce que le cerveau n'est pas capable d'absorber tant de douleur sans exploser. Voilà pourquoi même les survivants, ceux qui ont tout vu, ne peuvent pas rendre compte de toute l'atrocité de cette expérience, de ses plus violents détails. Seule une victime comme moi, seul quelqu'un qui n'a pas survécu peut vous dire toute la vérité, la maléfique, la démente, l'horrible, la terrible vérité de notre meurtre, de six millions de meurtres. Voilà mes amis pourquoi j'ai choisi de vous parler par la bouche de mon petit-fils depuis mon siège dans les cieux, et bien que *Hashem* ne m'autorise pas à vous dire "pourquoi" ces atrocités sont arrivées, j'ai eu l'ordre de vous dire ce qui est arrivé.

Mon nom est Yechiel Michoel Friedman. J'ai été assassiné à Auschwitz. Ne m'oubliez jamais. »

L'ombre de Polanski

– Je crois que vous vous êtes expliqué de façon tout à fait persuasive, dit la juge Jackson à Benjamin Brafman.

Elle se tourne alors vers Artic McConnell et Daniel Alonso, l'adjoint du procureur Cyrus Vance.

– Avez-vous autre chose à ajouter ?

C'est Alonso qui prend la parole.

– Je pense à M. Polanski, que l'État de Californie a voulu condamner pour crime sexuel pendant dix ans alors qu'il s'était enfui en France…

Aïe ! L'ombre maudite du cinéaste vient planer sur le tribunal. Elle souffle à l'oreille de l'ombre de DSK – le petit Dominique désarticulé dans les décombres d'Agadir : « Ne t'inquiète pas, tu t'en sortiras sans problème. La mienne avait treize ans et je l'ai sodomisée sous cocaïne… La tienne en a trente-deux et tu t'es contenté d'une simple pipe à jeun… »

Mais la juge Jackson interrompt avec sévérité l'adjoint du procureur qui a tenté d'apporter déloyalement au dossier un argument provenant d'un autre cas, aussi différent de celui de DSK qu'une sodomie l'est d'une fellation, ou, pour être plus précis – nul ne sachant encore dans la salle ce qui s'est passé exactement entre DSK et

Nafissatou Diallo –, aussi différent que l'humectage d'un timbre-poste l'est d'un cunnilingus…

– Je note que Polanski n'a rien à voir avec cette affaire. Je tente d'être objective. Je ne vais pas juger cette personne par rapport à ce qui s'est passé avec Roman Polanski.

Elle se tourne à nouveau vers Brafman, qui s'engouffre dans la brèche. Il déplace son cavalier sur l'échiquier, autrement dit il fait un mouvement de recul oblique, défendant l'idée d'un « package » constitué de la caution d'un million de dollars agrémentée du port d'un bracelet électronique… Brafman glisse néanmoins dans son argument une réticence concernant le coût d'un tel procédé électronique pour l'État.

DSK opine du menton en connaisseur. Il a le même mouvement expert tous les matins à la même heure lorsqu'il découvre dans *Libération* la chronique de Jean-Pierre Mercier consacrée aux échecs, en dernière page, juste à gauche de la météo.

Bien qu'ayant reculé son cavalier, Brafman continue de « menacer » l'adversaire « en fourchette », lequel doit choisir entre une caution qui rapporterait gros à l'État en cas de fuite de DSK et un dispositif électronique qui, interdisant toute fuite, coûterait cher au contribuable américain… Brafman louvoie en maître entre les esquifs, c'est pratiquement de l'hypnose tellement c'est subtil. Ayant élaboré une position apparente de force, il propose alors subitement de négocier cette question directement avec le bureau du procureur…

Le dernier mouvement revient à la juge Jackson, vers laquelle DSK tente quelques œillades furtives, sans audace, sans provocation, sans sous-entendu… Peine perdue.

La juge Jackson ne lui a pas accordé un regard de toute la séance, DSK retourne piteusement son visage de biais vers Brafman en clignant les yeux de dépit. Une telle froideur, est-ce possible ?

Hélas, le nom de « Polanski » a malgré tout fait son effet d'épouvantail à pervers. Le fou Polanski déplacé par Alonso cloue la position de DSK sur l'échiquier de son infortune.

– Les négociations entre les parties ne me semblent pas appropriées, tranche la juge. La décision de la cour est que nous refusons la libération sous caution.

Brafman remercie sobrement la juge. Il sait que tout ne fait que commencer, même s'il compatit avec DSK pour lequel il s'est pris d'une sorte d'indulgence affectueuse. Lui a en mémoire une conversation avec son père, en yiddish, où celui-ci lui citait le Talmud : « Ce qui est grave, Benjy, c'est le désir de se livrer à la débauche. Plus encore que la débauche elle-même. La Guemara nous enseigne que lorsqu'un homme couche avec une *kourveh* (une pute), ausitôt après son *yetser arah* (penchant au mal) s'évanouit et il ne la désire plus... »

DSK, très digne, a fixé gravement la juge tandis qu'elle énonçait son verdict, comme pour voir si elle oserait le regarder dans les yeux en annonçant qu'il allait devoir repartir dormir en prison. Puis, brusquement réveillé par l'impalpable soufflet qu'il vient de subir, refusant de tendre l'autre joue, il va de lui-même vers le box sans attendre que des policiers l'y reconduisent. Il s'y assied, tournant le dos à la juge derrière la vitre, affligé, pensif, dégrisé.

DSK est dans de sales draps. Et il n'a encore rien vu.

Prochaine étape, Rikers Island...

Tout est théâtre

– Je suis entouré d'une bande de connards ! Vous êtes des branleurs ! des incapables ! Franchement, vous êtes des nuls !

Le sixième président de la Cinquième République française, chef de l'État et des Armées, coprince d'Andorre, premier et unique chanoine d'honneur de l'archibasilique Saint-Jean-de-Latran et protecteur de l'Académie française : Nicolas Paul Stéphane Sarközy de Nagy-Bocsa, dit « Nicolas Sarkozy », dit « Chouchou »... fulmine depuis que son secrétaire général Xavier Musca lui a appris la nouvelle alors qu'il entamait son petit déjeuner.

Ce lui fut pourtant annoncé sur un mode plaisant. Musca commença par dire qu'un événement très prometteur pour sa réélection avait eu lieu :

– Nous lui avons donné comme nom de code : *Décisif Sex Krach*, sourit le mutin Musca, avant de développer : Tu ne vas pas le croire, Nicolas ! DSK est en ce moment même emprisonné à Harlem pour avoir violé une femme de chambre du Sofitel de New York...

Au courant dès la veille au soir, le petit cercle du « Château » avait décidé de ne pas déranger le Patron. Il était 23 h 45 lorsqu'un coup de fil du P-DG du groupe Accor, propriétaire du Sofitel de New York, annonça la nouvelle à Ange Mancini, coordonnateur national du renseignement à l'Élysée. Celui-ci transmit aussitôt l'information à Christian Frémont, le directeur du cabinet, qui avertit le ministre de l'Intérieur Claude Guéant – dit « le Cardinal » –, lequel intima de ne pas réveiller le Patron pour une affaire ne concernant pas la sécurité du territoire. Le petit cercle sabla le champagne, considérant que le pire obstacle à la réélection en mai 2012 de leur despote préféré avait définitivement sauté. Nul n'osa néanmoins l'importuner après la soirée mouvementée que « l'Italienne », ainsi qu'ils la surnomment, venait de faire subir au Président.

Les éclats de voix de Carla Bruni n'avaient pas échappé aux domestiques errant dans les couloirs et les antichambres des appartements privés, sous les combles du palais de l'Élysée. Ni, par conséquent, aux membres du petit cercle que cette discrète valetaille tient en permanence informés de l'humeur de leur tyran idolâtré.

Apparemment, la dispute avait porté sur une jeune assistante (qualifiée par la belle Italienne de «*puttana da quattro soldi !* ») que Chouchou, selon Carlita, aurait trop tendance à reluquer (« *Ti taglio l'uccello !* » menaçait Carlita). Au fur et à mesure que sa grossesse progresse et que leur sexualité se raréfie, Carlita soupçonne Chouchou de culbuter tout ce qui lui tombe sous la main entre deux rendez-vous avec l'Histoire. Carlita sait bien que le sexe n'est pas la dépendance principale de son mari – au fond, il n'aime pas davantage cela qu'elle... –, mais elle sait aussi qu'il ne résiste pas à ses extravagances de diva gâtée. Comédienne hors pair, Carlita pesta donc toute la soirée en italo-piémontais – «*Farabutto !* » «*Picio !* » «*Gadan !* » «*Bastard !* » «*Te tajo l'usel !* », «*Bagassa !* » – tandis que Chouchou, partagé entre la fureur rentrée et la crainte que le fœtus ne subisse les contrecoups de cette agitation, se retenait d'exploser, moulinant du menton comme un coquelet contrarié en répétant : « M'enfin, chérie... c'est ridicule ! »

Inapaisable, chaussée de mules Prada en satin noir à gigantesques talons en plastique transparent, Carlita se déhanchait de long en large – c'est ainsi qu'elle avait gagné sa vie entre vingt et trente ans – dans le vaste salon des appartements du Roi de Rome, faisant de grands gestes typiquement italiens de ses belles mains effilées – « *Porca miseria !...* », ponctué d'un claquement du poing droit dans la paume gauche ; « *Tu... mi stai qui !* », accompagné d'un balancement vertical de la main droite vers le sol... – qui lui conféraient une grâce de danseuse balinaise. Exaltée par la colère et la mode, gesticulant, vitupérant dans une langue si succulente qu'on jurerait qu'elle chantonne quand elle déblatère, Carlita semblait avoir repris le rôle de Titania disputant son époux Obéron, le roi des Elfes.

Elle n'avait en effet pas oublié leur première conversation galante.

– Gouverner, c'est facile ! lui avait suavement expliqué Chouchou. En politique, tout est théâtre. D'ailleurs, avec les acteurs, on se comprend. On n'a pas le même métier mais on a le même public.

Et elle, de sa douce voix rauque, avait susurré :

– Tout est théâtre, comme en amour. On dirait du Shakespeare : « *All the world's a stage* » !

Et sur ce double aveu de duplicité, ils échangèrent leur premier baiser.

Tout est théâtre. Dès l'officialisation de leur liaison,

les communicants de Chouchou s'étaient empressés de faire à la belle Carlita une cruciale recommandation photogénique : en public, lors des réceptions officielles ou des déplacements touristiques, les talons courts sont requis pour ne pas rivaliser avec les talonnettes de Chouchou – dont la taille est le talon d'Achille narcissique. Peu dupe de ce que dissimule une image, Carlita avait acquiescé, non sans se moquer des *spin doctors* – les SD, qu'elle surnomme les « *Sexual Disease*[1] ».

À quoi servent-ils ?

À pallier l'impuissance politique par la propagande. À masquer par l'image la déliquescence de la parole. À tout maquiller au service du mensonge. Ce sont les SD qui, avant chaque visite d'usine, ont la tâche de vérifier que les salariés entourant Sarkozy devant les caméras soient toujours de petite taille.

Carlita, donc, respecte à la lettre toutes les recommandations des SD. Mais sitôt qu'elle se retrouve seule avec Chouchou, et pour peu qu'il l'ait contrariée, elle se revanche. Montant littéralement sur ses grands chevaux, elle enfourche des talons gigantesques afin de mieux surplomber Chouchou, de l'humilier et, *last but not least* – elle le connaît bien –, de considérablement l'émoustiller.

Contrairement au tremblotant cercle des familiers, Carlita n'est pas terrorisée par Sarkozy. La politique l'ennuie, le pouvoir la dégoûte et surtout, richissime depuis sa naissance, l'argent l'indiffère. Elle éprouve le

1. « Maladie vénérienne ».

plus parfait mépris pour les amis fortunés de Chouchou. Elle les contemple avec un sourire ironique expectorer leur vulgarité de nouveaux riches, elle les écoute posément manifester à la moindre phrase leur pauvreté d'esprit d'hommes d'affaires, et elle se plaît à souffleter leur crasse inculture de chefs d'entreprise en lançant de temps à autre une citation en anglais, en italien – voire en français qu'ils ne comprennent pas davantage.

Carlita n'apprécie que trois attributs chez les êtres humains : la culture, l'intelligence, l'audace transgressive. C'est pour n'avoir jamais rencontré ces qualités réunies chez un seul homme qu'elle collectionna les amants depuis sa puberté. Elle aime sincèrement Chouchou qui possède outrancièrement la troisième qualité, et notoirement la seconde. Mais ce qui la ravit plus que tout, c'est l'énergie mauvaise dont il est possédé. Sa démesure d'énergumène, ses manières de truand sans vergogne, son art de rafler la mise par l'intimidation, de s'imposer au culot, son irrespect fondamental d'enfant caractériel. Cela lui rappelle sa propre adolescence rebelle, quand elle adulait les frasques malséantes des rock stars, les manifestations anarchisantes d'un punk comme Joe Strummer, le leader des Clash, dont elle connaissait par cœur tous les morceaux et dont pour rien au monde elle n'aurait manqué les concerts de Rock Against the Rich.

Carlita et Chouchou fonctionnent selon un pacte pervers. Leur première rencontre officieuse eut lieu à un dîner organisé chez le publicitaire Jacques Séguéla – qui attendit d'avoir soixante-quinze ans pour saisir les affinités de sa profession avec celle de Goebbels... Décidée à remporter son trophée présidentiel, Carla fit autant preuve de diplomatie – en portant des ballerines Tod's – que de provocation. Elle interpella le futur Chouchou, le traita de mateur (« Vous savez que ma famille possède une villa au cap Nègre, non loin du fort de Brégançon. J'espère que vous ne m'y espionnez pas à la jumelle ! »), puis d'amateur (« Tu es un débutant, Nicolas ! Les paparazzi se manipulent comme les autres ! Je me suis baladée sous leur nez dans le monde entier avec Mick Jagger, ils n'ont jamais rien vu ! »)... Lorsqu'elle évoqua son prochain concert au Casino de Paris, Sarkozy affirma qu'il serait au premier rang.

– C'est hors de question ! se récria-t-elle avec un sourire enjôleur.

C'était gagné.

Très vite, Carlita saisit à qui elle avait affaire. Avec celui-là, tout se jouerait dans l'interstice. Douce et soumise en public, elle alimente sa volonté de contact en lui essuyant le front dix fois de suite devant les caméras, en lui passant une main dans les cheveux, en lui caressant la nuque comme à un bon gros chien qu'on veut calmer. Du même coup, elle le castre gentiment par cette infantilisation saugrenue, comme lorsqu'elle l'appelle « Chouchou » devant les lectrices stupides d'un imbécile magazine féminin (pléonasme).

En privé, c'est *idem* : elle le recastre sous prétexte de le recadrer, le gavant de films intellos qui l'endorment, et l'encombrant de livres qu'il ne lira de toute façon pas. Résultat, disposant d'une exceptionnelle mémoire, il égrène dès qu'il peut la liste des films italiens ou suédois dont il prétend raffoler, se trompant sur les titres mais roucoulant comme un diablotin à l'idée de paraître si savant – et détruisant du même élan tout l'artifice.

Carlita a beau avoir fait des efforts pour le décrasser de son illettrisme pharaonique, lui avoir enseigné l'art et la manière de paraître cultivé, il ne saurait posséder la modestie consubstantielle à la véritable intelligence et à l'érudition méditée.

Ce qui n'a strictement aucune importance non plus. Cela n'empêche pas Carlita d'adorer Chouchou puisque, en politique comme en amour, tout est théâtre.

L'autre-en-lui

Le grand spécialiste du cerveau de Sarkozy, au Manhattan Psychiatric Center, c'est « Sigmund Freud ». Ce sont les docteurs qui l'ont surnommé ainsi. Il passe son temps à contester leurs diagnostics. Sigmund, donc, est un expert en caboches cabossées. Sigmund et moi sommes assis côte à côte dans la salle des ordinateurs, il m'explique sa théorie « métapsychologique », comme il l'intitule :

– Laissez-moi vous dire, Herr d'Os, que qui croit comprendre ce mégalomaniaque en évoquant son enfance sans père ou ses humiliations de fils de divorcés par la bourgeoisie de Neuilly est une dupe et un fat. Il faut saisir le fonctionnement retors de la cervelle de Herr Chouchou, pour qui Non égale Oui. Il est tellement habité par le mensonge et l'absence à soi-même qu'il incarne à merveille toutes les facettes de ma théorie métapsychologique de la *Verneinung*, la Dénégation. S'il dit : « Je ne ferai pas », c'est que la chose est imminente. S'il dit : « Je ne veux pas », c'est qu'il ne pense qu'à cela. S'il dit « jamais », c'est que tout est accompli. Il va jusqu'à retourner la dénégation contre elle-même : S'il dit : « J'ai beaucoup réfléchi à ça », c'est que ça ne lui est jamais venu à l'esprit.

Sigmund pianote avec dextérité sur YouTube – il n'a que vingt-cinq ans après tout ; comme il dit souvent : « La schizophrénie ignore le Temps, comme l'inconscient » – et nous déniche une visite de Sarkozy à l'hôpital psychiatrique d'Antony, en décembre 2008.

– Regardez-moi ça, Herr d'Os. Il est vraiment comme chez lui parmi les aliénés ! « Centre hospitalier Érasme » ! Ces Français ne manquent pas d'ironie. Avez-vous jamais lu l'*Éloge de la folie* ?

– Jamais, mais j'aime le titre.

– C'est dans ce merveilleux opuscule qu'Érasme compare, le premier, la vie à un théâtre et le monde à un asile de fous : « Me définir, dit la Folie, ce serait me donner des bornes, et ma puissance n'en a point. Me diviser, ce serait distinguer les différents cultes que l'on me rend, et je suis adorée également sur toute la terre. » Écoutez le Président Chouchou parler, le message subliminal est clair : Je suis fou à lier, vous êtes tous fous à lier, le monde politique est un asile psychiatrique comme le vôtre mais personne ne doit être au courant, alors n'hésitez surtout pas à forcer sur la chimie et les électrochocs. Le Président Chouchou craint tant d'être repéré et diagnostiqué que, dès qu'un malade mental s'échappe et commet un crime, le Président Chouchou s'implique à fond. Il surgit aux infos pour réclamer davantage de moyens pour les centres de détention psychiatriques, davantage de sévérité pour les meurtres odieux, etc. Cachez-moi l'insensé en mon sein que je ne saurais voir ! Là, en visite chez Érasme, au cœur de la folie, son vice de la Dénégation s'exaspère. Il oscille, au bord de l'implosion, entre le Non et le Oui : « Tous peuvent dire non, personne peut dire oui. Celui qu'a le plus p'tit pouvoir peut empêcher de faire une petite chose, mais celui qui a le plus grand pouvoir ne peut pas permettre de faire une petite chose. Le pouvoir de dire non, en fait, n'existe p..., existe et l'pouvoir de dire oui, non ; parce que chaque pouvoir équilibre l'autre dans un mouvement de paralysie quasi générale. »

Sigmund et moi savourons notre perspicacité métapsychologique en riant. Il faut dire que rien de ce qui est dément ne nous est étranger. Nous pénétrons avec une déconcertante aisance chaque cervelle des malades qui foisonnent sur les tréteaux de ce monde moribond. Tandis que nous rions à gorge déployée, éclate en pleurs, juste à côté de nous, un pensionnaire jusque-là silencieux.

– Qui est cet individu ? me demande Sigmund à voix basse.

– On l'a surnommé « Michel Houellebecq », c'est un grand maniaco-dépressif par ailleurs assez pervers, dont la petite jouissance aigrelette consiste, lorsqu'il va bien, à susurrer en passant à l'oreille des patients les plus fragiles : « Pour qui te prends-tu donc, pauvre merde ? Es-tu certain de mériter d'aller mieux ? », provoquant dans son sillage crises de nerfs, danses de Saint-Guy et tétanisations à gogo... Mais il est plus souvent recroquevillé par la dépression que galvanisé par le sadisme ressentimental.

Passant dans le couloir, intrigués par les pleurs qui s'échappent de la salle des ordinateurs, Luc et Kafka nous rejoignent. Tandis qu'ils observent Houellebecq pleurnicher, je leur résume la conversation que Sigmund et moi venons d'avoir. Ulcéré par l'éloge que je fais des trouvailles de celui qu'il surnomme « Doktor Kokaïne », Luc éclate :

– Parce que vous croyez tout savoir de lui, Doc Neinung ? Allons ! Vous avez passé votre vie à changer d'idées, de concepts, et à vous contredire ! Depuis vos études de jeunesse sur le système nerveux de la lamproie jusqu'à vos ultimes pitoyables élucubrations *pro domo* sur la non-judéité de Moïse, votre science n'a jamais été qu'une vaste farce ! N'avez-vous pas été le premier à transgresser l'interdiction absolue faite à vos disciples de s'auto-analyser ?

– Vos provocations ne m'atteignent pas, Herr Ifer. Vous incarnez à merveille la pathétique et désespérée tentative de révolte qu'est la psychose, il ne me viendrait donc pas à l'idée de chercher à vous convaincre.

– Pychotique ? gronde Luc. Que croyez-vous être vous-même, Doktor Fraude !

– Messieurs, je vous en prie, dis-je pour les calmer. Notre complicité repose sur le sentiment aristocratique de la folie, et nos conversations sur l'intelligence du bourbier de démence dans lequel toute l'époque est plongée. Épargnons-nous les insultes psychiatrisantes.

Nous concernant, ce sont des tautologies qui ne riment à rien.

– Herr d'Os a raison. Je ne devrais même pas vous adresser la parole : « Le bruit est pour le fat, la plainte est pour le sot, l'honnête homme, trompé, s'en va et ne dit mot. » Je suis après tout le meilleur dissecteur de l'âme humaine…

Sigmund a raison. Chouchou est mené par une dialectique délirante. Exalté par la transgression, il ne résiste littéralement pas à qui lui résiste. Qu'une infirmière se détourne, refusant de lui serrer la main, et il insiste lourdement pour qu'elle se retourne vers lui. Qu'un syndicaliste s'écarte en maugréant son incrédulité et, telle une femme bafouée, il le poursuit jusque sur le seuil de la pièce pour tenter de le soûler de ses monologues paranoïaques et de ses fausses questions paternalistes… Chouchou ne cherche pas le dialogue : cela l'obligerait à occuper une place face à autrui, instaurant une dissociation dont il a horreur. Ce qu'il veut, c'est vibrionner entre lui et lui-même en passant par l'autre. « Maintenant, déclarait-il en 2005 juste avant d'être nommé ministre de l'Intérieur, dans les réunions publiques, c'est moi qui fais les questions et les réponses et, à la sortie, les gens ont l'impression qu'on s'est vraiment parlé. » Tout est dit.

Chouchou est un autiste invaginé : il ne supporte pas l'absence de contact. Son algarade, au Salon de l'agriculture en 2008, devenue aussi célèbre que le mot de Cambronne : « Casse-toi alors, pauv'con, va ! », était une réaction de dépit colérique à un refus de contact formulé explicitement : « Ah non, touche-moi pas. Tu m'salis. » D'ailleurs l'autiste invaginé ne put s'empêcher, tout en l'insultant, de toucher malgré tout l'épaule de cet homme qui commettait à son égard un crime de lèse-contagion.

Toute réaction épidermique de Chouchou va dans le sens de cette volonté de contact. Sans parler des divers chefs d'État qu'il ne peut s'empêcher de palper, de presser, de peloter, de caresser... dès qu'un adversaire l'apostrophe, il prône le rapprochement physique autant qu'il entrave la discussion. À de jeunes excités, au Forum des Halles : « Venez là, venez discuter avec moi ! Tais-toi ! Tais-toi ! »

En novembre 2007, juste après avoir augmenté son salaire de président de la République de 140 %, Chouchou part visiter les pêcheurs bretons au bord de l'asphyxie. Soudain, les invectives fusent. « Eh 140 % ! Ordure ! » dit un marin du haut d'une balustrade. « Enculé ! » confirme un autre. Touché, Sarkozy lève la tête et apostrophe l'audacieux : « Qui est-ce qui a dit ça ? C'est toi qu'as dit ça ? Ben, descends un peu le dire ! Descends un peu. Si tu crois que c'est en insultant que tu vas régler l'problème des pêcheurs... » Le jeune marin, très calme : « Ben si je descends j'te mets un coup de boule, donc vaut mieux pas... » Sarkozy, titillé par le coup de boule après la sodomie : « Ben viens, viens, viens... » À un autre marin breton qui lui déclare, face à face, des sanglots de colère dans la voix : « C'est toute la France qui crève ! », il lapsuse magnifiquement : « Et pourquoi je suis pas là... je suis là... »

Chouchou en effet n'est *jamais là* – raison pour laquelle il court partout et gigote sans cesse, et sans cesse sort de ses gonds dans sa confrontation avec *l'autre-en-lui*.

Voici Chouchou devant des étudiants américains, vantant le système de Sécurité sociale à la française, système qu'il n'hésiterait pas à dépecer si son intérêt l'exigeait. Il adopte une gestuelle de guignol, au sens propre : il ouvre et ferme ses bras ensemble, comme s'il portait un plateau ou tenait un ballon à deux mains, déplaçant tout son buste raide vers la droite puis revenant brutalement en place, de face, comme rappelé par un ressort.

– La clé, confirme Sigmund, c'est l'écrivain Rainer Maria Rilke qui la donne, dans ses merveilleux *Carnets de Malte Laurids Brigge*, où il évoque une étrange maladie d'enfance qu'il appelle « la grande chose », laquelle a toutes les caractéristiques du *revenant* : « Et avec ce qui revient de la sorte surgit tout un tissu confus de souvenirs épars, qui s'y accrochent comme des algues trempées d'eau à une épave. Des vies dont on n'aurait jamais rien su émergent et se mêlent à ce qui a réellement existé et refoulent un passé que l'on croyait connaître ; car il y a, dans ce qui surgit, une force neuve et délassée, alors que ce qui était là plus tôt est comme fatigué d'être trop souvent revenu dans le souvenir. »

Grâce à Sigmund, je comprends le sens de la proposition parfaitement dingue de Sarkozy de faire « adopter » un enfant juif déporté à chaque petit écolier français. Il entendait faire partager son propre fardeau fantomatique à tous les enfants de France. Que tous soient cornaqués par la grande chose. Que chacun soit trituré par son revenant portatif. Il fallut que Simone Veil, ancienne ministre ancienne déportée, lui fasse comprendre à la fois la démence de la proposition et le risque d'attiser l'antisémitisme déjà extravagant des Français, pour que Sarkozy fasse marche arrière. Cela n'avait d'ailleurs aucune importance : sitôt contredit il oublia ce qu'il venait de dire. Ce n'était de toute façon pas lui qui avait parlé.

C'était l'autre.

Cette possession si peu discrète forme le point commun entre Sarkozy et DSK. Seulement leurs tactiques fantomatiques sont très différentes. DSK a avec son double des rapports d'autant plus disruptifs et dévastateurs qu'ils sont ponctuels et espacés. Chouchou, lui, n'est pas hanté d'une décennie l'autre par le séisme, il est habité quotidiennement par l'oscillation. Ses mouvements saccadés des bras, du cou, des épaules, sa jambe folle qui se trémousse dès qu'il est forcé de demeurer en place, tout désigne en Chouchou le jouet d'un marionnettiste invisible, un *autre-en-lui* qui lui confère ce mouvement perpétuel, cette danse de Saint-Guy irrépressible dont se gaussent tous les gagmen, mais dont nul n'a la clé.

– Qu'en pensez-vous, Franz ?

– Ces deux hommes sont profondément hantés l'un et l'autre, mais ils n'ont aucune connaissance des fantômes. Les fantômes sont avides de vie, pas de mort. Ils ne nous assaillent pas par méchanceté, mais parce que notre vitalité les sustente. Et le seul moyen de leur venir en aide, ce n'est pas de parader sa vie durant devant les objectifs, c'est de leur offrir ce qui est la vraie vie, à savoir la parole et la pensée. Ou la prière, si l'on sait prier. Ou, si l'on sait *vraiment* écrire, l'écriture qui est une forme de la prière.

– Mais m'accordez-vous que DSK et Sarkozy souffrent de la même malédiction ?

– Qui ne souffre pas ? Seul Dieu peut affirmer : « Je suis qui je suis. » Nous autres qui nous prenons avec un tel sérieux pour qui nous ne sommes pas, nous n'avons à donner de leçon à personne. Ignorez-vous, S. d'O., l'incommensurable marée de morts que le XXe siècle a suscitée ? Ce siècle où le Génocide s'est déployé comme l'ombre portée de la planète ? En à peine cent ans, des Arméniens aux Rwandais, ce nombre a pris des proportions plus colossales que celui de tous les défunts additionnés auparavant depuis le meurtre d'Abel. Comprenez-vous ce que cela signifie ? Le siècle de notre naissance a suscité plus de cadavres à lui seul que la réunion de tous les millénaires précédents. Croyez-vous à l'élasticité infinie des parois du Shéol ! Où pensez-vous que les fantômes de tant de martyrs aient reflué ? Nous-mêmes, ici, dans cet institut insularisé, qui nous penchons sur les soubresauts du monde, sommes-nous seulement des vivants dissertant sur les morts ou des morts qui bavardent sur eux-mêmes pour se donner l'illusion qu'ils appartiennent au camp retranché des vivants ? Qui d'autre que le roi Lear peut aujourd'hui se vanter : « *I know when one is dead, and when one lives* », « Je sais quand on est mort et quand on est vivant »...

Le moment opportun

Chouchou hurle, engueulant Guéant et les quelques conseillers qu'il a sommés de se présenter devant lui avant l'issue de son petit déjeuner.

– J'en ai marre d'être entouré de nuls ! J'ai déjà beaucoup de nuls et de cons au gouvernement, j'avais pas besoin que vous en rajoutiez ! Vous vous vautrez, vous vous gourez, vous vous gaufrez, vous vous réjouissez alors que cette histoire est une calamité ! Ça arrive dix mois trop tôt ! M'enfin ! Vous avez jamais entendu parler du « moment opportun » ? On voit que vous n'êtes pas BHL ! Lui au moins, il sait ce qu'est le moment opportun ! Quand il est venu me demander d'aider les rebelles libyens, il m'a convaincu par un exposé de dix minutes sur le moment opportun. Je vais vous dire quelque chose. Le Strauss-Kahn, tout était prévu pour le faire gicler entre les deux tours s'il persistait à venir m'emmerder avec ses sondages de rock star. Tout était prêt. Ce crétin de Lefebvre m'avait tout concocté. On lui aurait fait regretter d'avoir quitté le FMI où je l'avais envoyé, à New York… euh… non, à Washington, avec un bon salaire, loin de moi… On avait les photos de ses partouzes aux Chandelles, tout un dossier, on savait parfaitement comment le faire dévisser entre les deux tours. Ça aurait été la campagne la plus tranquille de l'histoire ! Tout était calculé, emballé, pesé ! Et maintenant il faut que je reparte à zéro ! Je vais avoir Mollasson Hollande, la Mère Emptoire Aubry et l'hystéro Royal sur le dos ! Parce que j'vais vous dire un truc, je vois clair dans la stratégie de chacun. Là, avec le Strauss-Kahn qu'a les couilles qui le démangent jusqu'aux paupières, c'était gagné d'avance ! À côté de lui j'aurais eu l'air d'un pasteur méthodiste ! Il allait faire tout le boulot pour moi, me débarrasser des trois autres demeurés socialistes. Ensuite, pendant la campagne, je lui aurais appliqué la méthode d'Ali contre Foreman : je le laissais m'enfoncer, me cogner dessus, fanfaronner jusqu'au second tour, et au dernier moment je le mettais K-O avec un petit dossier bien ficelé. Et vous me dites qu'il s'est carbonisé hier soir et que vous avez sablé le champagne sans me réveiller ! Mais vous êtes des petits cons, vous êtes vraiment une bande de petits cons ! Je vais devoir me retaper une campagne comme en 2007, à faire la pute pour ramasser de l'argent, avec des dîners à mille euros le couvert, vous croyez que j'en ai pas marre ? Tous ces cons ! Et je parle pas du climat de haine, entretenu par la presse et par une certaine gauche qui déversent sur moi des torrents d'immondices. Et puis c'est quoi cette histoire de Twitter ! Un jeune de l'UMP qui a prévenu toute la planète avant tout le monde ? C'est qui, ce connard ?

– Il s'appelle Pinet, répond Guéant. J'ai fait demander à mon cabinet noir les fadettes de son portable, on va tout savoir sur lui et sur ceux avec qui il est en contact.

– « Pinay », comme le franc Pinay ?

– Non, Pinet, n.e.t, comme Internet…

– C'est une catastrophe ! Comment voulez-vous qu'on ne nous accuse pas d'avoir tout fomenté ! J'en ai marre d'être entouré d'une bande de nuls ! Une fois de plus, il va falloir que j'éteigne l'incendie allumé par la nullité de mes conseillers ! Je vais être obligé de tout faire moi-même, sinon ça n'avance pas. Si je ne fais pas le job, personne ne le fera à ma place. Alors j'vais vous dire un truc, je veux qu'aucun d'entre vous ne s'exprime sur cette affaire. Passez le mot. Profil bas, on ne commente pas, on n'explique pas, on ne se réjouit pas.

– Calme-toi, Chouchou, dit posément Carla – non sans un soupçon de perversité sadique, sachant pertinemment que s'il se débondait ce matin, c'était en raison proportionnelle de ce qu'elle lui avait fait subir la veille.

– Et le Strauss-Kahn ! Mais quel demeuré ! Je l'avais prévenu, je lui avais dit en l'envoyant à New York : ta vie sera passée à la loupe, les Américains ne plaisantent pas avec ce genre de choses, évite de te retrouver seul avec une stagiaire dans un ascenseur… C'est clair, simple et net. Après le désastre de son affaire avec la Nagy, je pensais quand même que cette bête de sexe allait s'amender !

– Tu sais bien que les gens ne changent pas, Chouchou, dit doucement Carlita qui paraît aussi tranquille que lui est déchaîné.

– Mais si, chérie, on change ! Moi j'étais égoïste, dépourvu de toute humanité, inattentif aux autres, dur, brutal… mais j'ai changé !

Guéant profite de ce bobard de son atrabilaire et caractériel patron mythomane pour réintervenir.

– Avec ou sans nous, Nicolas, l'affaire a d'ores et déjà pris un tour planétaire. On saura bientôt très exactement ce qui s'est passé au Sofitel de New York. Je suis informé minute par minute par la direction du groupe Accor. Une meute de journalistes de tous les pays est à l'affût devant ce commissariat de Harlem pour essayer de photographier DSK menottes aux poignets. J'ai demandé à mon cabinet noir les fadettes des portables de tous les journalistes sur le coup…

– Ne me parlez pas des journalistes ! Les journalistes, ce sont des nullards, il faut leur cracher à la gueule, il faut leur marcher dessus, les écraser. Ce sont des bandits. Et encore, les bandits, eux, ont une morale.

– Calme-toi, chéri, fait Carla en venant lui passer une main dans le cou, là où des plaques rouges commencent à apparaître. Tu vas déclencher ta dermatose.

Au mot de « dermatose », la dermite séborrhéique de Chouchou prend une dimension accrue, pullulant comme si elle n'était que l'écho de son propre nom. Rouge de rage, Chouchou se lève et quitte la pièce en gesticulant de manière désordonnée telle la marionnette d'un épileptique qui aurait entremêlé tous ses fils. Il ne lui reste plus qu'à aller faire un jogging avec ses gardes du corps pour se calmer.

C'est ce qui s'appelle un week-end gâché.

Riches et pauvres

N'allez pas croire que je n'aime pas Goneril, sous prétexte que je perçois l'étendue de sa folie et que j'ose vous la montrer. Le mot « aimer » n'a pas pour moi le sens qu'il a pour d'autres, voilà tout. Je compatis à ce qu'est Goneril, comme je me reconnais dans toute parole hors de contrôle. Et si quelque chose s'énonce sans contrôle, c'est bien la folie de Goneril. Non qu'elle soit un parangon de pensée libre. C'est peut-être même l'inverse. Le discours de Goneril est si profondément aliéné qu'il n'a plus besoin de garde-fou. Il est sans conséquence et invérifiable, et en cela il constitue pour moi un puissant enseignement sur le mensonge.

Comprenez-moi bien. Je ne dis pas que Goneril est une menteuse. Quand elle me dénonce aux flics pour viol, dans son cerveau malade ce n'est pas faux. Le mot « viol » n'a simplement pas non plus pour elle le sens qu'il a pour d'autres. Goneril ne ment pas, elle parle la langue désarticulée du mensonge, celle-là même dont s'engraisse aussi le pauvre Homer gavé de pixels d'écrans publicitaires. Mais si Homer reste aussi passif et indolent qu'une oie, Goneril ne peut se retenir de régurgiter la réclame dont le monde enrobe sa misère, à grandes giclées de son inimitable éloquence déglinguée.

Il faut la voir entrer dans The New York Look, sur Broadway, se diriger vers le rayon John Galliano en chantonnant « She Works Hard for the Money » de Donna Summer et hululer d'emblée à une vendeuse invariablement tétanisée par son look irréel, hors de toute convention :

– JE SUIS PAUVRE À MILLIONS ! MONTREZ-MOI TOUT CE QUE VOUS AVEZ EN STOCK ! JE VEUX ME FAIRE DÉVALISER PAR VOTRE STOCK !

Aujourd'hui, par exemple, elle a mis sa robe qu'elle a surnommée *Dresstress* – jouant sur les mots *dress*, « robe », *stress*, et *distress*, « détresse » – scrupuleusement confectionnée de sacs-poubelle assemblés à la machine à coudre. La vendeuse ne prête du coup aucune attention aux contradictions syntaxiques de ses phrases, dont les signifiants, tels des blocs de glace errants détachés de leur banquise grammaticale, paralysent le peu de capacité d'analyse dont la pauvre jeune femme pourrait disposer :

– OOOOOOOOOOOOOOOOOOOOOOOOOOOOOOOH !...

Rien que son « Oh », entonné sur un air de fifre, plonge la vendeuse dans une acceptation hypnotique de tout ce qui s'ensuivra, persuadée que seule une richissime excentrique peut s'exprimer de la sorte, sans la plus minimale retenue.

– … CETTE MINIJUPE EST DÉLICIEUSEMENT HORRIBLE ! JE L'ADORE, C'EST TELLEMENT PAS MOI !

– C'est vrai, fait la vendeuse. C'est tellement vous !

– PAS MOI, CHÉRIE, fait Goneril en grimaçant un sourire de gueule cassée. SINON OÙ SERAIT L'INTÉRÊT ? COMBIEN CELA NE VAUT-IL RIEN ?

– Mille sept cent quarante-neuf dollars, fait la vendeuse.

– TROP BON MARCHÉ ! rétorque Goneril. MONTREZ-MOI AUTRE CHOSE DE PAREIL ! VOUS ME PRENEZ POUR UNE PETITE GOUINE DE BAS ÉTAGE, OU QUOI ? JE VEUX UN ORGASME HORS DE PRIX, MA PUCELLE, VOUS SAISISSEZ ?

Le ton odieusement impérieux de Goneril participe évidemment à l'efficacité de son imposture, qui n'en est pas une dans son cerveau en fusion.

– OOOOOOOOOOOOOOOOOOOOOOOOOOOOOOOOOOOH ! CETTE PAIRE IMPORTABLE DE BOTTINES IMMONDES ! JE LA VEUX ! C'EST DU SERPENT, J'ESPÈRE ?

– Oui, madame…

– « MADEMOISELLE », CHÉRIE ! SI VOUS VOYIEZ MON ADORABLE PETITE CHATTE RASÉE, UN DÉLICE DE PÉDOPHILE, VOUS SAURIEZ QUE JE SUIS UNE DEMOISELLE COMME IL FAUT ! DITES-MOI, MA BELLE, OÙ LE RÉPUGNANT PHALLUS FRÉTILLANT DE CES BOTTINES A-T-IL ÉTÉ DÉPIAUTÉ ?

– Je pense qu'il vient du Nicaragua, mademoiselle.

– NICARAGOUINE ! QUE C'EST LAID, J'ADOOOOOOOOOOOOOOOOOOOOORE !

Et il en est ainsi partout, à tous moments, dans toutes les circonstances de la vie quotidienne de Goneril...

Le plus consternant, c'est que personne ne remarque jamais le peu de sens de ce que Goneril profère. La folie de Goneril – à laquelle sa personnalité mêlée de fragilité et de détermination confère un charme détonant – est celle de l'époque. Sans rien en savoir ni l'avoir voulu, elle parle couramment la belle novlangue de son siècle. Elle incarne même merveilleusement les contradictions délétères de cette novlangue, sans paravent ni faux-semblant. Elle est elle-même le faux-semblant derrière lequel la vacuité se met à nu.

Le simple fait qu'elle ose entrer vêtue en sacs-poubelle dans un de ces magasins qu'on appelle de luxe, qu'elle exige ce qu'il y a de plus cher dans des formules qui confondent indigence et opulence, voilà qui n'a pas de quoi stupéfier des hères à qui on a vendu depuis leur naissance les oripeaux du dénuement sous les fanfreluches de l'abondance. Quand elle dicte un de ses caprices irréfléchis, le cerveau qui lui fait face est conditionné pour obéir à ce type de stimulations dont la publicité l'irradie en permanence. L'illogisme de Goneril est typiquement celui de la publicité, où n'importe quel mot remplace n'importe quel autre, où l'affirmation vaut la réalisation, où « non » et « oui » dansent la gigue et échangent leurs places sans arrêt, où nul critère ne surnage pour éprouver la falsification, la grâce, la beauté, la décence ni la vérité...

Ce qui rend Goneril si singulière, c'est son oscillation au cœur du double mimétisme qui mène le monde :

D'une part, les hères – conformément à l'étymologie ironique du mot qui fait référence au *Herr* allemand, « maître, seigneur » – singent les riches dont ils ingèrent les mœurs par télévisions et magazines interposés. Mais surtout, comme une doublure de ce premier mimétisme-là, les riches – qui sont tous quasiment exclusivement nouveaux (riches de Chine, riches de Russie, riches du Moyen-Orient, riches d'Amérique, riches d'Afrique – dictateurs –, riches d'Internet, riches des Finances…) – se singent eux-mêmes *en tant qu'ils sont essentiellement pauvres*. Non seulement parce que ce sont des pauvres d'esprit – la surabondance de l'argent tarissant toute curiosité aussi bien intellectuelle et spirituelle que psychologique –, mais parce que toutes leurs références exhibent l'asservissement intrinsèque de leur existence d'images-marchandises. Les objets de luxe qu'ils arborent, dont le mauvais goût revendiqué saute aux yeux de qui en a encore pour le voir, ont ainsi cette caractéristique de s'être gadgétisés en assurant leur propre réclame par un sigle, un logo, des initiales bien visibles destinées à trompeter : « Je suis riche ! » sur le mode même dont un objet publicitaire quelconque : casquette, tee-shirt, sac en plastique… trompette : « Je suis pauvre ! » au nom de celui qui l'endosse.

L'incohérence assumée et exhibée de la personnalité de Goneril lui assure ainsi un coup d'avance sur tous ses contemporains. Elle est une sorte de communicante intuitive, n'ayant jamais rien d'autre à proposer que des rafales zigzagantes de vent à des interlocuteurs qui ne sont pas accoutumés, dans les rapports humains comme lorsqu'ils font leurs courses, à consommer autre chose que leur consomption. Tous ceux que Goneril croise sont spontanément subjugués par cette femme qui pratique l'art de danser au-dessus du vortex dans lequel, pour leur part, leur existence s'engouffre du matin au soir sans qu'ils puissent en retenir beaucoup plus que la poussière arrachée par leurs ongles aux parois du néant dans lequel ils s'abîment.

Balzac et la Réclame

Que la folie déconcerte le mensonge, cela m'est apparu en lisant – de nuit, à la simple lueur de ma lampe torche – un roman où apparaît un précurseur de Goncril. C'était *L'Illustre Gaudissart*, de Balzac, consacré à un voyageur de commerce au bagout triomphal, à une époque où déjà, pour le dire comme Balzac, l'étiquette du sac importe davantage que son contenu, où l'on fait commerce de mots creux pour remplacer avantageusement les idées qu'on n'a pas.

Or Gaudissart, ce communicant parisien hors pair, est floué par un véritable hébété, Margaritis (du grec *margos*, « fou »), un pauvre homme au discours sans à-propos, au cerveau confus, un provincial dont les répliques sans queue ni tête vont paraître du dernier subtil à Gaudissart, au point de le résoudre à acheter au fou des caisses de vin d'un vignoble qui ne lui appartient pas. La démence a grugé la ruse commerciale, comme le père l'emporte sur le rejeton.

– Balzac, me dit Guy D., a pressenti beaucoup de choses. Il a été très impressionné par le conte de Perrault, *Le Chat botté*, dont le personnage éponyme est à la lettre le premier communicant en date, manipulant le on-dit pour faire la fortune de son maître. Balzac ne pouvait bien sûr anticiper le raffinement mythomaniaque des communicants contemporains, mais il conçoit les canulars du Chat botté comme une préfiguration du journalisme à sensation de son temps. L'inventeur de ce journalisme gueulard se nommait Lautour-Mézeray. Lautour était ce qu'on appelait à l'époque un « Lion », un extravagant dandy, exhibitionniste et tape-à-l'œil – on dirait « bling-bling » aujourd'hui –, bref l'homme-sandwich de sa propre vanité. Balzac ne tarissait pas d'éloges à son égard, tentant avec une géniale gaucherie de l'imiter vestimentairement. Avant de faire de la politique et de clôturer sa carrière comme très sérieux préfet d'Alger, Lautour-Mézeray passa par la presse, fondant en 1832 *Le Journal des enfants*, dont l'immense succès fut assuré par la puérile naïveté des parents acheteurs qui gobaient toutes les réclames, les tirages faussement faramineux annoncés en gros caractères, les patronages prestigieux, etc. Balzac dans sa *Théorie de la démarche* écrit : « Lautour-Mézeray, homme d'esprit, qui sait mieux que personne traire la pensée, n'a-t-il pas découvert dans *Le Chat botté* le mythe de l'*Annonce*, celle des puissances modernes, qui escompte ce dont il est impossible de trouver la valeur à la Banque de France, c'est-à-dire tout ce qu'il y a d'esprit dans le public le plus niais du monde, tout ce qu'il y a de crédulité dans l'époque la plus incrédule, tout ce qu'il y a de sympathie dans les entrailles du siècle le plus égoïste ? » Balzac insiste souvent dans la *Comédie humaine* sur la toute-puissance du subterfuge qui accompagne comme son ombre la colossale expansion de l'argent bourgeois. Mais il comprend en outre ceci, qui est essentiel : ce n'est pas tant la bêtise du Bourgeois que la Réclame doit capter, car alors cette bêtise retournerait vite à son avarice inhérente comme un porc à son auge. Ce sont les *besoins* du Bourgeois. Plus exactement ce que les publicitaires qualifieront de « désirs » et qui ne sont que de faux besoins, des chimères plagiées de l'aristocratie, illusions qu'il s'agit de créer, de propager, de vanter, d'inoculer, pour assurer le succès de n'importe quel grossier stratagème. Où le génie de Balzac éclate, ce n'est pas dans l'idée, au fond aisée à formuler, qu'on ne vend pas à une femme un châle en cachemire en lui disant qu'il est beau mais en la persuadant qu'il la rendra, elle, plus belle. C'est dans la conception *politique* qu'il en tire, où le peuple est le jouet docile et éberlué d'un attrape-gogo. « L'époque, énonce un de ses cyniques triomphants, s'est fait des besoins, nous les pressentons et nous y pourvoyons ; si, n'ayant pas de besoins, nous lui en donnions de factices, ne serions-nous pas dignes d'être vos maîtres ? » Eh bien sais-tu, Sac d'Os, qui va déployer au XXe siècle cette science de la domination par la manipulation des besoins factices ? Celui à qui nous devons aujourd'hui en grande partie l'état désastreux du monde ? Le précurseur du règne géo-politique des Publicitaires et des Communicants ? Celui à qui, par exemple, les Français doivent d'avoir Canularkozy comme président ?

– À qui penses-tu, Guy, hormis Joseph Goebbels ?

– Goebbels ne fut qu'un plagiaire peu subtil de l'homme auquel je pense, qui n'est autre que le double neveu de Sigmund Freud.

Propagandes

– Notre Sigmund Freud ?

– Mais non, pas ce jeune fou. Le vrai Freud.

– Raconte-moi ça.

– Il s'agit d'un type nommé Edward Bernays, né en 1891, mort à cent quatre ans en 1995. Le père d'Edward Bernays était le frère de Martha, la femme de Freud. Sa mère, Anna, était la sœur de Freud. Qu'il considère sa généalogie du côté « Bernays » ou du côté « Freud », il ne pouvait échapper à son formidable oncle. Les parents d'Edward quittent Vienne pour New York quand il a un an, en 1892. C'est l'année où Freud s'intéresse à l'hypnose et à la suggestion. Son beau-frère, le père d'Edward, fait fortune aux États-Unis dans le commerce du grain. Après de moroses études en agriculture à Cornell University, le médiocre Edward s'essaie au journalisme, participe à la revue médicale d'un ami, et découvre enfin son talent caché à l'occasion de la publication dans cette revue d'un article en faveur d'une inepte pièce de théâtre écrite par un obscur Français, intitulée *Les Avariés*. Il s'agit de l'histoire d'un homme syphilitique dissimulant son mal à sa fiancée avant leur mariage, puis la contaminant, puis lui faisant un enfant qui sera atteint du mal également.

– Belle allégorie du néolibéralisme !

– Tu ne crois pas si bien dire. En anglais le titre de la pièce devient *Damaged Goods*, « Marchandises endommagées » ! Le mensonge et la dissimulation, puis la propagation d'une défectuosité mortifère, puis sa reproduction à l'identique, voilà condensée toute l'histoire du Capitalisme ! Tel est donc le champ où Bernays va exercer pendant plusieurs décennies son incontesté talent de truqueur. Désireux d'aider à monter la pièce aux États-Unis, il a l'idée, pour contrer le scandale que l'argument syphilitique risque de faire parmi les pudibonds Yankees, de créer une commission d'experts médicaux apparemment neutres, en réalité stipendiés, qui deviendront les arbitres d'un faux débat (représentation scandaleuse ou fiction de salubrité publique ?), et assureront l'immense succès de la pièce *Damaged Goods* en vantant ses vertus pédagogiques et prophylactiques. Le *spin* était né. Bernays n'avait que vingt et un ans et venait de se révéler un as sans égal du boniment. En 1917, quand l'Amérique entre en guerre en Europe contre l'avis de l'opinion publique, Bernays est embauché au sein de la Commission Creel, chargée de manipuler l'opinion et de lui faire approuver l'effort de guerre contre son propre gré. Entre autres matraquages de propagande, cette commission emploie une méthode qui fleurira et perdurera jusqu'à la guerre de Bush en Irak. Il s'agit de la technique de communication nommée les « *Four Minutes Men* » : des intervenants chargés dans les débats publics de réciter en quatre minutes un court laïus en faveur de la guerre (poème, cri du cœur, anecdote, etc.). L'idée est qu'au cœur d'un long débat contradictoire compliqué où nul ne l'emporte, une coupure publicitaire détend les esprits et emporte mécaniquement l'adhésion.

– « Travailler plus pour gagner plus. »

– Par exemple. Après la guerre, Bernays a l'idée d'appliquer les méthodes de la propagande au domaine de l'industrie. Trop associé au bourrage de crâne et à la boucherie de 1914-1918, le mot « propagande » se métamorphose avantageusement en « relations publiques ».

C'est la première mais pas la dernière valse d'étiquettes de Bernays, lui-même Janus *bifrons* du freudisme par sa double généalogie en impasse.

– Pourquoi en impasse ?

– Parce que, contrairement à son fantasme d'être le « psychanalyste des corporations en détresse », ce vaniteux bouffon n'a rien d'un Freud. Celui-ci, ayant reçu de son neveu à travers l'Atlantique une belle boîte de cigares, lui offre pour le remercier son *Introduction à la psychanalyse*. Bernays n'en tire qu'une idée, en rien freudienne, qui va devenir son unique obsession : la manipulation de l'inconscient collectif, dont Freud réfutait pourtant l'existence. Freud méprisait son neveu. Il détestait la psychologie de *Harper's Bazaar* et toutes les approximations et déformations américaines de sa pensée.

– C'est vrai qu'il évoque la « misère psychologique des masses » américaines dans *Malaise dans la civilisation.*

– Pas si dupe, le vieil anarchiste viennois. Quant au double neveu, il comprend que pour vendre un bien avarié, il suffit de le renommer. Les hôpitaux militaires britanniques où l'on soigne trop peu et trop mal les blessés de guerre deviennent des « postes d'évacuation », et plus personne ne s'en plaint. Interdit de vente dans l'Allemagne nazie, le Coca-Cola se métamorphose en « Fanta », et tous les SS sont désaltérés.

– C'est l'essence du politiquement correct. Dites « frappe chirurgicale » au lieu de « bombardement » et le monde applaudit. En France, celui qui pratique le mieux cet art de la virevolte verbale, c'est Bobarkozy ! Il suffit, pour biffer le mot « bling-bing », de citer les *Pensées* de Pascal, et le tour est joué.

– La roublardise éternelle de ces escrocs infinis m'effare…

– Continue l'histoire de Bernays, cela me passionne.

– Oh, que dire de plus… Il avait une sorte de radar intuitif pour susciter l'avidité de l'inessentiel en tablant sur le peu de substance du désir. Il avait un étrange regard, fugacement torve, qui entravait toute amitié véritable. Il ne concevait les relations humaines que sous la forme de manipulations de la bêtise des masses. Comme il aimait l'argent, il mit son intuition au service des riches pour mieux gruger les pauvres et faire triompher le capitalisme publicitairement assisté. Il était expert dans l'art d'inoculer le désir du superflu aux gens modestes, imitant dès lors les riches qui, de leurs ennemis, devenaient leurs modèles. En amont, ce superflu se renouvelait en se périmant perpétuellement. Il inventa le recours aux pseudo-experts corrompus, dont les invérifiables assertions, les courbes absconses et les diagrammes farfelus règnent sur la communication de toutes les entreprises commerciales et politiques aujourd'hui. On demande à Bernays d'assurer la réclame du bacon : il soudoie des médecins et des diététiciens pour propager le conseil qu'un petit déjeuner équilibré doit s'accompagner d'*eggs and bacon*. Résultat, une nation d'obèses voit le jour ! Chargé dans les années 1920 de convertir les femmes aux cigarettes – soit de combler un manque à gagner colossal pour l'American Tobacco Company –, Bernays fait renommer le symbole phallique en « torches de la liberté », brandies un jour de parade par de jolies suffragettes devant un troupeau de journalistes, et toutes les femelles américaines s'adonnent en un clin d'œil avec fierté au cancer du poumon. En un demi-siècle d'« ingénierie du consentement » – son concept majeur après la Seconde Guerre mondiale –, ses méthodes ont acquis plus d'influence sur la population mondiale qu'Hitler, Mao et Staline réunis ! D'ailleurs Goebbels avait dans sa bibliothèque son ouvrage *Crystallizing Public Opinion*. Il ne cachait pas qu'il avait fait élire Hitler « par des méthodes américaines et à l'américaine ». Aujourd'hui plus que jamais la planète obéit au doigt et à l'œil aux entourloupes issues du cerveau baratineur de Bernays. Il faut lire son *Propaganda*, écrit en 1928. Il y est d'une désarmante franchise. Dès les premières lignes du premier chapitre, intitulé « Organiser le chaos », il édicte : « La manipulation consciente, intelligente, des opinions et des habitudes organisées des masses joue un rôle important dans une société démocratique. Ceux qui manipulent ce mécanisme social imperceptible forment un gouvernement invisible qui dirige véritablement le pays. Nous sommes pour une large part gouvernés par des hommes dont nous ignorons tout, qui modèlent nos esprits, forgent nos goûts, nous soufflent nos idées. »

– Au moins c'est clair. N'est-ce pas lui qui a déclaré : « On peut vendre un bon gouvernement comme tout autre produit » ?

– Lui-même. Aujourd'hui, on doit à bon escient dire qu'on peut vendre un mauvais gouvernement comme n'importe quelle marchandise, c'est-à-dire comme un bien avarié, *damaged good*. Un gouvernement est une marchandise avariée comme une autre. Son pouvoir autoproclamé d'améliorer la vie de ses gouvernés n'est que le fantoche de la falsification, le reflet plaqué or de sa profonde impuissance. Tiens, une autre citation de

Propaganda : « Cette pratique qui consiste à déterminer les circonstances et à créer simultanément des images dans l'esprit de millions de personnes est en réalité très courante. Aujourd'hui, elle participe à quasiment toutes les entreprises d'envergure, qu'il s'agisse de construire une cathédrale, de financer une université, de commercialiser un film, de préparer une émission d'obligations ou d'élire le chef de l'État. L'effet attendu sur le public est créé, selon les cas, par un propagandiste professionnel ou un amateur à qui on aura confié ce soin. Ce qu'il faut retenir, c'est d'abord que la propagande est universelle et permanente ; ensuite, qu'au bout du compte elle revient à enrégimenter l'opinion publique, exactement comme une armée enrégimente les corps de ses soldats. »

– Traquenarkozy est un fidèle fiston de Bernays.

– Ils le sont tous. Obama aussi. C'est une marque qui a été élue, la marque « Premier Président Américain Noir des USA ». Politiquement il ne diffère en rien ni de Clinton ni de Bush père ni fils et il a à peu près autant d'influence sur le cours des choses que la reine d'Angleterre sur le cours du baril. C'est Goldman Sachs qui l'a choisi, comme on choisit une couleur de cravate, ou une marionnette. C'est d'ailleurs ainsi qu'ils surnomment leur clientèle, chez Goldman Sachs : des « *muppets* »...

– Je veux dire qu'il y a dans le comportement légèrement psychopathique de Sarkozy l'équivalent du regard torve de Bernays, et dans sa franchise presque involontaire l'équivalent du dévoilement du pot aux roses de Bernays dans *Propaganda*. Quand Sarkozy essaie de faire nommer son fumiste fiston de vingt-deux ans à la tête de l'Établissement public d'aménagement du quartier d'affaires de la Défense, ou lorsque, à propos de la crise financière, il présente la France comme « un pays cœur de cible », il met à nu la mise à nu même. Comme s'il avait compris qu'il ne sert plus à rien de porter un masque. Ou qu'on pouvait désormais porter son masque en s'écriant : « Regardez, je porte un masque ! » puis se l'arracher soi-même pour en exhiber la finition, et n'en pas moins demeurer toujours aussi parfaitement invisible aux yeux de la masse abusée.

– Tu as raison, Sac d'Os. Cette franchise inattendue de la part d'un menteur professionnel est la marque de fabrique d'Edward Bernays, et ce qui le distingue de ses précurseurs, zélés propagandistes du système régnant tels Ivy Lee, le fondateur des relations publiques, ou Walter Lippmann, le modèle de Bernays, qui inaugura l'expression *Manufacturing Consent*, « fabrique du consentement ». Seulement, masque ou pas, le mensonge se heurte parfois à lui-même, et alors c'est la dégringolade. La plus belle réussite de Bernays dans l'ordre de la réclame est l'organisation entre les deux guerres d'une colossale campagne nationale pour le compte de General Electric, le jour anniversaire des cinquante ans de l'ampoule à incandescence. Bernays avait réuni et mêlé à cette occasion le gotha politique, l'avant-garde industrielle et financière, le Tout-Hollywood, et tous ceux qui aux États-Unis participaient de la prospérité capitaliste triomphante.

– Et alors ?

– C'était le mardi 22 octobre 1929, jour comme tu le sais où, d'une part, fut entreprise la construction de Triborough Bridge, qui traverse notre île et surplombe notre asile…

– Et où l'économie mondiale commença de se désintégrer…

– En effet, et avec elle le fragile équilibre géopolitique planétaire. Quinze ans et soixante millions de morts plus tard, la seule à renaître intacte des cendres d'Auschwitz, d'Hiroshima, et de cinq années de guerre tous azimuts, ce sera la propagande. En 1928, l'inénarrable Bernays n'affirmait-il pas prophétiquement : « La propagande ne cessera jamais d'exister. Les esprits intelligents doivent comprendre qu'elle leur offre l'outil moderne dont ils doivent se saisir à des fins productives, pour créer de l'ordre à partir du chaos. »

De profundis

À Rikers Island, cet enfer au rabais surnommé *The Tomb*, « la Tombe », lorsque les deux gardiens herculéens qui encadrent DSK depuis son arrivée le disposent devant le BOSS, il a pour la première fois l'impression asphyxiante que son cas est clos. Posant son menton sur le BOSS, c'est comme s'il se cognait brutalement le front contre la paroi de son cauchemar.

Jusqu'ici l'hébétude, l'angoisse, l'incrédulité, la fatigue, l'espoir, le ridicule, la mégalomanie et la rage avaient engoncé son cerveau d'un matelas de vapeur mentale, le préservant de croire que la partie était perdue et que c'était en plusieurs atroces décennies de détention qu'il égrènerait son échec. Avec une ténacité somnambulique, il n'avait songé qu'à sauver les apparences, étant l'un des rares êtres humains à ne pas avoir assisté à sa propre humiliation sur tous les écrans de la planète.

Jusqu'ici, il fomentait encore des plans dérisoires et des projets délirants pour récupérer cet incident à son avantage, une fois de retour en France, et repartir dans la course présidentielle… Il suffisait d'adapter les pirouettes rhétoriques de ses déconvenues précédentes. Son indéfectible équipe de communicants et la fonction copier-coller de son MacBook Air pallieraient cette lamentable déconfiture…

« Françaises, Français, je connais vos souffrances, je les ai partagées… Mon séjour dans une cellule sordide de Harlem m'a profondément modifié. J'en ai tiré des leçons. J'ai médité sur mes faiblesses. J'ai découvert ce qui pouvait me renforcer. J'ai éprouvé le poids de l'isolement. J'ai mesuré le prix des amitiés. Je sors de l'épreuve plus averti et plus endurci. Anne et moi nous aimons comme au premier jour. Votez pour moi ! »

Regardant distraitement par la vitre de la voiture banalisée qui l'avait emmené depuis le Queens au-dessus de l'East River à travers l'interminable pont conduisant au gigantesque complexe de détention, il pouvait encore se sentir dans une contre-allée de son ancienne existence.

L'aéroport de LaGuardia sur la droite, d'où les avions qui survolent Rikers peuvent distinguer plusieurs bâtiments en forme de lettres dont des X (comme dans « seXe »), des K (comme dans « DSK »), et le symbole du yen (¥) ; sur la gauche les hautes cheminées industrielles en forme de sucres d'orge rayés en rouge et blanc, les entrepôts brunâtres, les bassins de traitement des eaux usées, les pipelines colorés comme des jeux de construction pour enfants ; en contrebas sur le fleuve les vedettes, les barges, les ferries ; plus loin encore les immeubles du Bronx aux briques roussâtres…, la silhouette d'une ville si familière, depuis si longtemps exhibée dans les séries télévisées et les films policiers que chacun, n'importe où sur la planète, peut s'imaginer y avoir vécu.

Tout ce qu'il avait pu apercevoir par la vitre de cette voiture s'apparentait encore au cinéma. À commencer par les grappes de cameramen placés à l'entrée du pont pour tenter de capter son passage. Tout relevait d'un vague et irréel déjà-vu tels les bus blancs aux vitres grillagées marqués *CORRECTION* en bleu, l'immense portail bleu clair de Rikers Island, les files des familles attendant leurs visites au parloir, les prisonniers en uniforme blanc rayé de rouge, les grillages et les barbelés surabondants, le rituel d'inspection à l'arrivée, les murs de briques fraîchement repeints, les gardiens et les lourds barreaux écaillés des portes qui claquent et résonnent comme d'impavides gongs lugubres.

Mais là, face au BOSS, DSK se sent défaillir. Le Body Orifice Scanning System est un trône fatal, un grand siège en métal gris sombre qui fait immanquablement penser à une chaise électrique. À croire que les exécutions sont devenues d'une telle banalité qu'elles ont lieu dans un hall entre dortoirs et cuisines, au vu et à l'indifférence de tous.

Un des hercules place d'abord DSK debout derrière le siège, comme s'il s'agissait de lui faire admirer la machine sous tous les angles. Il lui demande ensuite de poser le menton puis les deux joues successivement sur une large tablette placée en surplomb d'un des sommets du dossier. DSK songe à la guillotine en sentant le contact tiède du métal sur son visage. Le système électronique ne fait aucun cliquetis, confirmant que le nouveau détenu ne dissimule pas de clé de menotte, de lame de rasoir, aucun objet contondant ni de contrebande quelque part sous la langue ou entre les dents. Puis on le fait s'asseoir sur le BOSS, et le même silence rassure les hercules sur tous les orifices et les bonnes intentions du déjà célèbre «*pervert*».

Tous deux connaissaient son visage présenté en boucle sur les chaînes d'information depuis deux jours, avant même que leur chef ne leur explique qu'il s'agissait d'un détenu particulier qu'on allait placer dans l'aile ouest, *the West Facility*, réservée aux malades contagieux, parce qu'elle est vide en ce moment et que pour sa sécurité il ne devait avoir aucun contact avec aucun autre prisonnier.

Au début, par considération pour son statut international, on lui avait laissé ses vêtements civils, les mêmes qu'il portait depuis sa sortie du Sofitel le samedi. On lui avait juste retiré les lacets de ses Weston et sa montre Cartier. Il avait bénéficié d'une cellule repeinte et les repas – infâmes – lui étaient apportés sur des plateaux et non dans des gamelles. Il lui était resté assez d'énergie pour rédiger une lettre de démission destinée au FMI, où il clamait son innocence :

> C'est avec une infinie tristesse que je me vois obligé aujourd'hui de proposer au conseil d'administration ma démission de mon poste de directeur général du FMI. Je pense d'abord en ce moment à ma femme – que j'aime plus que tout –, à mes enfants, à ma famille, à mes amis. Je pense aussi aux collaborateurs du FMI avec lesquels nous avons accompli de si grandes choses depuis plus de trois ans.
>
> À tous, je veux dire que je réfute avec la plus extrême fermeté tout ce qui m'est reproché.
>
> Je veux préserver cette institution que j'ai servie avec honneur et dévouement, et surtout, surtout, je veux consacrer toutes mes forces, tout mon temps et toute mon énergie à démontrer mon innocence.

L'idée que cette touchante et vigoureuse missive allait immanquablement être lue à la face du monde lui avait inspiré ses derniers soubresauts d'indignation théâtrale. Le « surtout, surtout » ne trompait pas.

Puis il s'était écroulé.

Après la première nuit et un entretien avec un psychiatre où il ne répondit à aucune question, se contentant de répéter au type d'un air las, sur un ton infiniment déprimé : « Vous ne pouvez pas comprendre... », on décida de lui appliquer les consignes réservées aux suicidaires. Il dut revêtir une combinaison déchirable bleue et demeurer sous la surveillance constante de deux gardiens. Tous les quarts d'heure, l'un des hommes jetait un œil à l'intérieur de la cellule de 12 m² pour vérifier que DSK allait bien.

Il n'allait pas bien, mais il était vivant.

Maton bavard

Excédé, DSK se dandine, dodeline, saccade et se secoue dans la cour vide de l'aile ouest où il a droit à une heure de promenade quotidienne. À ses côtés, un troisième gardien ne le quitte pas d'une semelle, un Noir immense au regard étincelant et à la barbichette poivre et sel. Il s'est présenté avec une grande affabilité lors de leur première promenade :

– Je m'appelle Nelson, Mister Kahn. Ma mère m'a nommé ainsi en hommage à Nelson Mandela. Savez-vous combien de temps Nelson Mandela est resté en prison, Mister Kahn ?

– Oui, interrompt DSK, accablé. Il me l'a lui-même raconté quand nous nous sommes rencontrés à Johannesburg.

La phrase que DSK vient de formuler par un pur réflexe d'amère vanité est en réalité vide de substance. Le temps, le vieux cauchemar de DSK, s'est métamorphosé en un sablier de verre brisé, concassé, pilé, qui s'enfonce au ralenti dans son propre sable mouvant avec une cruauté sanglante, emportant à chaque seconde des lambeaux de sa raison et creusant un tel abîme avec l'époque des souvenirs liés à sa souveraineté au FMI – antérieure aux cent soixante-douze mille huit cents dernières secondes – que DSK se donne l'impression de mentir ou de parler d'un autre quand il l'évoque encore, comme il vient de le faire.

– Ne faites pas cette tête-là, Mister Kahn. Ici ce n'est pas une prison, c'est un centre de détention, on y attend son jugement lorsqu'on ne peut pas se payer de caution.

Ici, en théorie, tout le monde est innocent. Vous êtes fortuné, Mister Kahn, vous pouvez vous payer une caution. Je suis sûr que votre avocat va vous faire sortir dans peu de temps. Votre entrevue d'hier s'est bien passée ?

DSK songe qu'il n'a décidément pas de chance, il est tombé sur un maton bavard. Et ici, aucun iPad 2 dans la contemplation duquel se perdre avec une hébétude crétine qui se prend pour de la finesse, aucun iPhone ni BlackBerry à se visser aux oreilles pour fuir toute conversation sincère et tout souci humain. Des larmes de rage et de tristesse lui montent aux yeux. Il ne répond rien. Il regarde sans rien voir à travers l'immense grillage du terrain de basket où il fait les cent pas.

– Savez-vous que votre avocat, William Taylor, porte le même nom que l'éditeur de Daniel Defoe ? Tous les éditeurs londoniens avaient refusé le manuscrit de *Robinson Crusoé,* seul William Taylor accepta, pour dix livres sterling, ce qui déjà au XVIIIe siècle n'était pas grand-chose.

– Je l'ignorais, dit DSK en soupirant.

– Je suis passionné des petits détails inaperçus de la vie quotidienne. Ils rendent le monde si poétique. Tenez, Mister Kahn, voyez-vous sur l'autre rive, là-bas, le bâtiment derrière l'usine aux parois rouges, juste en face de nous ?

DSK relève à peine la tête.

– Eh bien il s'agit de la fabrique Steinway, là où sont conçus depuis 1880 les meilleurs pianos du monde. Les plus grands pianistes se sont déplacés jusqu'ici, à un jet de pierre de Rikers Island. Savez-vous qui m'a appris cela ? Sonny Rollins, le jazzman. Il a été détenu à Rikers en 1950. Je n'y suis entré qu'en 1980, mais j'ai rencontré

Rollins dans un bar vers cette époque, et quand je lui ai appris ce que je faisais, il m'a confié ses souvenirs de Rikers Island…

– Passionnant, s'efforce DSK, tentant de ne pas offusquer un homme qui ne lui a rien fait mais qui possède peut-être le pouvoir de lui nuire.

Car à sa sourde déprime se mêle une paranoïa grondante depuis sa dernière conversation avec Taylor, venu la veille faire le point sur sa situation.

Not guilty !

– Il faut que vous découvriez qui peut se trouver derrière ce sale coup, Bill. Soit ça vient du FMI, soit de l'Élysée, soit du PS… Ce cauchemar insensé ne peut pas ne pas avoir un responsable.

Taylor avait calmement écouté DSK, se gardant de lui rétorquer qu'aucun complot au monde n'avait pu le forcer à fourrer sa queue dans la bouche d'une femme de chambre sans son consentement. Son consentement à lui, bien sûr. Concernant son consentement à elle, Taylor et Brafman étaient payés pour croire depuis le début ce que DSK leur avait martelé avant la première audition avec la juge Jackson : relation érotique entre adultes consentants, sans violence, ni menace, ni coercition d'aucune sorte.

– Moi, je suis plus victime que coupable, leur assenait-il depuis le début. *Not guilty ! Not guilty !*

Ils lui avaient pourtant décortiqué les inconvénients et les risques théologiques d'un tel plaidoyer aux USA. « Théologiques », c'était le terme employé par Brafman.

– Pour un cerveau WASP, personne n'est *not guilty*... Réfléchissez-y bien, Dominique. *Guilty*, vous négociez. *Not guilty*, c'est quitte ou double, avec bien plus de chances de double que de quitte...

– *Not guilty !* C'est un coup monté ! une embuscade ! Et je vous promets que lorsque vous m'aurez tiré de ce mauvais pas, je découvrirai qui est derrière tout ça ! Les Russes veulent ma peau au FMI depuis le début. Poutine et Sarkozy ont des intérêts convergents. D'ailleurs ça fait des semaines que je suis pisté par Guéant.

– Qui ça ? avait demandé Taylor en prenant des notes.

– Claude Guéant, le ministre de l'Intérieur de Sarkozy. Ce type me hait profondément, personnellement, fanatiquement.

Taylor avait relevé son stylo de son bloc-notes et échangé un regard consterné avec Brafman. Manifestement inconscient des enjeux d'un tel procès dans un pays comme les États-Unis, DSK ne semblait toujours pas se rendre compte dans quel guêpier il avait fourré son sexe. Brafman, lui, ne prenait aucune note. Il songeait à un passage de la Bible, un proverbe de Salomon : « La bouche des femmes étrangères est comme un abîme profond ; celui que Dieu réprouve y tombe. » Il écoutait posément la diatribe de DSK, attendant qu'il ait fini de geindre et de fulminer pour lui expliquer la gravité de sa situation, ce qu'il était sensé de craindre, légitime d'espérer...

– Au point que je n'utilise quasiment plus que le portable crypté du FMI, avait continué DSK comme s'il était encore dans sa vie d'avant sa rencontre avec le BOSS. Même pour mes conversations privées. Je fais enlever les batteries des portables de mes proches lors de nos réunions...

« C'est la batterie de son *schwanz*[1] qu'il aurait dû enlever », songe Brafman.

– Je me doutais que le coup viendrait par les femmes. Oui, j'aime les femmes ! Et alors ? Ça ne fait pas de moi un violeur ! Depuis des années on parle de photos de partouzes géantes, mais je n'ai jamais rien vu sortir… C'est parce qu'ils n'avaient rien contre moi qu'ils ont fomenté ce coup bas. De leur part, je m'attendais à tout. Je sentais que ça tournerait autour de l'argent, de ma judéité, ou des femmes. J'avais même prévu le coup de l'accusation de viol dans un parking par une femme à qui ils auraient promis un million d'euros… J'ai décrit tout ça aux connards de *Libération* le mois dernier. Si ça se trouve, Guéant n'a eu qu'à lire *Libération* pour trouver une idée pour me piéger ! Il faudra vérifier chaque mouvement d'argent sur le compte en banque de cette femme de chambre depuis au moins un an…

– C'est prévu, Dominique, avait dit Taylor, calmez-vous. Nos enquêteurs sont au travail. S'il y a quelque chose à découvrir concernant cette femme, ils le découvriront.

– C'est évident qu'il y a quelque chose à découvrir ! *Not guilty !*

Mais toutes ces bourdes accumulées depuis des années et à chaque fois amendées à force de communication palinodique – la cassette Méry, la MNEF, l'affaire Elf, Tristane Banon, Piroska Nagy, la Porsche Panamera de Khiroun, la phrase en faveur d'Israël qui faisait

1. « Pénis » en yiddish.

clabauder tous les antisémites de l'Hexagone… –, tous ces rétablissements miraculeux qui avaient conféré à DSK un sentiment de réelle impunité, tout ça c'était *avant* Rikers Island. Avant le passage sur le BOSS, avant la première nuit dans sa cellule blanche de 12 m² munie d'un lit simple, d'une table, d'une chaise, d'une étagère et d'un bidet de toilettes sans lunette, avant la surveillance antisuicide vingt-quatre heures sur vingt-quatre, avant les promenades quotidiennes commentées par le bienveillant et intarissable Nelson…

Ce qu'est le pire

Non.

Pour répondre à la question de Nelson, la visite de son avocat, la veille, ne s'est pas bien passée. Signe prémonitoire, même Taylor a eu du mal à obtenir son droit d'entrée à Rikers Island. Taylor connaît bien DSK. Il lui a déjà sauvé la mise lors du scandale avec Piroska Nagy, et il a pu constater comme, une fois sorti de l'auberge, rien ne peut convaincre DSK de modérer sa libido baladeuse. Aussi lui a-t-il parlé franchement. Les choses se compliquent, a-t-il rapporté à son client profondément déprimé. La libération sous caution est loin d'être gagnée, même en hypothéquant la maison de Washington payée par Anne cinq millions de dollars. Il faudra tout accorder au juge lors de la prochaine comparution devant le Grand Jury, le 19 mai, accepter toutes les restrictions, remettre tous ses documents diplomatiques, son permis de voyage de l'ONU, accepter le port d'un bracelet électronique et une stricte assignation à résidence avec caméras dans chaque pièce et surveillance policière en permanence... Et même alors il n'est pas certain d'obtenir la sortie de Rikers Island...

Voilà pourquoi Nelson tombe mal avec sa pitié optimiste et son lyrisme du détail quotidien.

– Ce n'est pas la peine de rester là en permanence, je ne vais pas me suicider, dit DSK d'un ton sinistre à Nelson.

– Ce sont mes consignes, Mister Kahn. Je suis chargé d'assurer votre protection.

– Je ne vois pas ce qui pourrait m'arriver de pire, mon ami...

– Ooooooooooh, susurre Nelson avec une belle voix de gospel et une étincelle d'espièglerie dans l'œil que DSK ne peut capter, trop occupé à ne pas regarder en lui-même... Qui peut dire ce qu'est le pire, Mister Kahn ? J'ai connu un homme, un gardien, comme moi, qui, au moindre souci, au plus infime grain de sable dans le morne calendrier de sa fade existence – un casier mal rangé, un chef mal luné, une épouse dépensière, une tache sur son uniforme, une insulte d'un détenu... –, soupirait : « C'est l'enfer ! », avec autant de désarroi que si l'on venait de lui apprendre qu'il avait un cancer de l'œsophage. Vous aviez beau lui expliquer que « l'enfer », au sens propre, ce n'est pas exactement cela, il ne vous comprenait pas davantage qu'un rescapé du goulag à qui vous vanteriez les charmes de la perspective Nevski l'hiver à « Stalingrad ». Et qui oserait prétendre qu'au fond il n'y était pas, en enfer. Son enfer à lui, c'était le mot « Enfer » qu'il ne pouvait se retenir de proférer mais qui le mettait à la torture... En ce qui vous concerne, tout le monde ici, détenus et gardiens, a entendu parler de vous à la télévision. Or certains détenus sont imprévisibles, ce sont des bêtes sauvages, Mister Kahn. À peine apercevraient-ils votre sage crinière blanche qu'ils planteraient leurs griffes au tréfonds de votre crâne et vous dévoreraient les entrailles après avoir lacéré votre bienheureuse bedaine. Tous les détenus de Rikers sont un brin tordus, même si tous ne sont pas pervers. Grâce au ciel, certains même sont charmants. Jimmy Mirabel, par exemple, est un garçon adorable. Né en prison d'une mère toxicomane, il y est retourné par amour pour elle dès l'adolescence à cause de petits délits liés à la dope ; aujourd'hui il s'y consume du sida. Le juge de réduction des peines refuse régulièrement sa demande d'aller finir ses jours dans un centre approprié, le Samaritan Village sur le Queens Boulevard. Certes, il n'y aurait aucun désagrément à vous laisser fréquenter Jimmy Mirabel, il ne ferait pas de mal à une mouche. Peut-être même vous entendriez-vous…

« Ce type est dingue, pense DSK. Avec ma chance je suis tombé sur un maton pervers affriolé par ces ragots de viol… Ce n'est plus un cauchemar, c'est l'Apocalypse ! »

– Je comprends, fait DSK, dont les propos conciliants sont un réflexe dès qu'un discours l'ennuie ou qu'une confrontation l'importune.

Vingt ans plus tôt, au ministère de l'Économie, lorsque Bérégovoy le sermonnait au téléphone, DSK faisait rire ses collaborateurs en posant le combiné sur le bureau et, le reprenant de temps à autre, en répétant : « Je comprends, Pierre, d'accord, Pierre, tu as raison. »

La plaisanterie était bénigne, mais elle en disait long sur la considération dont pouvait jouir le pauvre Bérégovoy, homme faible, taraudé par sa basse extraction, n'ayant pas le caractère de résister aux technocrétins de Bercy qui lui instillaient le poison du néolibéralisme, et du coup qui ouvrit, le premier en France, la boîte de Pandore des marchés financiers…

Mais Bérégovoy est suicidé depuis longtemps, et DSK, contrairement à ses affirmations, n'est pas sans songer à se pendre avec les sales draps dans lesquels il se trouve.

– Tout comme avec Abraham Yossef, continue Nelson feignant de ne pas apercevoir l'air renfrogné de son prisonnier vedette. Abraham Yossef est un Juif orthodoxe qui ne quitte jamais ses lunettes de soleil en métal cerclé, des lunettes d'aveugle ou de soudeur… Quand Abraham Yossef vous croise, il commence par décliner son matricule machinalement, « 89592889 », et il vous débite son histoire. Il se prétend agent du KGB, auteur d'un manuscrit explosif sur les manigances du FBI pour assassiner Jesse Jackson et Dan Quayle en 1990. Lui non plus ne vous ferait aucun mal. La seule chose qu'il vous demanderait, si vous le croisiez par hasard, serait de l'aider à faire publier son manuscrit paranoïaque.

– Pourquoi est-il ici ? demande DSK d'une voix morne, soupçonnant Nelson d'inventer toutes ces histoires pour tromper sa méfiance avant de se jeter sur lui et de l'égorger brutalement.

– Eh bien, il a poignardé un pauvre type qu'il soupçonnait d'être un agent du FBI en mission secrète chargé de le faire taire. À part ça c'est un ange. Il lit sa bible en hébreu et son livre de prières à longueur de temps, entre deux séances de psychothérapie collective où, lorsque le psychiatre lui demande de quoi il a besoin pour aller mieux, il rétorque invariablement : « Ce dont j'ai besoin, c'est que mon livre sur le FBI soit publié. J'espère que cela m'aidera à avoir un procès équitable, et que la vérité me fera libérer. »

De plus en plus accablé par ces récits de malheurs qui l'angoissent davantage sur l'issue de son propre drame, DSK courbe sa grosse tête de bobtail vers le sol. À nouveau des larmes lui viennent en songeant qu'il risque vraiment de rester ici jusqu'à la fin de ses jours, dans cet asile fortifié où gardiens et détenus rivalisent de démence...

– Oooooooooh, Rikers Island renferme bien des tragédies, Mister Kahn, en comparaison desquelles vos soucis passagers sont de pâles broutilles... Tout est relatif, et même le pire n'est pas ici, entre les murs infranchissables de la Tombe. Vous qui avez parcouru le monde entier le savez bien. Ces méchantes créatures ont encore l'air bon à côté de plus méchantes. Qui peut dire ce qu'est le pire, Mister Kahn. Vous savez ce que disent les Italiens : « *Nel peggio non c'è fine* », « Le pire est sans fin ». Après tout, n'être pas ce qu'il y a de pire, c'est encore être au niveau de l'éloge.

« Maintenant il se fout carrément de ma gueule », pense DSK, dévisageant Nelson sans oser cesser de sourire, de peur de déchaîner la brute.

Ce sourire forcé lui confère un visage renfrogné de marionnette molle. Ses lèvres paraissent se dévorer elles-mêmes, ses yeux se froncent comme aveuglés par une lumière crue, de profondes rides raturent ses paupières et s'étoilent vers ses tempes tandis que l'arête de son nez s'orne au sommet de deux replis graisseux qui dessinent une minuscule bouche surnuméraire aux lèvres closes, graves, hiératiques de masque africain.

– Si vous alliez faire un tour du côté du pavillon des femmes, Mister Kahn, continue Nelson, cicérone affable qui paraît ignorer les raisons de la présence de son hôte à ses côtés, vous assisteriez là aussi à des drames à vous briser le cœur. La majorité de ces pauvres âmes ont été abusées dans leur enfance. Beaucoup sont droguées, prostituées, malades du sida ou de la tuberculose… Certaines sont enceintes ou viennent d'accoucher. Il y a d'ailleurs une poignante petite pouponnière installée au Rose M. Singer Center, la prison des femmes de Rikers Island, en contrebas de cellules aux portes peintes en rose. Si vous écoutiez Janice, cette détenue afro-américaine qui a accouché ici, dans la Tombe, vous raconter la mort de son bébé âgé de deux semaines, et la mise sous clé du petit cadavre, sans qu'on lui fournisse la moindre explication, sans qu'on l'autorise à le voir à la morgue de la prison, sans qu'on lui permette de l'enterrer… Tout ce qui reste à Janice, c'est un papier chiffonné qu'elle montre à qui veut bien écouter sa triste complainte, un certificat de décès portant une empreinte du petit pied à l'encre noire… Pour le restant de sa vie elle entendra son bébé vagir dans les limbes, Mister Kahn, ni vraiment mort ni vivant, juste un vague vagissement qui lui vrillera le crâne à jamais, et elle ne pourra en réponse que contempler cette petite empreinte de pied noire… Ooooooooooooh, aucun doute, vous auriez le cœur brisé, Mister Kahn, je vous l'assure, et vous vous sentiriez bien chanceux dans votre infortune.

L'égoïsme

DSK dodeline du crâne. Nelson le connaît mal. Rien ne saurait atteindre son être en fuite calfeutrée empli de lui-même et de ses propres mots. Pas de ses maux : ses mots, ceux des formules toutes faites dont il se crédite en permanence, qui tressent depuis toujours un paravent entre lui et le monde. Équations statistiques, baratin socio-économique, notations algébriques de ses inlassables parties d'échecs, tournures conciliantes hypocrites dès qu'une divergence surgit avec un autre être humain... Depuis toujours DSK s'assourdit d'assertions. Non pas au sens banal où il s'écoute parler, mais au sens où, comme dans les cabines des avions où le vacarme des réacteurs est atténué par un dispositif électronique antibruit, les mots de DSK produisent un contre-bruit, un brouhaha inverse, une sourdine captivante qui lui permet de ne pas entendre l'écroulement de tout et les hurlements de ceux qui appellent à l'aide sous les décombres.

En 1982, près de trente ans avant d'écouter sans les entendre les tragiques récits de Nelson, DSK participait à son premier débat télévisé. Il venait de publier un essai consacré à l'endettement des ménages. Il n'était alors qu'un professeur d'économie à l'université de Nanterre, avec d'épais cheveux noirs, une barbe bien taillée trouée de deux cercles glabres sous les commissures, et de grosses lunettes à monture transparente qui lui conféraient un air d'espion oriental camouflé sous des attributs postiches de farces et attrapes.

Prémonitoirement entouré de femmes – c'était une émission réservée aux ménagères diffusée l'après-midi –, il s'était déjà révélé maladivement insensible au malheur. Une téléspectatrice invitée au débat venait d'évoquer longuement ses difficultés financières : la suffocation des dettes accumulées sur son modeste ménage, les crédits bloqués, les liquidations de biens, la voiture neuve non encore remboursée reprise par les huissiers, la perte de sa maison puis de son emploi, la vie en caravane avec son mari et ses enfants, les proches qui se détournent…, l'humiliante spirale de misère moisie dans laquelle sombrent tant de petites gens.

Durant tout le témoignage de cette femme, DSK se tortilla ostensiblement sur son fauteuil, comme s'il s'était assis par mégarde sur un décombre venu d'Agadir qui lui serait rentré inconfortablement dans une fesse. Quand on lui passa la parole, il prit un sourire forcé – exactement la même grimace des paupières qu'il allait arborer des décennies plus tard, au sommet de sa carrière, face à chaque journaliste lui demandant s'il comptait se présenter à la présidentielle en 2012 –, un rictus de traître d'opérette portant ses pires arrière-pensées en bandoulière. Il commença par badigeonner de démagogie les propos de la pauvre femme :

– C'est vrai que l'histoire que madame vient de nous raconter est tout à fait dramatique. Ceci dit, le tonus qu'elle semble manifester fait espérer qu'assez rapidement elle puisse arriver à s'en sortir. J'ai l'impression que finalement, contrairement à ce que vous disiez il y a trente secondes, vous prenez ça assez bien…

Intrinsèquement égoïste, telle la duchesse de

Guermantes à qui Swann annonce sa mort prochaine, DSK aussi pensait que la meilleure manière de résoudre les conflits était de les nier. Prenant tout à la légère, il ne semblait pas même comprendre qu'il existait autre chose au monde que sa légèreté imbécile et sa fausse science insensible. Souriant à la femme au bord du gouffre, il continuait de professer ses truismes tarés :

– Le problème qui est en cause, ce n'est pas de vivre avec des dettes, c'est de ne pas pouvoir rembourser les dettes.

Autant affirmer que les problèmes d'argent n'en sont pas et qu'il n'y a que des problèmes de manque d'argent...

Était-ce du cynisme ? Pas réellement. C'était, là encore, une fuite vers le jouir. Les envolées vides, les sourires factices, les grands mots puisés au vocabulaire socio-économique le plus consternant – le « corps social », la « solidarité intergénérationnelle », les « fluctuations des taux d'activité », la « capitalisation collective », la « transmission héréditaire du patrimoine non humain »... – servaient de flèches du Parthe protégeant sa retraite vers la concupiscence, intimidant l'adversaire par leur sérieux de façade, le maintenant à distance par l'apparente inaccessibilité de leurs significations. Ayant à répondre à un discours humain, DSK tournait en boucle autour du creux qui lui servait de cœur.

Était-ce du mensonge ? Non plus. DSK le premier avouait l'inanité de sa discipline. Se balançant sur sa chaise, il écouta posément une question de la présentatrice permanentée. Il s'ennuyait visiblement et répondit avec une franchise qui aurait désarmé n'importe quelle présentatrice permanentée si elle avait pu envisager l'imposture que recouvre l'appellation « économiste-sociologue ».

– Dominique Strauss-Kahn, vous êtes économiste-sociologue. Est-ce qu'on observe un changement de mentalité face aux dettes, face au crédit, face à l'argent que l'on doit ?

– Écoutez, répondit DSK avec un léger agacement dans la voix qu'il maquilla derrière un sourire forcé, de façon générale on n'observe pas grand-chose. On essaye de faire des hypothèses à partir de quelques éléments qu'on a, et elles valent ce qu'elles valent.

C'est-à-dire rien, eut-il une fraction de seconde l'honnête tentation d'ajouter…

Péroraisons

Trente ans plus tard, cette sorte de franchise serait définitivement bannie des conférences lénifiantes du FMI. Elle se réfugierait dans les SMS débiles que DSK enverrait à ses amis partouzeurs entre deux péroraisons sur la crise mondiale.

Péroraison : « La poursuite du processus de réduction de l'effet de levier dans les établissements financiers de par le monde, conjuguée à l'effondrement de la confiance des consommateurs et des entreprises, affaiblit partout la demande intérieure. Le repli du commerce mondial se poursuit à un rythme alarmant, et les prix des produits de base se sont effondrés. »

SMS : « J'emmène une petite faire les boîtes de Vienne. Ça te dit de venir avec une demoiselle ? »

Péroraison : « Selon nos collègues aux Nations unies et à la Banque mondiale, pas moins de quatre-vingt-dix millions de personnes pourraient sombrer dans la misère à cause de la crise. Dans de nombreuses régions du monde, ce n'est pas seulement de hausse du chômage ou de baisse du pouvoir d'achat qu'il s'agit, mais vraiment d'une question de vie ou de mort. La marginalisation économique et l'indigence pourraient entraîner des troubles sociaux, des désordres politiques, une faillite de la démocratie, ou la guerre. »

SMS : « Veux-tu (peux-tu) venir découvrir une magnifique boîte coquine à Madrid avec moi (et du matériel) ? »

Péroraison du 15 avril 2011 : « Au niveau de l'ensemble de la planète, les choses vont plutôt mieux. 4,5 % à peu près, ce n'est pas si mal et surtout c'est mieux que ce qu'on espérait il y a six mois. Maintenant, au cours de ces derniers mois, il y a quand même eu des ombres au tableau, nouvelles : évidemment ce qui s'est passé au Moyen-Orient et en Afrique du Nord qui sur le plan démocratique est une avancée formidable mais qui risque de poser un certain nombre de problèmes, en particulier en matière de pétrole ; la difficulté qu'il y a en Amérique latine qui maintenant a évité la surchauffe – ce qui était extraordinaire, c'est que dans cette partie du monde-là, la croissance est tellement forte que les risques d'inflation réapparaissent ; en Europe ça reste quand même extrêmement mou avec deux grandes difficultés, les dettes publiques de pays comme la Grèce, la situation de l'Irlande et maintenant du Portugal, et puis le système financier qui n'est toujours pas réparé et qui fait que le crédit ne va pas comme il devrait vers les PME. Comme on sait que ce sont les PME qui créent l'emploi, on n'est pas surpris de ce qu'à l'arrivée il y ait un retour de la croissance en Europe, mou mais quand même existant, mais avec très peu d'emplois derrière. Or ce qui compte, ce n'est pas la croissance pour la croissance, c'est la croissance pour l'emploi et les emplois on les attend toujours. »

Injonction du 14 mai 2011 : « *Suck my dick !* »

Ce n'était ni du cynisme ni du mensonge. DSK souffrait simplement d'une déficience majeure au niveau d'un organe qui n'entre dans aucun calcul, aucune statistique, aucune courbe, aucune partie d'échecs, et aucun SMS coquin, un organe dont par conséquent DSK ne se servait jamais : le cœur.

Si DSK avait eu davantage de cœur, non seulement il ne sourirait pas mécaniquement des paupières à chaque bobard, non seulement il ne grincerait pas du faciès en expectorant une excuse pour se préserver de l'étrange Nelson, mais *il remarquerait* cette étrangeté. Il serait capable de comprendre sinon le sens de ce qui lui arrive, du moins que ce qui lui arrive a un sens.

S'il avait du cœur, DSK aurait de l'oreille, donc de l'humour, et un humour qui ne se résume pas aux blagues lourdingues de potache attardé, aux dénis autistiques de la réalité sous la façade d'une morale de l'absurde.

Et si DSK avait de l'humour, il aurait le sens du temps. Il comprendrait que son séjour à Rikers Island ne saurait durer. Il saisirait que le Dieu de ses ancêtres auquel il ne croit pas lui envoie signal sur signal, tels des échos symboliques de ses mois de surdité absurde passés au FMI à voyager dans le monde pour répéter les mêmes poncifs simplistes devant des amphithéâtres d'auditeurs cyniquement confondus avec de grands enfants ou de doux idiots : « Si vous êtes malade et que vous demandez à votre médecin de vous soigner, le docteur vient, il vous prescrit des médicaments. Dans notre cas, les médicaments sont de l'argent. Mais le docteur dit qu'il faut également changer votre comportement... Si vous ne changez pas de comportement, vous ne retrouverez pas la santé. »

S'il ne change pas de comportement, il ne retrouvera pas la santé : tel est aussi ce qu'ont dit de toi Piroska Nagy et Nafi, bouffi !

Consolation

– Me permettez-vous de vous réciter un poème écrit par un détenu, Mister Kahn ? demande Nelson. Son nom est Scott Randolph, son surnom « *Ghetto Jedy Poet* ». Je pense que cela pourra apaiser vos angoisses et vous mettre du baume au cœur. Le poème s'intitule *Hold*, « Accroche-toi ».

DSK lance à Nelson un regard sombre, puis laisse son menton s'abattre sur sa poitrine comme pour offrir sa large nuque au bourreau. Nelson sort alors un imprimé en grisaille d'une poche de son uniforme.

– C'est *The Tomb*, la gazette de la prison, Mister Kahn. Elle fait notre fierté, entièrement rédigée, mise en pages et imprimée par les prisonniers.

Puis, après s'être éclairci sa chaude voix de ténor comme pour entamer un *negro spiritual*, il récite :

Accroche-toi
Agrippe ces mots comme si ton étreinte m'aidait à sauver

ma vie, pour que je vive et rembourse demain mes dettes d'hier
Le prix est les regrets de ma conscience réticente
Je revis mes échecs passés durant des nuits sans fin
Je prie pour que l'aube m'apporte le pardon…

Nelson continue de susurrer le poème amateur aux oreilles de DSK en le raccompagnant vers sa cellule. Ils forment un étrange couple, le Noir colossal, doux comme un agneau, psalmodiant un rap inspiré à un cœur simple depuis les profondeurs de l'abîme, ondoyant souplement comme s'il était le métis d'un chêne et d'un roseau, et ce gros petit homme blanc accablé, mal rasé, à la paupière tombante, Lazare semi-ressuscité en combinaison déchirable bleu clair lui donnant l'air de sortir d'une table d'opération sans avoir été recousu…

Parvenu entre deux portes grillagées, Nelson achève sa mélopée et lance à DSK avec un grand sourire :

– Mister Kahn, une idée me vient. Accepteriez-vous de rédiger un article pour *La Tombe*, une de ces brillantes analyses économiques dont vous avez le secret ? Tenez, laissez-moi vous photographier pour illustrer *La Tombe*, le fleuron et la fierté de la réhabilitation à Rikers Island !

Sans prévenir, Nelson sort un téléphone d'une poche de son pantalon et prend un cliché impromptu de DSK, juste avant de franchir la dernière porte d'un ultime couloir et de le remettre entre les mains des deux gardiens de sa cellule vide. DSK a à peine le temps de lever un regard torve vers l'immense Nelson, ses paupières clignotent sous l'impact du flash, déjà la porte de sa cellule se referme sur son corps las et taraudé de soucis.

Sitôt que Nelson a quitté DSK, il s'empresse d'envoyer par e-mail la photo dc son nouvel ami au rédacteur en chef de *The Tomb*, expliquant que cela ferait une formidable illustration pour un article du directeur du FMI sur les failles dans la gestion du système carcéral et les divers moyens d'y remédier.

Aussitôt que le rédacteur en chef ouvre son e-mail, il reconnaît le prisonnier sur la photo, éclate d'un grand rire strident et s'empresse de contacter un tabloïd auquel il propose de vendre les droits exclusifs d'une photo du captif le plus célèbre de la planète, assurant sa fourniture en cigarettes jusqu'à la fin des trente-cinq années de détention qu'il lui reste à purger.

C'est ainsi que la photo innocemment prise par le candide Nelson se retrouve le 18 mai 2011 en première page du *New York Daily News*. DSK y est vraiment misérable, satyre déchu surgi d'on ne sait quel bas-fond, comme si tous les articles de tous les tabloïds parus depuis le 15 mai le dépeignant en immonde porc libidineux muni d'un pénis à la place du groin avaient fini par le convaincre qu'il ne valait pas mieux que sa caricature de vieux pendard et de pervers compulsif. Jamais comédien n'aura aussi pleinement incarné le roi Lear déchu que le pauvre DSK sur cette photo lamentable.

« Quel est celui qui peut dire qui je suis ? » avait-il demandé à Nafissatou Diallo dans la suite 2806 du Sofitel. Eh bien, cette photo prise deux jours plus tard en toute innocence par le gardien Nelson justifie la sentence du Fou : « L'ombre de Lear ! »

Un détail cependant retient l'attention de votre vieil ami Sac d'Os, l'homme qui lit dans les pensées. Sur cette photo navrante, un infime rictus traverse le bas de son visage, une ébauche de sourire soulève la commissure gauche de sa lèvre. Oh, c'est presque imperceptible, mais rien n'échappe à mon orbite creuse ! Et savez-vous pourquoi DSK se défend par un embryon de sourire face au flash de Nelson ? Parce que celui-ci a tiré de sa poche un Nokia 5320 datant de 2008, largement obsolète en 2011. Reconnaissant l'appareil, l'incorrigible DSK n'a pu s'empêcher de penser avec commisération que l'antiquité de ce baltringue n'arrivait pas à la cheville de son propre BlackBerry Bold 9900.

Du plus profond de la tombe, les voies de la consolation du réprouvé sont impénétrables…

Pépieur épieur

Quel son fait un coup de pied spectaculaire donné dans la fourmilière française ? Ni braoum ! ni vraoum ! Pas de grand décombre mais une faramineuse frénésie de cliquetis, une grande muraille de tapotages, les milliards d'ordinateurs et de téléphones portables de la planète échangeant en direct leurs avis, lazzi, inepties, arguties, argumentaires, interrogations, accusations, réquisitoires, indignations, informations, déformations, malformations, calomnies, injures, ricanements, rodomontades, grincements, grimacements, gargouillis, gribouillis, bouillies, brouets, onomatopées, pets, interprétations, sarcasmes, hoquets, ponctuations, vociférations, calembours, calembredaines, gargarismes, barbarismes, solécismes, obscénités, fantasmes, fautes de frappe... tout cela entretissé en un colossal stock de tics étiquetés sous le doux nom de « Pépieur »...

Luc, Guy et moi-même sommes réunis dans la salle des ordinateurs du Manhattan Psychiatric Center. Debout derrière le siège d'Homer Simpson, nous jetons un œil par-dessus son épaule tout en devisant tels d'inoffensifs comploteurs.

Agglutiné à son écran, Homer dévore goulûment sans ordre, cohérence, ni hiérarchie, les milliers de « pages » traitant de l'affaire Strauss-Kahn. Il rebondit au hasard en cliquant sur les liens insérés dans chacune des pages qu'il ingurgite, tombant parfois sur une publicité liée à un mot commun par une robotique association d'idées. S'il lui restait encore quelque chose qu'on puisse nommer neurones, cette séance de lecture automatique – sans comparaison possible avec l'écriture des surréalistes, tant la vitrification technique en a éradiqué toute poésie – achèverait de les griller.

Le voici sur Twitter, donc. Twitter ou le triomphe du peu ou prou médisant, le bégaiement délationnel à la portée de tous, l'épieur qui pépie pour ne rien dire, le totalitarisme du cancan fragmentaire, l'hyperbolique redondance du creux, l'hypnose auto-sodomisée par les cornes de sa propre passivité... Homer lape son écran avec volupté. S'il n'était pas si profondément autiste, on jurerait qu'il est ensorcelé. Le mot « page » ne convient plus – ce n'était de toute manière qu'un pis-aller pour désigner des grouillements de pixels maquillés sous une forme vaguement traditionnelle. S'agit-il encore de « mots » ? À peine. Sur l'équivalent cybernétique d'un panneau d'aéroport d'où nul ne s'envolera jamais, de courtes sentences écrites dans un jargon indigeste américanisé et hérissé de symboles se succèdent en une liste sans fin devant les yeux excavés de Homer.

Plusieurs journalistes de presse présents au procès de DSK martyrisent leurs téléphones pour envoyer les bribes de leurs inconsistants témoignages. Une Française raconte tout, c'est-à-dire rien : elle ne voit rien, ne sait rien, ne comprend rien, elle le proclame, et c'est un scoop qui fait le tour du monde, repris le soir même par toutes les télévisions et radios hexagonales : « Je suis tout près de #DSK, je le vois de dos. »

Un autre journaliste de radio épie et pépie sans discontinuer. Ces messages morcelés confinent au monologue intérieur d'un téléspectateur moyen – équivalent rentable du débile léger. Peu importe, l'immense valeur d'échange médiatique de Twitter ne réside pas dans le contenu, bourré de fautes et d'approximations creuses, mais dans l'Instantanéité, ce que des extasiés n'ayant aucune idée du Temps ni du Réel nomment absurdement « temps réel ».

« Au tribunal, waiting for dsk »

« Dans la salle d'audience des familles de prévenus… et des journalistes. coming for the French Guy ? »

« Avocats »

« Avocats Dsk arrivés mais la police n'aime pas les tweets ! »

« Toujours rien »

« Avocat de dsk il ne vient pas ce soir »

« dsk menotté »

« Le juge est une femme »

« Dsk est la »

« S'est assis a l'ecart dans salle d'audience. attend son tour »

« Dsk visiblement atteint »

« Dsk resorti, pas d'explication. d'autres prevenus defilent devant la juge »

« Strange. Plus de defile de prevenus et dsk ne revient pas »

« La juge continue se traiter les dossiers, tranquille »

« Dsk revient »

« J'ai croise son regard perdu. dsk est la, s'est assis dans un coin pour ne pas être vu »

« Dsk assis a cote d'autres prevenus, jeunes, pauvres bougres et avocats un peu las »

« Brafman dans la place, ex avocat de Michael jackson »

« Petit box vitré. dsk parle a l'ecart a ses avocats »

« Dsk repart s'assoir, petite moue a ses avocats, gros cernes »

« Photographes de presse debarquent dans salle d'audience avec cameras ! »

« Ca y est photo dans le box »

« Taylor et brafman en place »

« Dsk devant la juge ! »

« Imper sombre ecoute »

« Debut de l'enquete dit le proc presente dsk comme Homme d'une grande Influence »

« Millions de dollars serait peu pour caution »

« Proc discours ferme »

« Dsk essayait de fuir »

« Avocat ce Monsieur a 4 enfants et pas d'antecedants judiciaires »

« L'avocat affirme qu il y a zones d'ombre et dsk n'a pas fui »
« Dsk pret a rester a ny »
« Dsk presenté comme innocent et cooperatif avocat »
« Sa fille vit ici, sa femme est arrivée a ny »
« Dsk essaye de parler a la juge son avocat l'en empeche »
« Dsk voulait dire qu'il n'a pas fui »
« 1 million de dollars de caution ? »
« Pas de remiss en loberte »
« Fin de la couverture pour la journée. merci a tous »

Volapük nihiliste

– AH AH AH AH ! fait Luc, gardant un visage étale malgré son rire théâtralement tonitruant.

Il a à peine posé les yeux sur l'indigente succession de borborygmes mentaux qu'affiche l'écran. D'un ton posé, il nous explique, à Guy et moi, son dédain lapidaire.

– À force de nier le Temps, cette planète ridicule s'est décatie à très grande vitesse. C'est d'une civilisation obsolète que participent non seulement les kiosques à journaux ; les quotidiens aux éditoriaux aussi recyclables que le papier sur lequel on les imprime ; les torchons gratuits financés par la réclame ; les insolents monceaux d'immondices illustrées appelés « magazines » ; les diffusions en boucle des chaînes de désinformation ; les débats débiles des chroniqueurs exténués par leurs navettes incessantes entre studios radio et télévision – tels d'égotistes cochons d'Inde tournant à perpétuité dans leur cage ; mais encore les gloses médisantes et ordurières des blogs, et même les vaguelettes saumâtres des « commentaires » – version connectée du courrier des lecteurs où s'épanche l'insondable crétinerie désœuvrée des nouveaux pinailleurs du nihilisme, ces mal nommés « internautes » qu'on ferait mieux d'appeler « entrenuls »… Eh bien, cette *cloaca maxima* multimédiatique encore inimaginable il y a dix ans, ce maelström insensé d'images, de commérages, de radotages électroniques, appartient pourtant à un monde prématurément flétri par l'apparition d'un nouveau volapük virtuel dont ni le catholique Schleyer ni le juif Zamenhof n'auraient pu avoir l'idée. Et je vous avoue, mes deux jeunes disciples…

Guy et moi échangeons un sourire sans interrompre Luc dont la mégalomanie dynastique ne nous surprend plus depuis longtemps.

– … que je ne me réjouis pas peu de voir ces nouvelles générations d'animalcules *sapiens* gazouiller leur indigence dans leur phrasé microscopique de cent quarante caractères sur des machines à écran aussi miniaturisées que leurs cervelles.

– Qu'avez-vous particulièrement contre Twitter, Monseigneur ? demandé-je en m'asseyant à côté de Homer, qui pousse un soupir autistique.

– Personnellement, rien, mon bon d'Os. Je n'ai pas à me plaindre ni à juger les minables véhicules que choisissent les homoncules pour se ruer vers leur perte. Je constate, c'est tout. L'engouement des gobe-mouches pour ce nouveau morse planétaire qui – prétendent-ils, jamais à court d'une imposture – conduirait les révolutions, libérerait les peuples enchaînés, démocratiserait l'accès à l'information, dissiperait les frontières… me fait sourire, voilà.

De Daguerre à Twitter

– Il n'y a pourtant pas de quoi sourire, Camarade, interrompt Guy que les exigences d'étiquette de Luc n'impressionnent guère. C'est là la suite logique du long processus d'innocuité des masses entrepris depuis le Daguerréotype jusqu'à YouTube, en passant par le cinéma, la télévision, Internet, les téléphones portables, les smartphones, et bien entendu ces vastes entrepôts d'abrutissement communautarisé que sont Facebook et Twitter…

– Tu es sérieux, Guy ? Tu vois un rapport entre Daguerre et Twitter ?

– Je suis sérieux comme le négatif, Sac d'Os ! Sache que si je ridiculise souvent, je ne rigole jamais. Le Daguerréotype a inauguré la collusion idéologique entre le commerce, la science, le gouvernement, donc la domination, et la distraction inoffensive inoculée au plus grand nombre. Ni plus ni moins que Facebook, YouTube ou Twitter aujourd'hui. Pas d'avant ni d'après dans ce chaos en fusion.

Je pousse avec précaution Homer de l'épaule – il réagit aussi peu que si je n'existais pas – pour taper sur Google le mot « daguerréotype ». Je tombe sur un texte étrange dont je fais part à mes deux compères en surveillant Homer du coin de l'œil. Il ferme les paupières et se balance doucement comme un Juif en prière.

– Connaissez-vous les analyses de Walter Benjamin dans sa *Petite histoire de la photographie* ? Il écrivait des choses comparables à ce que tu dis, Guy : « Il ne serait pas étonnant que les pratiques photographiques aient un lien souterrain avec l'ébranlement de l'industrie capitaliste. »

– Benjamin était un brave homme et un esprit subtil,

mais trop candide à mon goût. Il a écrit sa petite histoire en 1929, année qui fut la *camera obscura* du ravage capitaliste, lequel, sitôt exposé, allait dévaster l'Allemagne et favoriser l'accession d'Hitler au pouvoir. Connais-tu le point commun entre Hitler et Daguerre ?

– Hormis la passion du dément en culotte bavaroise pour la pose extatico-hiératique devant l'objectif de Hoffmann, je ne vois pas…

Luc, dont la moindre anecdote concernant Hitler est la marotte, hausse un sourcil menaçant.

– Comme Hitler, continue Guy, Daguerre était un artiste raté. Et comme le moustachu maniaco-dépressif, il y tenait. En 1839, dans sa *Description pratique du procédé nommé le Daguerréotype*, il se présentait encore, et dans cet ordre, en : « Peintre, inventeur du Diorama, officier de la Légion d'honneur, membre de plusieurs Académies, etc. »

– On croirait lire les titres de petite-bourgeoisie de César Birotteau ! dis-je. « Parfumeur, chevalier de la Légion d'honneur, adjoint au maire du 2e arrondissement de la ville de Paris » !

– Peintre raté, Daguerre commença par reproduire d'abominables décors de théâtre avant de se métamorphoser en bateleur, puis en chercheur, puis en entrepreneur, puis en bienfaiteur officiel de l'humanité pleurarde. En somme, il est le véritable ancêtre de Steve Jobs…

– Vous noterez au passage, interrompt Luc qui nous écoute distraitement tout en fixant sauvagement Homer, comme les noms dévoilent malicieusement leur part d'ombre. Et en l'occurrence de lumière artificielle. Daguerre est la forme francisée du basque « Aguirre », qui désigne un lieu à découvert, un espace dont rien n'est dissimulé. Cet homme portait sa guerre à l'énigme du Temps dans les entrailles de son patronyme. Et quant à l'idole de Strauss-Kahn, le gourou psychorigide aux pieds nus : Steve « Emplois » Jobs, ce bien-nommé n'aurait jamais pu s'appeler Steve « Vacances » Holidays. *Idem* concernant Marc Rich, une des pires crapules de la catastrocratie contemporaine : multimilliardaire véreux, corrupteur, pollueur, affameur sans principes ni vergogne, cette vivante incarnation du saccage n'aurait pu s'appeler d'un trop parlant « Marc Poor ». De même qu'Henry et John Poor, tout milliardaires qu'ils furent, n'auraient pu s'appeler les « frères Rich », ni Standard and Poor's « Luxe et Volupté ». Vous ignorez probablement que John Poor fit fortune dans les chemins de fer américains au XIXe siècle…

– Dont le déploiement, commente Guy, est aussi indissociable du génocide des Indiens d'Amérique que l'activité de la SNCF durant la Seconde Guerre l'est de la tentative d'extermination des Juifs de France…

– … Il acquit *The American Railroad Journal* pour son petit frère, Henry Poor, qui y publia les premières analyses financières de l'histoire. Un siècle plus tard, l'agence de notation Standard and Poor's fait vaciller les États en proférant – ou en menaçant simplement de proférer, voire en gaffant et se trompant en annonçant faussement une profération comminatoire – ses sinistres annotations scolaires : AAA, AA+, AA–, BBB et autres *aglagla*…

– Vous n'avez pas tort, Monseigneur, dis-je. Il faudrait être sourd pour ne pas entendre dans ces « AA » et ces « BB » ridicules les ricanements et les frissonnements de la pauvreté financière s'abattant sur les pays industrialisés qui se pensaient « riches »... Cet abécédaire atrabilaire ne vaut pas mieux qu'un FMI : Foutaise Manie Intrigue !

Edmond, l'infimier en chef, passe une tête dans la salle des ordinateurs. Nous voyant réunis et converser de bonne humeur, il se met à aboyer :

– TAISEZ-VOUS UN PEU, LES TROIS DINGOS, ON N'ENTEND QUE VOUS !

Puis, dans un grand ricanement hystérique, il repart accomplir son office de sadisme quotidien.

Luc, ongles plantés dans les paumes de ses poings serrés, lèvres exsangues de rage, murmure :

– Scélérat abhorré, dénaturé, odieux ! Misérable brute ! J'écrabouillerais sous mon talon cet étron mental avec une indicible volupté...

Cliché du no man's land

Guy demeure imperturbable. Il semble n'avoir pas remarqué l'intervention d'Edmond et, après nous avoir laissés l'interrompre, il reprend son étrange exposé sur les turpides voies de la providence spectaculaire...

– Daguerre témoignait d'un engouement congénital pour le trompe-l'œil. Sa gaucherie esthétique y trouvait un défouloir. En 1822, il avait peint une partie du décor d'une « opérette-féerie », jouée au théâtre de la galerie Vivienne, intitulée *Aladin et la lampe merveilleuse*. Inspiré par cet opium populacier, il se prit de passion pour l'idée d'une « lampe merveilleuse » et dans la foulée inventa le « Diorama », qui mêlait l'illusion d'optique, la perspective, la mauvaise peinture et de minables effets spéciaux reproduisant l'ensoleillement, le crépuscule, la pluie, le vent, etc. Le succès fut considérable. Ancêtres de ces fanatiques qui campent devant les Apple Stores du monde entier la veille de la distribution de chaque nouvelle machine à décerveler, les badauds éberlués se pressaient en longues files d'attente pour admirer durant quinze minutes, debout et bouche bée, un paysage artificiel, ersatz du paysage infiniment plus somptueux que ces abrutis pouvaient contempler gratuitement n'importe où autour d'eux. Un immense plateau tournant portait sans effort ces infirmes d'un trompe-l'œil à l'autre. À la sortie du spectacle, histoire de leur faire consommer leur aliénation jusqu'à la lie, Daguerre leur fourguait des dioramas portatifs, pompeusement nommés « polyoramas panoptiques ». Reproduisant le procédé falsificateur en miniature, ces petites boîtes n'étaient autres, en somme, que les ancêtres de l'iPhone : des gadgets destinés à siphonner toute vie intérieure. À partir de 1833, reprenant les travaux de Niépce après sa mort, Daguerre parvint à raccourcir le temps de pose nécessaire pour fixer les images de la chambre noire sur des feuilles d'argent plaqué sur cuivre. Arago – le futur ministre républicain de la Guerre, le savant vulgarisateur, le professeur d'astronomie populaire, le mesureur de la vitesse de la lumière et du son, l'orateur hors pair –, à qui Daguerre montre son procédé, s'enthousiasme. Les deux hommes sont particulièrement fascinés par deux caractéristiques de l'invention – laquelle, je vous le rappelle, préfigure toutes les macintosheries et saloperies communicatrices contemporaines. D'abord, l'économie du facteur humain entre le sujet et sa reproduction à l'identique. Au fond, avec le Daguerréotype, l'homme n'est plus que l'humble serviteur d'un processus qu'il enclenche mais auquel il ne concourt point. Son invention, insiste ce roublard de Daguerre, en tant qu'elle participe de l'optique et de la chimie, n'est qu'une façon pour la Nature de s'engendrer elle-même en démultipliant son image : « Le Daguerréotype n'est pas un instrument qui sert à dessiner la nature, mais un procédé physique et chimique qui lui donne la facilité de se reproduire d'elle-même. » En vérité ce n'est pas la Nature qui se reproduit dans l'invention de Daguerre, mais la Mort qui y est à l'œuvre. Il suffit, pour le comprendre, d'observer un cliché daté de 1838 : une vue en plongée du boulevard du Temple depuis le toit d'un immeuble de la place de la République…

Tandis que Guy parle, je déniche la photo sur Internet.

– … Cette photo est probablement la première de l'histoire où apparaisse un être humain. À une exception près le boulevard du Temple est vide, la ville désertée de tous ses passants, marchands, calèches, chevaux et animaux de compagnie. Il ne s'agit pas d'un choix, comme plus tard avec le photographe Eugène Atget qui décidera de collectionner le désert parisien. Ici c'est la technique naissante qui annihile le mouvement humain : l'objectif du Basque requérait plusieurs minutes d'exposition, et à moins de demeurer immobile, sage comme une image durant ce temps minimum, on était invisible à la machine à reproduction… Or un seul homme, parmi l'immense foule, est resté assez longtemps sans bouger pour être fixé par l'appareil, apparaissant dans ce que Walter Benjamin qualifierait nostalgiquement – mais à tort – d'« image d'un gris tendre ». « Homme », pourtant, c'est beaucoup dire. Il faudrait plutôt l'appeler chimère, tant sa silhouette fantomatiquement floue paraît sur le point de s'évanouir dans les limbes du no man's land. Il est debout, sur le trottoir cisaillé de soleil, à un angle du boulevard, les mains dans le dos, une jambe posée sur ce qui ressemble à une fontaine ou bien au tabouret d'un cireur de chaussures. Puise-t-il de l'eau pour son patron ? Se fait-il rutiler par un larbin ? Est-il maître ? Est-il esclave ? On ne le saura jamais. Et cette ambivalence aussi est tatouée dans le code génétique de la sinistre invention.

D'un geste hautain du menton, désignant Homer qui gigote face à la webcam posée en pince au sommet de son écran, Monseigneur ponctue :

– Les faits, terribles témoins, sont faciles à étudier ; on peut constater le désastre. La prolifération numérique du portrait a pris aujourd'hui des proportions aussi abyssales que dégoûtantes, et qui ne trompent pas. Plus leur caboche est creuse, plus ces imbéciles d'humains se gargarisent d'en multiplier le vil reflet. La gadgétisation de l'impudeur a transformé le portrait, un genre pictural jadis réservé aux plus nobles, en tout-à-l'égout des ego délabrés, en réceptacle des déjections extraverties du dodo *sapiens*. En photographiant sous les plus répugnantes coutures la part la plus secrète et sacrée de son être, sa face, la mouche homonculesque s'en détourne, la dilapide, la putréfie en rognure dérisoire. L'immonde *homo picturalis* se tire le portrait à tout va, comme par réflexe et sans y penser, de même qu'il éternue. Du coup il n'y a pas plus de rapport entre ces monceaux de faciès mornes et ce que signifie vraiment avoir un visage, qu'entre un mouchoir dégoulinant de morve et un traité hindouiste sur les cinq souffles.

Guy hoche la tête en baissant les yeux vers le sol, comme s'il réfléchissait à la portée des sombres propos de Luc. Puis il reprend :

– Le Daguerréotype est à la racine de cette vulgarisation sans nom. Telle est la seconde caractéristique du coup d'éclat de Daguerre : l'accessibilité de tout un chacun, partout sur le globe, à sa propre abolition par l'image. En réalité, c'est principalement du fait d'Arago. Daguerre, lui, se serait contenté d'empocher l'argent de sa trouvaille de foire. Arago voyait plus loin. Il s'agissait de ficeler techniquement le monde, d'en reculer toute frontière jusqu'à l'annihilation.

Boîtier de Pandore

Pendant que Guy s'exprime, je déniche sur Internet le récit détaillé de la séance où le ministre de l'Intérieur Duchâtel, renseigné par Arago, plaide devant la Chambre des députés. C'est le 13 juin 1839 : « Pour le voyageur, pour l'archéologue, aussi bien que pour le naturaliste, l'appareil de M. Daguerre deviendra d'un usage continu et indispensable. Il leur permettra de fixer leurs souvenirs sans recourir à la main de l'étranger. »

– Il ne viendrait pas à l'esprit de ce sinistre, dis-je, que « fixer » ses souvenirs demeure stérile si l'on n'entreprend d'abord de les méditer. Jusqu'à Daguerre, carnet de notes en main les plus subtils voyageurs se passaient très bien de son boîtier de Pandore du tourisme perpétuel, dont on sait aujourd'hui ce que lui doit le ravage de la planète...

Toujours à sa manie des nominations, Luc renchérit.

– Mon jeune assistant (*moue de Guy*) n'a pas tort. Conformément à son patronyme, Arago n'est pas étranger à la globalisation du *ragot* perfectionné qu'incarnera Twitter. Car il fallait deux conditions pour que le ragot devînt la novlangue du XXIe siècle. D'abord, l'*instantanéité*. Instantanéité de la transmission, de la reproduction, de la duplication, de la prolifération. Ensuite, un *espéranto faisandé* qui, cette fois, parvînt vraiment à envahir la surface du globe. Cela n'a pas eu lieu du jour au lendemain. Pour que triomphassent l'espéranto ou le volapük – ces deux idées infâmes –, il fallait attaquer la Parole *simultanément* dans chaque langue à la source même de son énigme, c'est-à-dire de son intraductibilité y compris en elle-même. Voilà pourquoi la première application du Daguerréotype à laquelle *Ah ! ragot* songe, c'est la résolution du mystère insondable et exaspérant pour une cervelle scientiste que représentent les hiéroglyphes.

Confirmant Luc, je lis un passage du discours d'Arago :

– « Pour copier les millions et millions de hiéroglyphes qui couvrent, même à l'extérieur, les grands monuments de Thèbes, de Memphis, de Karnak, etc., il faudrait des vingtaines d'années et des légions de dessinateurs. Avec le Daguerréotype, un seul homme pourrait mener à bonne fin cet immense travail. » La première application à laquelle songe Arago est celle d'un supplétif scientifico-linguistique de l'armée d'Égypte. C'est comme s'il baptisait le Daguerréotype *Memento mori*.

– *Memento mori* ? Pas mal, Mister Bones, fait Luc, pourtant avare de compliments.

– Sauf qu'en l'occurrence, intervient Guy, c'est la Mort qui se rappelle à l'humanité amnésique récidiviste. La grande attaque des Temps modernes contre le Verbe débute, ou plus exactement se formule avec Daguerre et l'instantanéité portative de sa petite machination. De Daguerre à Twitter, il n'y a donc pas de solution de continuité mais une lente, une irrépressible progression empoisonnée. Bien sûr, tout s'est accéléré récemment avec le déploiement endémique des téléphones portables, préparant le triomphe de la venimosité crétine en inoculant depuis plusieurs années le sous-jargon onomatopéique des textos à des milliards d'endormis.

– J'abhorre les textos, dis-je. Sottise 1 / Texte 0. Ils sont au langage ce qu'un catcheur de foire est à un samouraï.

– C'est ainsi que Twitter parachève aujourd'hui l'ineptie empoisonnée par ses millions de pépiements circulant virtuellement à travers le monde. Le Daguerréotype est donc doublement un leurre. D'une part, au sens simple, en tant qu'image industriellement reproductible, il n'est qu'un simulacre, un ersatz vitrifié de la nature. Or on oublie trop que tout ce qui apparaît sur un écran aujourd'hui, quelle que soit sa taille : photos, pages web, « textes » divers, participe techniquement de l'image. Sur un écran ne scintillent pas des phrases faites de mots, mais des pixels qui s'agrègent parfois sous l'apparence de lettres. Pourtant – et là est le leurre du leurre ! – ce n'est pas son statut d'image qui distingue le Daguerréotype, lui permettant d'ouvrir la voie au nouvel engouement du monde. Après tout, l'héliographie de Niépce, dont Daguerre aura certes grandement amélioré les propriétés, méritait déjà pleinement le statut d'image. Non, ce qui caractérise le boîtier crépusculaire de Daguerre, c'est sa *portabilité*, c'est-à-dire sa mise à la disposition de tout un chacun n'importe où, et dès lors la possibilité napoléonide qu'il offre de conquérir le monde. Voilà pourquoi Arago s'empresse de faire acheter le brevet par la monarchie de Juillet, obtient une rente à Daguerre et au fils de Niépce, et fait aussitôt mettre dans le domaine public la boîte à ténèbres qualifiée de « don au monde ». De fait, devenue « propriété publique » par un « acte de munificence nationale », l'infamie luminophage connaît un succès phénoménal, inouï, bientôt planétaire. Les vrais artistes rugissent d'horreur, comme Baudelaire. Mais l'immense majorité des ratés divers dans tous les domaines – et d'abord dans celui de la vie – s'extasie et se rue sur l'invention. Delaroche, dont Delacroix moquait la « peinture sérieuse », se sent spontanément soulagé de son insuffisance. Il s'extasie : « D'aujourd'hui, la peinture est morte ! » C'est que, selon lui – et écoutez bien les termes de son argumentation car ils sont significativement *politiques et antirévolutionnaires* –, le fini photographique, « d'un précieux inimaginable, *ne trouble en rien la tranquillité des masses*, ne nuit en aucune manière à l'effet général ».

– Antoine Wiertz, dis-je, autre peintre de seconde zone, bruxellois humaniste, pacifiste, démocrate, et thuriféraire de la boîte à ténèbres, pousse ce cri du cœur : « Soleil, prends garde à toi ! »

– Voilà pourquoi, reprend Guy, le gouvernement de Louis-Philippe bave de désir devant le joujou à tranquilliser les masses... Aux États-Unis, c'est du délire. Comme si cette nation totalitairement bourgeoise, sans passé ni scrupule, comprenait spontanément l'alliance avantageuse qu'elle peut faire avec l'Image dans son vaste projet d'installation exterminatrice et de colonisation génocidaire. C'est d'ailleurs l'empereur de la transmission à distance, Samuel Morse, qui se montre le plus fervent propagandiste de l'appareil français. Lui-même, comme tant d'autres, avait longtemps cherché le secret de capturer l'éphémère reflet chatoyant dans la chambre obscure. Il avait fini par renoncer, déclarant l'exploit impossible. Daguerre fut donc son bouleversant Messie, pour reprendre le mot justement méprisant de Baudelaire. Début mars 1839, Morse, dont le Télégraphe est déjà célèbre, vient à Paris pour rencontrer son héros basque. Nous sommes quelques semaines avant que le gouvernement n'achète l'invention dont le procédé est encore tenu secret. Aussi Daguerre n'accepte-t-il de recevoir Morse à son atelier du Diorama qu'en échange d'une démonstration du Télégraphe. Les deux hommes pactisent aussitôt, et Morse reviendra aux États-Unis en photographe compulsif…

– C'est là que j'interviens, dit Monseigneur. Quelques jours à peine après cette visite fatale du 7 mars 1839, où les horreurs futures se distillent dans l'alambic des deux assassins du Temps, l'atelier du Diorama, où Daguerre tenait tous ses clichés, brûle de fond en comble, comme par un grommellement du Destin…

Guy regarde froidement et fixement Luc, comme pour défier sa psychose sataniste, puis conclut :

– Voilà en quoi cette invention de l'ombre annonce Twittbook et tous les « réseaux sociaux » contemporains, davantage que le gramophone, la locomotive ou l'ampoule électrique…

Benjamin en miroir

– C'est intéressant, dis-je. Walter Benjamin parle, à propos de la photographie instantanée, de « fonction stérilisante dans l'expérience vécue ».

– Oui, Camarade, fait Guy, un brin provocateur. Mais ton Benjamin n'arrive pas à se dépêtrer de sa passion pour l'aurore de la photographie. Il ne comprend par conséquent pas l'infrastructure invisible de l'aliénation. Il s'étonne, par exemple, qu'Arago s'intéresse davantage au Daguerréotype qu'au chemin de fer, auquel il est défavorable. Arago a compris ce qu'ignore Benjamin, et pour cause. Le chemin de fer s'en prend principalement à l'Espace, tandis qu'en obscurantisant la lumière, c'est paradoxalement au Temps que s'attaque Daguerre. Benjamin est si pathologiquement nostalgique qu'il confond tout. Par exemple, dans une photographie de 1857 des fiancés Dauthendey, il croit distinguer dans le regard de la femme le vertige de son suicide futur après la naissance de son sixième enfant. Il s'agit, affirme à tort Benjamin, de la mère du poète Max Dauthendey. Et voici ce qu'il écrit, fasciné par cet effet de prophétie qui, s'imagine-t-il avec une poignante naïveté, tient à la magie temporelle de la photographie : « Son regard à elle est fixé au-delà de lui, comme aspiré vers des lointains funestes. Si l'on s'est plongé assez longtemps dans une telle image, on aperçoit combien, ici aussi, les contraires se touchent : la plus exacte technique peut donner à ses produits une valeur magique, beaucoup plus que celle dont pourrait jouir à nos yeux une image peinte. »

– Il croit cela, l'insensé ! rugit Luc.

– Il dit même que « la réalité a pour ainsi dire brûlé de part en part le caractère d'image », évoque « l'endroit invisible où, dans l'apparence de cette minute depuis longtemps écoulée, niche aujourd'hui encore l'avenir, et si éloquemment que, regardant en arrière, nous pouvons le découvrir ». Bref, il fantasme à fond la gomme ! Car, d'une part, il ne s'agit pas de la mère du poète mais de la seconde femme de son père, qui d'autre part ne s'est jamais suicidée ! Tout ce que croit découvrir Benjamin dans cette photographie qui rédimerait la technique est aussi faux qu'une promesse de syndicaliste pendant une grève générale ! Et comme un coup de daguerréotype n'abolira jamais le hasard, c'est évidemment son propre suicide futur que le bon Benjamin aperçoit en miroir dans une photographie qui ne lui renvoie rien d'autre – en termes de « prophétie rétrospective », comme Max Dauthendey l'appelle – que la demi-brume de ce que son propre regard désespéré y projette inconsciemment…

Luc hoche le menton avec mansuétude, tel un prince que ses favoris divertissent, appréciant le duo spéculatif que Guy et moi lui susurrons à l'oreille.

– Allons, mes enfants ! sardonise Luc, qui est pourtant le plus jeune de nous trois. Nul besoin de passer par le doux et hélas bien béjaune Benjamin pour comprendre de quoi il retourne, concernant l'attaque de la Technique contre le Temps. C'est sous vos yeux depuis tout à l'heure, et vous n'avez rien vu ! Tout est dit, exposé, revendiqué et consommé par le roi-bourgeois en personne, dans son adresse solennelle du 15 juin 1839 qui surplombe le projet de loi offrant le Daguerréotype à l'humanité.

Luc se penche alors à demi sur le clavier de l'ordinateur devant lequel Homer et moi sommes assis et, montrant qu'il sait parfaitement se servir de ces machines qu'il méprise infiniment, il pratique un agrandissement sur l'écran, comme pour rendre à l'Image un ambivalent hommage en lui laissant le dernier zoom :

LOUIS-PHILIPPE
roi des Français,
À tous présents, et à venir,
salut.

Puis, dans un ricanement métallisé où éclate sa démesure mégalomaniaque – mâtinée d'un indiscutable talent de mise en scène :

– « Présents, et à venir » ! HA HA HA HA ! Daguerre, Twittbook, ou l'auto-annihilation pour les nuls…

Le Mollusque amnésique

Y a-t-il encore des frontières ? des points cardinaux ? des fuseaux horaires ? un en deçà et un au-delà des Pyrénées ? une aurore et un crépuscule ? un envers et un endroit ? un avant et un après ? une vérité et un mensonge ? une réalité et un mirage ? une vie et une mort ?

Pas sûr.

Twitter, Facebook, YouTube, Google, Wikipédia, l'information en général et l'infâmation en particulier ne connaissent nul repos. Le sans-borne a avalé le capharnaüm du monde en l'attelant sagement à des écrans de toutes tailles où tout est égal, étale et létal.

Voilà pourquoi depuis un asile psychiatrique de Manhattan on peut se sentir comme chez soi à Wall Street, Fukushima, Tunis, Le Caire, Tripoli ou Paris, et vice-versa. Il suffit de s'immerger dans l'horizon des événements d'un écran d'ordinateur ou de télévision – opium rétinien comparable aux camisoles chimiques dont nous gavent nos gardes-chiourme –, et d'échanger sans douleur toute angoisse, toute audace et toute pensée contre la béatitude factice d'un fourmillement de sons absurdes et d'images immondes.

À l'étranger, DSK prête davantage à rire qu'à pleurer. L'effarante année 2011 – jusqu'ici martelée d'images morbides d'immolés tunisiens, de noyés et d'irradiés japonais, de désespérés grecs, de canardés égyptiens, de bombardés libyens, de cloîtrés ivoiriens, d'engloutis birmans, d'explosés marocains – a pris sans prévenir un tour farcesque. Une seule victime androgyne (Nafissatou ? Dominique ?), et des centaines de millions de spectateurs hilares. Pragmatiques, les Américains peaufinent déjà des scénarios de série et de film inspirés du scandale. Cela fait d'ailleurs longtemps que le succube Celluloïd a pompé l'entièreté de la vie publique américaine, de laquelle il ne se distingue plus.

– Le cinéma ! dit Luc. Cette industrie de la frigidité faite farce ! Demandez donc à Artaud le bien qu'il pense de ce « monde mort, illusoire et tronçonné ». C'est tellement vrai que je ne suis pas sûr de ne pas l'avoir pensé avant lui. Demandez-vous pourquoi dans la petite ville d'Oświęcim que les Allemands renommèrent « Auschwitz » en l'occupant, si les SS avaient interdiction de fréquenter les bars et les restaurants, le petit cinéma de la ville leur était strictement réservé…

Mimétiques et taquins, les Chinois illustrent leurs journaux télévisés de dessins animés en images de synthèse, où un DSK nu aux yeux bridés violente une Nafissatou Diallo jonquille qui hurle en s'enfuyant dans le couloir de l'hôtel.

À Paris, la première comparution de DSK diffusée en boucle sur tous les écrans a sonné l'hallali des vanités. Les crétineries accumulées des péroreurs médiatiques forment un immense Mollusque amnésique qui se met à danser la java, comme transpercé par un électrochoc, à chaque nouvelle photographie du néo-bagnard diffusée sur Internet puis dans la presse écrite dont les ventes s'envolent.

Les seuls, pour une fois, à ne pas donner leurs avis mensongers sont les communicants de DSK. Même si Brafman n'avait pas intimé à Hommel, Khiroun, Finchelstein et Fouks l'ordre absolu de se taire, leurs compétences mythomaniaques seraient définitivement atterrées. Ce fait divers insensé, éminemment grotesque – que les journalistes comparent déjà avec gourmandise à l'affaire Dreyfus ou à l'effondrement du World Trade Center –, rabougrit en trottinette anodine la Porsche Panamera à cent trente-sept mille euros au sortir de laquelle, seulement quinze jours auparavant, le gaffeur DSK a été photographié. Ce minuit fatidique du 15 mai 2011, lorsque la princesse monétaire Cendrillon Strauss-Kahn est réapparue en souillon menottée et mal rasée, un sortilège sordide a racorni son carrosse Panamera en citrouille exiguë de Harlem.

Quelle dose de mensonges, de leurres, de contre-feux, de lettres d'amour factices, de blogs improvisés, d'articles croisés diluant le poison, de révélations sans conséquence… pourrait rivaliser avec *ça*.

Si les *spin doctors* se taisent, d'autres bavards toupillent dans leur mélasse.

Interrogés à tout va, les amis de DSK – chacun songeant avec des sueurs froides à ses propres turpitudes clandestines – commencent sans grand succès par litoter le séisme en fêlure…

« Il n'y a pas mort d'homme », finasse Jack Lang, ancien ministre fêtard et connaisseur en la matière : il assista en effet de près à la retorse manière dont l'homme de sa vie, François Mitterrand, conduisit peu ou prou au suicide Pierre Bérégovoy auprès de qui Lang et DSK collaboraient à la même époque. Lang, alors ministre de l'Éducation, s'était fait remarquer en orthographiant mal le nom « Shakespeare » sur le tableau d'une école qu'il visitait. Aux ricanements unanimes, il rétorqua en bougonnant : « Il n'y a pas mort d'homme... » À l'enterrement de Bérégovoy, DSK s'était penché à l'oreille de Lang et lui avait murmuré :

– Quand même, Mitterrand aurait pu prendre ses derniers appels de détresse téléphoniques, quitte à le laisser parler dans le vide, comme je faisais moi...

– Oh, fit Lang. Qui pouvait prévoir qu'il y aurait mort d'homme à ne pas répondre à un coup de fil ?...

Mais dans le maelström d'indignations, l'objection de Lang a aussi peu d'efficacité que le camouflage par Clinton de la fellation de Monica Lewinsky en leçon de saxophone.

« Troussage de domestique », dit le journaliste Jean-François Kahn, sans doute titillé par procuration en raison de son homonymie avec DSK. Nouveau rugissement du maelström, java du Mollusque amnésique, et Kahn doit rétropédaler dans la semoule en affirmant qu'il se dégoûte d'avoir dit ce qu'il n'a pas pensé, jurant que plus jamais de sa vie il n'écrira d'éditorial sur quelque sujet que ce soit. Le Mollusque étouffe un rot d'ennui, oubliant aussi vite la polémique que Kahn sa promesse.

Au Parti socialiste, ce n'est pas la java que l'on danse, c'est la valse... Les larmes aux yeux, Martine Aubry se révèle bouleversée par les images de Cendrillon Strauss-Kahn acculée à la citrouille. Elle a encore aux oreilles sa voix mielleuse lui chantonnant « Love Me Tender » lors de leur karaoké japonais de 1992. C'était la bonne époque, celle d'avant les cauchemardesques *J't'enyoutube, Fuitter* et *Cancanpedia,* lorsque les bourdes diplomatiques se géraient avec un tant soit peu de latitude. La Première ministre Édith Cresson avait-elle gobinesquement comparé les Japonais à des fourmis ? Qu'à cela ne tienne : on organisait une visite de réconciliation d'Aubry et DSK à Tokyo, et Dodo l'Enjôleur n'avait qu'à expliquer à leurs hôtes que ces propos témoignaient de la sincère admiration de la France envers la civilisation nippone. On signait quelques contrats dans la foulée, et le soir tout le monde pouvait aller picoler et se détendre au karaoké de l'hôtel.

François Hollande met de longues heures à comprendre ce que cela implique le concernant. Il faut dire que la confiance en soi n'est pas la caractéristique majeure de cet ancien glouton complexé, à qui on avait clairement fait savoir qu'amaigri ou pas il n'était pas de taille à lutter contre le sumo du FMI. Un mois auparavant, DSK avait carrément expliqué à ce microbe ramolli que, puisqu'il avait l'impertinence de maintenir sa candidature aux primaires socialistes, il ne devait pas compter sur un poste de Premier ministre en 2012, même en arrivant second.

Mimant immodestement leur maître, les sous-fifres de DSK ne tarissaient pas de railleries. Claude Bartolone avait lancé dans un rire sarcastique : « Hollande est une petite entreprise qui fait monter sa valeur pour pouvoir le cas échéant être vendue à la multinationale de Washington. »

Commentaire lapidaire de Monseigneur :

– Et ces grotesques baragouinant spontanément l'ordurière langue de Wall Street voudraient qu'on les distinguât de leurs grotesques et orduriers adversaires !

Doutant pusillanimement de son propre destin, Hollande se contentait de répéter : « Il y a toujours une surprise dans un scrutin. Bonne ou mauvaise, mais il y a toujours un événement qui n'a pas été anticipé. »

Jean-Marie Le Guen, quelques semaines avant le cataclysme du 14 mai, pouvait au contraire si peu penser à l'impensable – l'éviction de DSK – qu'il le prédisait à son insu : « Vous imaginez l'été, si Dominique ne se présentait pas ? Vous imaginez ce qui va se passer cet été ? Ségolène, François, Martine ? à partir du 13 juillet ? Mais enfin on va être ridicules ! » Si Le Guen allait rallier dare-dare le camp de Hollande après la citrouille, du temps du carrosse il menaçait encore, outré : « Il y a un moment où il ne faut pas qu'Hollande dépasse euh... »

Quoi donc ? La ligne jaune ? les limites ? Nul ne saurait le dire, la colère lui ôtant les mots de la bouche.

« ... Bon, il avait le droit, et c'était parfaitement légitime de jouer une option si Dominique n'est pas candidat, "j'vois pas pourquoi je n'serais pas candidat", mais là, franchement... On ne peut pas avoir comme objectif indépassable l'avenir de François Hollande... »

Quant à Arnaud Montebourg, qui s'était fait remarquer dès 2007 en moquant François Hollande avant tout le monde, dopé par le succès de son idée américaine des primaires, il n'épargne égalitairement son mépris à aucun candidat. Il ne daigne ainsi se comparer qu'à Obama : « Je suis un outsider absolu, total. Barack Obama ? Il a commencé comme moi, d'ailleurs, c'est exactement la même histoire : Il était ri… ri… »

Quoi donc ? « Riche » ? « rigide » ? « rigolo » ? « ridicule » ?…

« … euh… raillé, et il a gagné, voilà ! »

Jusqu'au 14 mai, donc, François Hollande n'était pas loin d'être d'accord avec tous ses condescendants concurrents. Il ne parlait de lui-même que comme d'un package marketing au contenu indifférent… « J'ai changé de rôle, changé de tunique, si je puis dire… changé de peau, je ne sais pas, non, je suis la même peau, pas forcément la même chair dedans, mais, voilà, changé, montrer que j'ai changé, que je n'étais plus dans la même situation… » Après le 14 mai, il n'a qu'à écouter docilement ses conseillers lui détailler la passementerie de sa nouvelle tunique. « François, énonce doctement un sénateur socialiste, ce que les Français attendent de toi, c'est que tu te mettes dans les habits du président. »

Hollande écoute sagement en prenant des notes…

« … C'est ce qu'ils veulent, que tu adoptes la posture présidentielle. » Hollande relève la tête et acquiesce en opinant.

Si, au même moment, Sarkozy avait ouvert les *Pensées* de Pascal qu'il porta un temps en médaille à l'attention du Mollusque amnésique – pour racheter une déclaration franche et crétine concernant *La Princesse de Clèves* –, il y aurait trouvé cette phrase, cruelle à tous les politiciens du monde : « Les seuls gens de guerre ne se sont pas déguisés de la sorte parce qu'en effet leur part est plus essentielle. Ils s'établissent par la force, les autres par grimace. »

Déréliction de la Parole

Commentaire de Freud :

– Au fond, Herr d'Os, il n'y en a que deux à garder le silence : DSK et Sarkozy. Ce sont d'ailleurs les deux plus imperméables aux diktats de leurs communicants. À la fois parce qu'ils partagent une même assurance mégalomaniaque, et pour des raisons psychologiques antagonistes. DSK, son cas est clair. Sa confiance absolue, sourde, aveugle, autistique presque, dans l'aptitude de son équipe à maquiller toute trace de stupre, lui fait commettre les pires impairs. Sarkozy, lui, méprise catégoriquement ses communicants. Il n'écoute qu'une fois sur dix leurs conseils de présentation – conseils longtemps inopérants en France car conçus selon les critères américains destinés à la misère psychologique d'un public foncièrement puritain… Aujourd'hui, ce n'est plus le cas : l'Amérimécanisation universelle a disséminé cette misère de Paris à Pékin et renforcé d'autant l'efficacité de la science des grimaces. Si Sarkozy, donc, arbore son inconscient sans complexe, c'est que son auditoire n'est pas les journalistes – qu'il hait, qu'il traite comme des chiens, des domestiques, des condamnés rassemblés dans une ridicule charrette tirée par un tracteur agricole derrière son hautain destrier. Non, son vrai, son seul public, c'est l'imaginaire idéologique moyen de la France profonde. Il s'adresse d'inconscient à inconscients, assumant indifféremment toutes les contradictions, toutes les palinodies, tous les mensonges, tous les lapsus, toutes les ordureries idéologiques… Pourquoi s'excuserait-il ? Et de quoi ? A-t-on jamais entendu un inconscient – cet inconscient où sont emmagasinés les germes de tout ce qu'il y a de mauvais dans l'âme humaine – s'excuser d'être ordurier ? Du coup, cet impromptu passage à l'acte spermatique de son plus sérieux concurrent à la présidentielle de 2012 le laisse pantois. C'est comme si l'herbe de l'acte manqué lui avait été coupée sous le pied. Et si les arrogants grands débiles de son propre parti se taisent pudiquement, ce n'est pas que l'envie de cancaner et de diffamer leur manque. C'est simplement que le Maître leur a ordonné le silence. Il connaît ses gens comme sa poche. Il sait comme ils furent galvanisés par son application brutale, sans concession, des mœurs despotiques du *management* au monde politique. Ils ont été électrifiés par sa manière délibérée de souiller et de piétiner toutes les traditions du langage diplomatique. Pour des raisons qui tiennent à son histoire personnelle, il est le premier politicien spontanément en phase avec la déréliction de la Parole qui ombrage le monde depuis près d'un siècle. Et tous ses fidèles l'imitent avec la même constance que les courtisans du roi de Monomotapa, au Zimbabwe, qui boitaient comme lui, toussaient avec lui, éternuaient en chœur dans son sillage. Mais les pâlichons épigones de Sarkozy sont loin d'avoir sa ténacité caractérielle. Par un inévitable retour du refoulé collectif, ils se prennent régulièrement la langue dans la mise au pas techniciste du discours politicien. Ils jaculent ainsi des lapsus libidineux à tire-larigot. « Fellation galopante », « gode électoral », « empreintes génitales »... Ça n'arrête plus, chaque semaine une nouvelle révélation involontaire d'un vice privé jaillit hors de leurs lèvres. Plus ils jactent, plus ça « acte » – pour leur emprunter leur abject vocabulaire techniciste. DSK a peut-être impulsivement violé une femme de chambre, mais eux, les grands eunuques du pouvoir en place, violent la langue française à tour de lapsus… Voilà, cher Herr d'Os, pourquoi Sarkozy, que tous soupçonnent de jubiler alors qu'il fulmine en secret, a ordonné à ses bobèches de garder un profil bas.

Le profil bas, en revanche, ce n'est pas le genre des éditorialistes. N'ayant rien à dire d'une affaire sur laquelle nul ne sait rien de précis, ils dégoisent sur les distinctions entre justices américaine et française, sur le comportement coutumièrement phallocratique des hommes politiques, sur les usages journalistiques de mutisme concernant les vices privés des puissants, sur les réactions effarées ou indignées des uns, des unes, des autres. Déchaînés, les caricaturistes et comiques radios et télés s'en donnent à cœur joie, profitant du blanc-seing de vulgarité et d'obscénité offert par les dépêches de l'AFP.

Dans ce concert de cancans klaxonnants – jailli de la Fourmilière française avant d'être ingurgité, régurgité, réingéré puis déféqué par le Mollusque amnésique… –, une intervention tranche par sa cocasserie. C'est celle de l'écrivain Philippe Sollers. À l'occasion de l'anniversaire de la mort de Jacques Lacan, il résume l'affaire à son auditoire hilare de déguster chaque allusion aux calembours du maître :

– M. « Stress-Kahn », qui, s'ennuyant à mourir, a décidé de ne pas céder sur son désir, est quelqu'un qui a parfaitement compris Lacan à l'envers. Et je vous le prouve ! Premièrement, il ne cède pas sur son désir. Peut-être qu'il se trompe sur son désir… La question est ouverte.

Deuxièmement, qu'il n'y ait pas de rapport sexuel, mais ça va de soi ! Ce n'est pas une raison pour se précipiter sur la première femme de chambre venue, en lui hurlant : « Il n'y a pas de rapport sexuel ! »... Et le sexe, ce n'est pas les psychanalystes qui vont me dire le contraire, le sexe rapporte. Beaucoup. C'est une industrie. Ça a du rapport au sexuel, de ce point de vue. Et puis ça rapporte dans le sens de : ça fait beaucoup de ragots. Ça se rapporte... Et là, autre lecture de Lacan à l'envers, ben c'est les séances courtes. La séance courte à six minutes l'éjaculation ADN plus dentifrice, douche... Chapeau ! Viagra ou pas. D'autant plus qu'une nuit entière avec une *escort girl* à mille quatre cents dollars la nuit, c'est pas rien quand même, il faut être de nouveau en forme à midi. Mais la lecture de Lacan à l'envers, c'est aussi l'endroit. Est-ce que j'ai besoin de vous dire que le FMI, le Fonds de Masturbation International, ne l'a pas efféminé, F.M.Iné ? Non ? Ai-je besoin de vous conclure, car ici tout le monde va me comprendre, j'espère, et j'en finis là, sur cette fabuleuse parole de Lacan qui devrait être inscrite dans toutes les écoles : « L'hystérique veut un maître sur lequel elle règne. » Ai-je besoin de préciser la situation ? Vous avez les noms ? Non ? « L'hystérique veut un maître sur lequel elle règne » : eh bien c'est Anne Sinclair et Strauss-Kahn. Voilà.

L'Amour, l'Argent

Conformément à la prédiction de Nelson, DSK a fini par se faire éjecter de Rikers Island. Un juge nommé « Obus » lui a signifié les conditions astronomiques de sa nouvelle assignation à résidence. Ce mot, « obus », n'existe pas en anglais : le démon de la Comédie est français et peaufine ses projets dans cette langue. Ce qui est américain, c'est le *In God we trust* qui toise les prévenus depuis le mur du tribunal de Centre Street. En l'occurrence, étant donné les millions de dollars de caution assenés aux oreilles de DSK par le juge Obus, il ne s'agit vraiment pas d'une affirmation gratuite.

– L'Argent est le juge jaloux de l'Amérique, me dit Marx, et c'est la raison pour laquelle, chez Shakespeare, et particulièrement dans *Le Roi Lear*, *dollar* rime avec *douleur*. L'Argent souffre, et il hait les jouisseurs, c'est-à-dire par essence les *dépenseurs*. C'est la contrepartie de l'équivalence entre *gratuité* et *liberté* couramment signifiées dans le mot *free*. Dollar et douleur d'une part, émancipation et gratuité de l'autre. À quoi il faut ajouter l'amour, puisque l'étymologie du mot *free* enseigne qu'en proto-indo-européen la base **pri-* signifie « aimer ». Pour un Yankee « *Time is money* » n'est pas une boutade. Il faut lire jusqu'au bout le raisonnement de Franklin, qui associe avec une logique capitaliste intraitable l'épargne et la procréation : « Rappelle-toi que le temps est de l'argent ; celui qui pourrait en un jour gagner dix shillings et qui, pendant la moitié du jour, se promène ou paresse dans sa chambre, quand il n'aurait dépensé que six pence pour son plaisir, doit compter qu'en outre il a dépensé ou plutôt jeté cinq shillings à l'eau. Rappelle-toi que la puissance génitale et la fécondité appartiennent à l'argent. L'argent engendre l'argent, et les rejetons peuvent engendrer à leur tour et ainsi de suite. »

Voilà pourquoi le juge Argent a placé son Obus en suspension au-dessus du crâne jouissif de DSK. Le juge Argent a peu apprécié les libertés que DSK a toujours prises avec lui, l'Argent, comme avec l'Amour entendu au sens puritain et monogamique. « Chose dite, chose due », disent aujourd'hui l'Argent et l'Amour également bafoués par la légendaire légèreté de DSK, à qui aucun engagement n'a jamais rien coûté.

Pourtant, face au *In God we trust* américain, DSK n'est pas entièrement désarmé. Il possède son propre triple A portatif : Argent, Amour, Anne.

L'Amour est la vraie vedette de cette seconde comparution de DSK. L'Amour vient le sauver héroïquement de la Tombe, sans un mot, caparaçonné d'orgueil et de mutisme – comme si le mutisme, plus encore que la cécité, était le *nec plus ultra* de l'Amour. « *My love's more richer than my tongue*[1] », disent Cordelia à son père et Anne à son homme. Aussi, ce 19 mai 2011, l'Amour fend-il la foule des cameramen, des photographes, des curieux et des policiers avec un infime sourire de rage contenue, une fureur parcimonieuse dont l'ambiguïté reflète le doute et la détermination qui l'agitent et que rend son regard étrangement égaré. Car l'Amour, ce 19 mai 2011, a un regard imperceptiblement inhabituel. Les Américains n'en savent rien, mais les Français, eux,

1. « Mon amour est plus riche que ma langue. »

connaissent parfaitement ce regard bleu clair pour en avoir goulûment lapé le reflet durant des années sur leurs écrans de télévision.

« Des yeux partout »

Antonin s'y connaît en regards hallucinés. Concentré et clignotant comme un aigle aux aguets, il fixe sur l'écran de télévision Anne Sinclair qui fend la foule pour pénétrer dans le tribunal de Centre Street d'où, à pleines brassées de millions de dollars, elle va bientôt extirper l'homme de sa vie.

– Mon cher ami, ça s'appelle une affaire d'envoûtement.

– Comment cela, Antonin ?

– Aucun doute, cette femme est ensorcelée. Je sais comment ça se trafique là-dedans. D'autant plus que je connais le responsable de son sort.

– De qui parlez-vous ?

– De Pablo Picasso. Je l'ai bien connu, je veux dire que j'ai croisé son regard, moi aussi. Et je puis vous certifier, Sac d'Os, que si Pablo Picasso décidait de vous regarder – car rien ne lui faisait jamais peur –, si ses prunelles impavides, noires, stridentes comme un soleil toisé en face, avaient décidé de vous dépiauter l'âme, de vous la transpercer, de vous la crucifier, de vous la minotaurer, de vous la démembrer, de vous la remâcher et de vous la recréer sur ses toiles effarantes aspergées de sorts, rien n'était de force à contrecarrer ses jets d'acide dilacératoire. Pablo Picasso était un voyant au sens vrai et retentissant du terme, au sens vibrant, au sens véhément et qui nous empoigne. Pablo Picasso était un sorcier surpuissant, même si, comme

Dominique Strauss-Kahn, il avait son démon qui le tenait assujetti à je ne sais quelle préoccupation ou hantise, je ne sais quel asservissement à la sexualité. Pablo Picasso, ce sorcier, ce marabout, ce féticheur, ce chaman, Pablo Picasso savait que l'âme de l'homme n'est pas dans les mots, que l'âme de l'homme se laisse voir à même sa peau, que la vieille dent osseuse de l'âme sillonne l'épiderme comme un arc électrique pour inspirer aux frétillants humains leurs postures, leurs grimaces, leurs chichis, leurs singeries, toute l'universelle tartufferie des simagrées humaines. Je veux dire que Pablo Picasso connaissait mieux que quiconque les répugnantes façons qu'ont les bourgeois de renâcler, de piaffer, de trépigner et de se détourner de la vérité pour la mettre à mort en s'adonnant à cet excrément de l'esprit qu'on appelle la réalité. Le grand-père maternel de la petite Anne Sinclair avait été son galeriste. Pablo Picasso l'aimait bien, à peu de chose près comme un chaman peut aimer un boutiquier. La petite Anne Sinclair aussi, il l'aimait bien. Lorsqu'elle eut quatorze ans, alors qu'elle n'était qu'une adolescente gâtée, bonne élève, bien éduquée, banalement bourgeoise, la petite Anne Sinclair vint visiter Pablo Picasso avec sa mère, Micheline Rosenberg-Sinclair, dont il avait fait le portrait enfant sur les genoux de la grand-mère d'Anne Sinclair. Pablo Picasso déclara à Micheline Rosenberg-Sinclair : « J'ai bien envie de peindre ta fille. *Je lui vois des yeux partout*. » L'épiderme stratifié de tartufferie de la petite Sinclair, engluée dans la brutale aberration de son éducation bourgeoise, a aussitôt senti qu'il s'agissait d'un sort. Seulement cette pucelle n'a pas compris qu'il s'agissait aussi d'une chance, d'une prémonition envisageable, d'un schibboleth rétinien. Picasso lui faisait le don du voyant. Or qu'a d'autre, Sac d'Os, à offrir un voyant que sa voyance...

– Je suis bien placé pour le savoir, Antonin, je vous ai raconté mon enfance.

– L'enfance, Sac d'Os, ça n'existe pas. La preuve, c'est que Pablo Picasso proposa précisément à Anne Sinclair de la guérir de son enfance, de lui *ouvrir des yeux partout*, de dessiller ses iris bleuis comme des élytres de glace sous lesquels ses prunelles gisaient mortes et enterrées depuis sa naissance. Or elle a hurlé : « NON », et elle s'est enfuie de l'atelier du peintre dont la saleté sacrale la répugnait, pour aller grimper sur *La Chèvre* dans le jardin. Le sort de sa cécité était jeté. Si Pablo Picasso vous voit des yeux partout, on le laisse vous les voir et vous les peindre et vous dépuceler le regard par sa transmission chamanique de voyance. La petite Anne, elle, ne pouvait que s'imaginer en « gueule tordue », comme elle disait, à la Dora Maar dont les portraits dans l'appartement de ses grands-parents Rosenberg la terrorisaient par leurs rafales de désintégration acide. Depuis ce jour, depuis qu'elle a osé dire non à la magie de Pablo Picasso, Anne Sinclair est aussi aveugle dans l'âme qu'elle est vouée à tous les regards. D'emblée davantage passionnée par le scotome journalistique que par l'extralucidité picturale, la petite Anne Sinclair a toujours suivi la recommandation de son grand-père Rosenberg de ne pas « se gâcher les yeux » dans un musée en voulant tout voir – et pourquoi donc aller dans un musée, je vous le demande, mon cher ami, si ce n'est pour TOUT y voir ! –, mais seulement de repérer « ce qui est fort ». C'était une recommandation de galeriste, pas de peintre. Voilà comment et pourquoi la petite Anne Sinclair, entourée jour et nuit de tableaux magiques, a précautionneusement évité de se faire déflorer la cécité que Pablo Picasso lui avait non pas inoculée, mais enfin dont il ne l'avait pas sauvée, puisqu'elle avait refusé de le laisser la peindre.

– Ce que vous dites est crucial, Antonin. On dirait qu'elle a passé son existence à nier les évidences. Elle fut ainsi recalée à Sciences Po parce que, sur une carte où on lui demandait de représenter les plus gros producteurs de blé dans le monde, elle oublia carrément le pays de sa naissance, qu'elle connaît pourtant si bien : les USA ! Dans les années 1960, elle est comme tout le monde passionnée de politique. Mais ce ne sont ni Lénine, ni Trotski, ni Mao, ni Lumumba, ni le Che Guevara qui l'intéressent, comme tant de fils et de filles de la bourgeoisie en révolte ouverte contre le monde morbide et rassis de leurs parents. C'est Jacques Chaban-Delmas, Raymond Barre ou Edgar Faure !

Antonin renifle et se mouche dans la manche de son habit. J'attends qu'il ait fini, puis je reprends :

– Son passe-temps favori consiste, à cette époque, à téléphoner au standard d'Europe n° 1 pour poser une question à l'invité du jour. Sa mère Micheline l'enregistre, et Anne conserve précieusement son effarante collection de cassettes étiquetées « Chaban et moi », « Edgar Faure et moi »... On est trois ans avant Mai 68, elle a dix-sept ans. C'est aussi l'époque où elle se prend d'une passion quasi érotomaniaque pour Mendès France...

– Mon cher ami, comme toutes les femmes elle juge avec son sexe, non avec sa pensée. Ainsi que le dit le pauvre Edgar du *Roi Lear* : « *O indistinguish'd space of woman's will !* » « Ô espace indistingué du désir d'une femme ! »

Regardez-la sortir du tribunal, erratique et hiératique, au bras de cette autre jeune femme, furieuse elle aussi, comme une fleur extirpée de colère dans l'apocalypse de la vie. Anne Sinclair est sûre de bientôt récupérer son phallus d'iniquité. Elle va poursuivre sa vie d'aveugle et d'envoûtée, le pieu du sortilège de Pablo Picasso fiché dans son unique œil larvaire tel le cyclope éborgné d'Homère. Je veux dire que l'incandescent sortilège de Pablo Picasso s'est incrusté à même sa prunelle, par sa faute à elle bien sûr, et qu'elle s'est elle-même vouée, par son « NON » épidermique, à toujours regarder, toujours absorber, toujours ingurgiter des monceaux de platitude et d'indigence mentales, ne jamais agir, ne jamais comprendre, ne jamais réfléchir, ne jamais réfuter, ne jamais critiquer. Elle incarne l'admiration passive au suprême degré, le fanatisme de l'énamoration fugitive, le radicalisme de la volonté engoncée dans une servilité gélifiée : le *regard creux*.

C'est donc cela, ce sortilège, cet envoûtement pour parler comme l'implacable Antonin, qui explique le regard embué d'étrangeté d'Anne Sinclair arrivant au tribunal… Si j'ai bien compris Artaud, le jour où Picasso lança : « Je lui vois des yeux partout ! », il ne s'agissait pas de la peindre en Argus femelle mais de la prémunir prémonitoirement contre la rafale de regards réducteurs dont elle allait être le vortex aveugle une bonne partie de sa vie. Son refus farouche, sa frigide rébellion la laissa seule avec ses œillades infécondées qui allaient répandre leur givre d'azur sur sa destinée. Ce regard figé, cet oculus perforé réfractant des yeux partout le regardant, c'est lui qui assurera le succès de l'émission télévisée d'interviews hebdomadaires d'Anne Sinclair. À partir de 1984, tout autour d'Anne se soumettra à ses yeux irradiés de passivité, à son regard aboli par sa célébrité même et condamné à être vu sans jamais voir. Devenu le plus fameux regard de France, il agissait comme un tourbillon d'énamoration magnétique. Le décor de l'émission même devait être illuminé et coloré du même bleu que les yeux d'Anne, auxquels un directeur photo fut spécifiquement assigné. Ce technicien chargé de la pureté télévisuelle du regard d'Anne Sinclair parlait alors de « peindre l'image », comme s'il s'agissait chaque semaine de hurler à nouveau « NON », de renier à nouveau le portrait d'Anne Sinclair que Picasso n'a jamais peint, cet invisible tableau qui l'aurait sauvée d'elle-même.

Quelques jours plus tard, après qu'Anne et DSK ont erré dans Manhattan à la recherche d'un havre que le sort semblait leur refuser avec entêtement – comme son abri au roi Lear –, tandis que les journaux télévisés diffusent les images de chaque pièce de la geôle luxueuse jusqu'à la nausée qu'Anne a dénichée *in extremis* (« *Time is money* » !) sur Franklin Street, Antonin vient me rejoindre dans la salle à manger et me dit :

– J'ai appris hier, il faut croire que je retarde, ou peut-être n'est-ce qu'un faux bruit, l'un de ces sales ragots comme il s'en colporte entre Wall Street et TriBeCa…, j'ai appris hier qu'Anne Sinclair et Dominique Strauss-Kahn ont emménagé dans un panoptique doré où ils sont postés sous la surveillance permanente, dévoratrice et irréfutable de dizaines de pupilles mécaniques. Doivent-ils sortir de leur terrier envahi d'yeux crevés pour aller consulter M. Avocat, ou M. Médecin, ou M. Rabbin, ou M. Flic, les voici à nouveau assaillis par des dizaines d'autres yeux morts qui les guettent en permanence afin de retransmettre sur des millions d'écrans de télévision leur non-vie, leur pauvre non-vie sacrifiée à un crapuleux néant qui s'ignore. Car on ne peut pas appeler cette condamnation à la vocifération visuelle une vie, mon cher ami Sac d'Os, puisque vivre, c'est ne pas pouvoir se regarder. Or, pour avoir un jour dit « NON » au chaman qui lui voyait des yeux partout, voilà Anne Sinclair soumise à perpétuité à l'acrimonieuse masturbation d'âme de M. Tout-le-Monde qui veut pouvoir regarder dans tout le monde afin de savoir ce que tout le monde fait.

– Vous savez, Antonin, cet homme et cette femme sont coutumiers du luxe. Leur appartement place des Vosges à Paris, leur riad à Marrakech, leur maison à Washington ne sont pas particulièrement des gourbis…

– WASHINGTON ! Misérable ville au nom maudit ! Vous n'êtes pas sans savoir, cher ami, que ce nom néfaste de « Washington » est la subsomption de tous mes déboires avec la police et la psychiatrie universelles. C'est en effet sur le *Washington* que la police irlandaise m'embarqua de force le 29 septembre 1937, et c'est sur ce bateau que l'on a tenté de m'assassiner, et c'est au débarquement de ce bateau dans la ville mal nommée du Havre que j'ai été interné de force et ai dû depuis lors subir la torture répétée de camisoles, de coups de pied dans les testicules, de coups de couteau dans le dos et de comas électromagnétiques.

Or il paraît que cette fastueuse demeure de Washington qu'Anne Sinclair possède et qu'elle a mise en gage pour obtenir la libération de son homme recèle en son sein un totem maléfique, je veux dire qu'au centre du salon de ce manoir ensorcelé trône un abject paratonnerre nécroseur dûment destiné à empêcher, par-delà sa mort, Pablo Picasso d'agir bénéfiquement sur Anne Sinclair...

– Un paratonnerre ? vraiment ? dans le salon de leur maison de Washington ? En êtes-vous certain, Antonin ?

– Je ne délire pas, je ne suis pas fou. Je vous dis qu'un totem obscène imprégné de la plus efficiente magie noire trône dans le salon de la maison de Washington d'Anne Sinclair, et ce totem est une espèce de poteau en aluminium muni d'une girouette à la rotation maléficiente, un Janus fatal sur une face duquel se trouve un écran de télévision ultramoderne, plat comme une vitre ouverte sur le revers de gelée méningée où s'engonce la volonté humaine, et sur l'autre face duquel est perversement exhibé un tableau de Picasso. Et lorsque Anne Sinclair entend se glorifier de sa girouette de magie noire, elle énonce une formule dégouttante d'obscénité : « Culture » au recto, « Media » au verso... Mais qui peut bien vouloir étrangler un acte de magie de Picasso, qui peut vouloir enrôler une toile chamanique de Picasso dans la bourgeoise notion de « culture » ! N'est-ce pas là l'occasion unique de se demander pourquoi l'envers qui est l'unique endroit est jalousé par le revers alors qu'il est l'inaliénable surface dont le plein est le seul état...

La Tirelire

Que fait DSK à TriBeCa ?

Il s'ennuie, puisqu'il est dépossédé de son seul mode de jouissance, la fuite en avant. Ce pyromane existentiel est désormais confiné dans une ancienne caserne de pompiers située sur Franklin « *Time is Money* » Street. Coincé entre le Temps et l'Argent. Comme si, opportunément facétieux, le Destin entendait forcer DSK à se confronter à lui-même autrement que sur le mode du séisme.

Aussi le voilà emprisonné avec Anne et ses millions dans une absurde tirelire à quatre niveaux où le moindre détail de la décoration se chiffre en centaines de milliers de dollars. Le mobilier, les revêtements, l'appareillage, l'équipement électronique, les couleurs, les bibelots, les matériaux, l'organisation de l'espace, tout y jure, tout y injurie la beauté, tout y souille le bon goût, tout y insulte le calme, tout y vandalise la volupté sous les apparences d'un luxe qui n'est qu'usurpation des yeux et affront à l'esprit.

Rien n'y manque de ce qui constitue aujourd'hui le vide d'une vie de nouveau riche : salle de cinéma, spa, jacuzzi, piscine, salle de sport, télévisions gigantesques à chaque mur, et bien entendu *aucun livre*. L'Espace a englouti le Possible. C'est l'antithèse d'un château de la Loire, d'une villa classique, d'un manoir, voire d'une simple maisonnette de campagne, d'un châlet alpin ou d'un cottage agreste, non parce que tout y est plus luxueux, mais parce que le Temps – le véritable temps, pas le temps à tuer ; le temps dans sa plénitude labyrinthique dont DSK a si peur – y est éradiqué au bénéfice de l'écarquillement de la pupille. La patine de la vie vécue, de la méditation, des émotions, des souvenirs saupoudrés du sol au plafond, du silence régnant et de la profuse joie de vivre y est annihilée. Non pas simplement absente, mais chassée. Dans chaque pièce, un éclairage impérieux de salle d'opération traque le recueillement au seul profit du regard. « *Don't think, look*[1] *!* » ordonne l'Argent. Et ce qu'il y a à regarder, dans la Tirelire du 153 Franklin Street, ce n'est que la matérialisation de son compte en banque en bunker *design*.

Cette abjecte décoration clinquante et trébuchante de yacht ou de palais émirati n'a même pas, comme chez Goneril, le charme métaphysique d'un déséquilibre inquiet, où les meubles, au moins, troublent la raison et questionnent la pensée. L'inquiétude y interpelle la quiétude, elle ne l'annihile pas. Chez Goneril, les choses sont vivantes, hérissées par la folie, au bord d'imploser et d'entraîner l'atmosphère dans le conflit généralisé, comme dans un cauchemar. Tandis que la Tirelire du 153 Franklin Street ne trouble pas la vue – cette laideur *profondément petite-bourgeoise, conçue pour se conformer*, est d'une banalité dérisoire. Tous les milliardaires de la planète y adhèrent. Elle assourdit l'oreille tant tout y hurle, avec l'amabilité d'un boum-boum de boîte de nuit, « Regardez comme je vaux cher ! »

DSK, ce grand névrosé des nouvelles technologies, est servi : épié jour et nuit par un vaste système de caméras,

1. « Ne pense pas, regarde ! »

il ne lui reste, pour échapper à lui-même, qu'à s'abrutir de calmants, à dormir quinze heures par jour dans un lit ridicule à la couverture Fendi en peau de serpent, à jouer aux échecs sur son iPad, à se gaver de pâtes De Cecco et de DVD de séries américaines au montage ouragantesque qui assouvissent un bref instant son angoisse du temps.

L'inconditionnel de Steve Jobs se souvient-il avoir plaisanté, le jour où on découvrit que les millions de propriétaires d'iPhone de la planète étaient électroniquement pistés en permanence à leur insu : « Ça, c'est ce qu'on appelle du service après-vente ! le suivi personnalisé de la clientèle ! » Le Destin en tout cas se charge de lui remémorer sa boutade par le truchement d'un bracelet électronique ironiquement qualifié d'« inviolable », traquant ses déplacements au mètre près, même nu.

Le système de surveillance électronique que le juge Obus lui a ordonné d'installer partout dans son aquarium à deux étages est un signe, là encore, de la malice du Destin. Car lorsque DSK se vantait de « manager » Sarcelles comme on gère une entreprise, il avait reçu dans son bureau de la mairie un représentant de la firme israélienne TotalTrack, spécialisée dans la surveillance électronique « intelligente ». Les deux hommes s'étaient enthousiasmés en feuilletant la brochure et en regardant sur un ordinateur une vidéo montrant les possibilités de discrimination du système informatique, capable de distinguer un intrus d'un chien, un passant d'un terrorriste, un badaud d'un *bad guy*… Et maintenant, toute cette intelligence électronique se retournait contre lui pour l'abêtir, l'entraver, l'humilier, le *manager*.

Sorcellerie

L'écran de télévision du salon est branché en permanence sur BFM Business. D'un œil apathique, DSK observe le monde s'effondrer avec lui.

Tiens ! Nicolas Doze, l'économiste vedette de la chaîne, énonce des nouvelles cataclysmiques d'une voix si dramatique qu'il est certainement subventionné par la Panique : « Le véritable chef d'État, c'est l'Endettement et lui seul... Il existe sur les marchés des indices qu'on appelle "les indices de la peur"... À partir du jour où une agence de notation déclarera la Grèce DDD, ça signifiera que la Grèce est officiellement en défaut, ce sera un acte de décès pour le pays... Je vois les choses comme une pelote de laine. La pelote de laine, c'est la confiance, et le temps qui passe, c'est la main perverse qui tire inexorablement le petit fil de laine et qui dévide la pelote jour après jour, seconde après seconde... Pourquoi lorsqu'il y a le "*flash crash*" aux États-Unis en mai 2010, Procter & Gamble se retrouve "*penny stock*" quelques minutes, cette entreprise qui a vingt-huit marques, chacune blockbuster, donc à plus d'un milliard de chiffre d'affaires ? Irrationalité totale. »

Un bandeau déroulant au bas de l'écran égrène des informations et des chiffres uniformément irréels qui se pourchassent jusqu'à l'extrémité droite de l'écran, où ils sombrent panurgement les uns après les autres dans l'abîme qu'ils viennent précisément d'invoquer :

« Depuis le début de la crise, 4 000 milliards de dollars de capitalisation boursière sont partis en fumée. »

« L'évasion fiscale est estimée entre 1 000 et 1 600 milliards de dollars. »

« Les taux de rendements des "fonds vautours", spécialisés dans le rachat à bas prix des dettes des pays les plus pauvres vont, une fois déduits les frais de justice, de 300 à 2 000 %. »

« La spéculation sur la dette grecque rapporte 17 % par an sur 10 ans. »

« Les pays européens les plus endettés : le Portugal, l'Irlande, la Grèce et l'Espagne (*Spain*) sont réunis sous l'acronyme porcin "PIGS" par les opérateurs des marchés financiers. »

« Les entreprises du CAC 40 ont reversé en 2010 un record de 40 milliards de dividendes à leurs actionnaires. C'est le tiers de la masse salariale. »

« 13 % de la population vit en France avec moins de 908 euros par mois. »

« Un milliard d'êtres humains souffrent de la faim dans le monde. »

« Un cinquième de la population mondiale vit dans une grande pauvreté. »

« En 2007, 40 % du profit des USA ont été captés par les institutions financières. »

« En 2008, le secteur de la Finance aux États-Unis fut renfloué à hauteur de 2 500 milliards de dollars ; l'aide aux propriétaires de maison en défaut se monta à 25 milliards de dollars. »

« En mars 2009, AIG, numéro un mondial de l'assurance, annonçait 100 milliards de dollars de pertes pour 2008 et le versement de 165 millions de bonus partagés entre 360 dirigeants. »

« En décembre 2007, le montant des “crédits dérivés” émis planétairement atteignait 596 000 milliards de dollars. Le PIB additionné de tous les pays du monde était de 54 000 milliards de dollars. »

Affalé sur un affreux sofa bordeaux aussi inconfortable que s'il s'agissait d'une caisse de vin, DSK zappe sur Bloomberg TV où un débat a lieu concernant le prochain « jour des sorcières », qui tombera le vendredi 24 juin. Ce jour-là, comme trois autres vendredis de l'année, à la dernière heure avant la clôture de la Bourse, expirent simultanément quatre produits dérivés, entraînant une tension de la spéculation et une volatilité particulièrement périlleuse des marchés financiers.

Sur l'écran, des gros plans des visages de traders contractés se succèdent. L'un les yeux exorbités, les joues gonflées d'air, fixe un tableau en hauteur ; un autre bâille en se massant l'arête du nez, et son visage mou déformé par son réflexe ressemble à celui du masque de fantôme poussant son effroyable cri silencieux dans le film *Scream* ; un autre tient sa tablette informatique d'une main, protégeant de l'autre ses yeux fixés vers on ne sait quelle cime, comme pour observer l'écroulement d'un gratte-ciel ; une jeune femme en tee-shirt blanc et blouse grise, casque et microphone vissés sur sa tignasse blonde, croise ses mains sur son crâne en crispant ses lèvres et en retenant son souffle ; une autre femme fait une grimace menaçante tout en indiquant du doigt à un collègue placé loin d'elle un indice invisible et malfaisant ; un courtier en blouse bleue portant plusieurs gros badges munis de chiffres, de marques, d'un patronyme et, sur l'épaule, une étiquette représentant le drapeau américain cache ses yeux dans sa main droite, laquelle tient encore entre deux doigts un crayon à papier jaune dérisoire...

Au bas de l'écran, un bandeau défilant énonce d'étranges faits auxquels DSK, abruti d'antidépresseurs, ne prête aucune attention :

> En un temps où le dernier petit coin du globe terrestre a été soumis à la domination de la technique, et est devenu exploitable économiquement, où toute occurrence qu'on voudra, en tout lieu qu'on voudra, à tout moment qu'on voudra, est devenue accessible aussi vite qu'on voudra, et où l'on peut vivre simultanément un attentat contre un roi en France et un concert symphonique à Tokyo, lorsque le temps n'est plus que vitesse, instantanéité et simultanéité, et que le temps comme pro-venance a disparu de l'être-là de tous les peuples, lorsque le boxeur est considéré comme le grand homme d'un peuple, et que le rassemblement en masses de millions d'hommes constitue un triomphe ; alors vraiment, à une telle époque, la question : « Pour quel but ? – où allons-nous ? – et quoi ensuite ? » est toujours présente et, à la façon d'un spectre, traverse toute cette sorcellerie.

DSK n'écoute ni ne voit plus rien, il s'est endormi et ronfle bruyamment.

Dans son inconfortable sommeil, il se retourne sur le sofa conçu par un fakir facho, écrasant la télécommande qui zappe sur une nouvelle chaîne. C'est la chaîne historiciste Hystery Channel, qui annonce la diffusion prochaine d'un documentaire consacré à Hitler : « Le documentaire que nous avons la fierté de vous présenter demain soir, *Adolf Armageddon*, est exceptionnel à plus d'un titre, énonce fièrement le présentateur. C'est de l'*edutainment*, un mélange parfaitement dosé d'éducation et de distraction. Il y aura des images d'archives inédites, toutes remastérisées et colorisées par ordinateur, avec une musique d'accompagnement dramatique et un narrateur célèbre. Ce documentaire a été conçu pour plaire au plus grand nombre ! Ne manquez pas *Adolf Armageddon*, demain soir, 8 PM, sur Hystery Channel. »

DSK entrouvre un œil, se retourne, se rendort.

La MaFi

Marx et moi discutons tandis que je feuillette un vieil exemplaire du *Wall Street Journal* qui traîne sur une table basse de la bibliothèque.

– Les chiffres de la crise sont publics, dis-je, connus, imprimés, cités, répétés, et pourtant c'est comme s'ils ne représentaient rien. Plus ils comportent de zéros, plus ils se confondent avec le zéro. Sais-tu qu'au début 2008, lorsque John Thain est nommé P-DG de Merrill Lynch, il reçoit en cadeau de bienvenue quinze millions de dollars de bonus, *avant même de commencer à travailler*, juste pour le remercier d'accepter d'être rétribué entre cinquante millions et cent vingt millions de dollars par an. La banque d'investissement Merrill Lynch est alors en pleine déconfiture. Elle vient de perdre, avec la crise des *subprimes*, plus de huit milliards de dollars. Sitôt nommé, Thain dépense un million deux cent vingt mille dollars pour faire rénover deux salles de conférences, un hall de réception et son bureau. Ce dernier comporte une carpette à quatre-vingt-huit mille dollars, un guéridon en acajou à vingt-cinq mille dollars, une crédence du XIXe à soixante-huit mille dollars, des pendeloques de lustre à dix-neuf mille dollars, quatre paires de rideaux à vingt-huit mille dollars, deux chaises pour les invités à quatre-vingt-sept mille dollars, une chaise de style George IV à dix-huit mille dollars, six chandeliers à deux mille sept cents dollars, une poubelle à mille quatre cents dollars, des stores en tissu à onze mille dollars, une table à café à cinq mille huit cents dollars, et une commode à trente-cinq mille dollars...

– Ce n'est pas de l'argent, me répond Marx, c'est de l'écume. Une mousse toxique qui a tout recouvert, étouffé, empoisonné.

– Cela veut-il dire qu'il va falloir que tu réécrives *Le Capital* ?

– Au contraire ! Plus le Capitalisme s'abîme dans son maelström planétaire de folie et d'horreur, plus je trouve mon *Kapital* actuel, frais, vérifiable, digne d'être lu, relu, médité, annoté, cité, commenté. Ôtés les oripeaux conjoncturels, il est d'une actualité bouillonnante. Bien sûr, quelques pages demanderaient à être réactualisées.

– Lesquelles ?

– Par exemple, dans le chapitre sur le caractère fétiche de la marchandise, je n'opposerais plus aujourd'hui le rapport de valeur entre les produits du travail à l'impression lumineuse d'un objet sur le nerf optique. J'en veux l'iPad pour preuve !

– Comment définir le monde de la Finance moderne ?

– En une phrase : Il est pourri de fond en comble et il domine la planète. Le monde de la Finance est le monde.

Le moindre détail de la vie quotidienne de n'importe qui, toi et moi inclus, est la conséquence d'un événement financier qui s'est produit sans bruit ni fracas quelque part dans les arabesques d'un algorithme niché dans un ordinateur surpuissant. Toutes les autres formes de pouvoir : économique au sens classique, militaire ou politique, sont en désuétude. Il n'y a plus qu'un seul règne, celui de la MaFi.

– La Mafia ?

– Non, la MaFi, l'entité des marchés financiers.

– Et DSK alors ? Il y a encore quelques jours il était qualifié d'homme le plus puissant, le plus influent du monde ?

– Baudruche ! Le sympathique débonnaire bedonnant M. Strauss-Kahn était l'amuseur du moment de la MaFi, rien d'autre.

– Pourtant il dénonçait publiquement les abus des marchés financiers.

– Roupie de sansonnet ! La première chose à savoir concernant la MaFi, c'est qu'elle est parfaitement indifférente à tous les discours qu'on tient sur elle. Mieux, elle les chapeaute. Elle souffle les arguments des uns et des autres, et quant à ce qui doit demeurer secret, elle sait parfaitement distraire l'attention des bavards. C'est elle qui a fait élire Obama aux États-Unis sur un programme dont l'un des arguments-clés était l'abolition de la cupidité financière, la fin des paradis fiscaux, la mise à bas de Wall Street. Et c'est elle qui a intimé à Obama, sitôt élu, de renommer aux postes-clés de l'Économie mondialo-américaine les crapules corrompues responsables de la crise des *subprimes*.

– Pourquoi en ce cas avoir fait élire Obama, plutôt qu'un républicain pur et dur comme Bush ?

– Pour donner le change. L'argent n'a ni odeur ni couleur. « Donner le change » est sa maxime majeure. L'étiquette « Premier Président Noir de l'Histoire des USA » permettait de détourner l'attention du public et d'ignorer les responsables d'une crise qui allait précisément porter Obama au pouvoir… pour ne rien changer.

L'Algorithme

– En avait-il conscience ? Je veux dire, ce beau dandy d'Obama qui a fait pleurer de joie et d'émotion toute l'Amérique noire humiliée depuis si longtemps n'est-il qu'un fieffé menteur de plus, comme ses prédécesseurs ?

– Tu raisonnes de travers, Sac d'Os. Le « Mensonge », la « Vérité », les « Promesses », leurs « Trahisons »… tout cela ne signifie plus rien dans le langage dominant qu'est l'Algorithme. Les économistes comme M. Strauss-Kahn servent de paravents à l'Algorithme. Ils s'expriment encore dans l'ancienne langue de la domination, celle qui avait réponse à tout, mais ils ne sont que d'incompétentes girouettes engagées par l'Algorithme pour pérorer leur somnifère dans les médias et les universités, où ils continuent d'enseigner à des étudiants éberlués que les soubresauts de l'Économie participent de la météorologie. Après l'orage, l'accalmie, voilà le credo de ces batraciens sermonneurs. L'Économiste manipule ses équations avec l'entêtement de Shylock s'en tenant à son reçu : « *I stay here on my bond.* » L'Économiste se câline le cortex en se gavant de statistiques aussi vaines qu'un *curriculum vitæ* gravé sur un cercueil. Juché sur le monceau des siècles morts, l'Économiste établit des lois virtuelles, des règles oniriques, des cycles chimériques qui s'engrènent mécaniquement tels les rouages d'une immense horloge fatale et impassible que les madrés appellent « Histoire » et les gobe-mouches « Progrès ». Tous plus farfelus les uns que les autres, les cycles des Économistes varient selon leur humeur et leurs aptitudes au calcul mental. Selon Kitchin, le soleil resplendit tous les trois à cinq ans ; selon Juglar, c'est tous les sept à onze ans ; selon Kuznets, c'est tous les quinze à vingt-cinq ans, et selon Kondratieff, c'est tous les quarante-cinq à soixante ans... Court, moyen ou long, le cycle en revient à la constatation centrale qui permet à l'Économiste de dormir sur son iPad 2 : après la récession, la reprise ; après le désastre, la reconstruction ; après le krach, la croissance. Or, bien au contraire, la destruction, le pillage, l'asservissement sont consubstantiels à la Finance. Faites disparaître l'esclavage, et vous aurez effacé l'Amérique de la carte des peuples. Faites disparaître la Misère, et vous aurez effacé la MaFi de la carte des Enfers. Ce que les Économistes nomment « accalmie » ou « reprise » n'est qu'une charpie enrobant la plaie béante du saccage, une finesse rhétorique pour dissimuler leur amblyopie congénitale. Persée se couvrait d'un nuage pour poursuivre les monstres, les MaFieux, pour pouvoir nier l'existence des monstruosités, se plongent tout entiers dans le nuage, jusqu'aux yeux et jusqu'aux oreilles. Cette catastrocratie qui s'engrosse en se dévorant est profondément schizophrène. Tel le Faust de Goethe, les marchés financiers soumis au vertige de la spéculation pourraient s'écrier : « Deux âmes, hélas !

habitent mon cœur, et l'une veut faire le divorce avec l'autre » – si seulement la MaFi n'était pas parfaitement dénuée d'âme comme de cœur. Et M. Strauss-Kahn le sait bien. Pour avoir fréquenté les pontes de la finance internationale aux réunions du club Bilderberg, il ne se fait aucune illusion : « Personne, avouait-il à ses proches, ne peut réellement les influencer. Ils iront au bout de tout ce qu'ils peuvent amasser, sans se poser de questions. » Voilà pourquoi M. Strauss-Kahn a pris le parti d'en jouir.

– Mais en même temps, des milliards de dollars de la spéculation sont engloutis à chaque crise. La MaFi y perd elle-même beaucoup. Elle ne peut quand même pas s'en réjouir !

– Comprends donc, la MaFi n'est que la créature. Le créateur, c'est l'Algorithme, qui ne connaît ni non ni oui, ni perte ni profit. Plus vaut moins, pour l'Algorithme, et vice versa. La MaFi, elle, est un Sardanapale schizophrène, un Néron neurasthénique qui veut bien entraîner le globe dans sa chute tout en s'enivrant de la force de gravité, mais qui a ses vapeurs à la moindre petite déclaration trop réaliste... Une phrase malheureuse lancée ici ou ailleurs par un gouvernant distrait, un AAA transformé en AA par de gigotants agioteurs polymorphes, et les cyniques chochottes multimilliardaires paniquent à tout va. L'Algorithme, tel un potache qui efface par plaisanterie une leçon au tableau noir, a épongé tout le vocabulaire de l'ardoise Terre, de sorte qu'il ne demeure qu'un bredouillis de quelques lettres pour rendre compte de la complexité globale de l'Économie ! Entre-temps, la Bourse dégringole, les usines ferment leurs portes, les parachutes dorés s'ouvrent en ribambelle, les cadres se suicident à la pelle et les chômeurs viennent rejoindre par dizaines de milliers la longue cohorte des esclaves de l'oisiveté forcée. Or tout cela, ce n'est encore que l'écorce. La réalité, c'est que la MaFi gagne aussi des monceaux d'argent grâce à la crise mondiale, et qu'elle n'a aucun intérêt à enrayer cette crise qu'elle-même a suscitée et dont elle alimente le foyer en permanence. Car l'Algorithme n'est pas une langue, mais un langage.

– Quelle est la différence ?

– La langue de l'Économie, comme je te l'ai dit, a réponse à tout. L'Algorithme, lui, remet tout en question. Ça n'a rien à voir. Je vais te confier une anecdote qui vaut tous les milliards perdus de la crise. Sais-tu ce qui a fait du 16 février 2011 une date historique ?

– Le début de la rébellion en Libye ?

– Allons allons, l'Algorithme n'est pas M. Lévy, il n'a pas de temps à perdre avec cette broutille qu'est le renversement d'une dictature, laquelle, comme toute guerre, procure de complaisants bénéfices aux marchands d'armes de toutes les nations. Non, le 16 février 2011, l'Algorithme a littéralement fait joujou avec des hommes. Et, pour la première fois dans sa courte histoire, l'Algorithme a gagné ! Par le truchement de « Watson », le superordinateur d'IBM, l'Algorithme en effet a réussi à battre des humains au jeu le plus complexe qui soit pour les neurones en silicium d'une machine...

– Je croyais que l'exploit revenait à « Deep Blue », le jour où il l'emporta sur Kasparov aux échecs ?

– Les échecs, c'est encore moins qu'un joujou pour l'Algorithme. Là, il s'agissait du « Péril », le jeu télévisé

Jeopardy, où il faut trouver la bonne question à une longue réponse… « Watson », donc, l'a emporté.

– « Watson » comme dans Sherlock Holmes ?

– Pas du tout. Watson comme le fondateur d'IBM, le type qui a aidé les nazis dans la gestion des camps de la mort. Or devine qui vient de se ruer pour acquérir les services de l'élémentaire Watson ?

– Je l'ignore.

– CitiGroup, le plus grand établissement financier au monde.

Le Gouffre

– Soyons clair, Karl. Que sait exactement DSK de tout cela ? Quand il était encore à la tête du FMI, tenait-il un double langage ? Œuvrait-il en sous-main pour le compte des marchés financiers ?

– Disons que M. Strauss-Kahn n'ignore pas que la marâtre MaFieuse a englouti l'Économie au sens classique, moderne et même post-moderne du terme. M. Strauss-Kahn a beau trancher de l'expert qui n'hésite pas à dire aux grands de ce monde leurs quatre vérités, il n'est que l'obligé des marchés financiers – sans lesquels il se retrouverait au chômage, comme tant de ces miséreux pour lesquels il éprouve une très médiatique compassion. En conséquence, M. Strauss-Kahn est également l'amuseur en chef des mêmes marchés financiers. Il était, devrais-je dire. Jusqu'à récemment, c'était un bouffon sous bonne garde, grassement rétribué pour être toujours modérément critique et jamais exagérément pessimiste.

– Il est donc profondément cynique ?

– La vérité est encore plus bête que ça : les mots ne lui coûtent rien. Et si les mots ne coûtent rien à M. Strauss-Kahn, c'est que *rien ne lui coûte rien*. Ainsi dépense-t-il sans compter l'argent des autres. C'est d'ailleurs son défaut le plus sympathique. M. Strauss-Kahn est familier du Gouffre néolibéral dont le surendettement perpétuel et universel est la raison d'être. Il dépense sans compter l'argent du FMI, il dépense sans compter l'argent des membres du G20, il dépense sans compter l'argent de ses employeurs, cet argent que, depuis son plus jeune âge, il gagne pour le dépenser en échange de services qu'il bâcle et de tâches qu'il délègue. Si M. Strauss-Kahn avait sérieusement eu à cœur de ne pas dilapider l'argent des entreprises qu'il conseillait, il aurait commencé par ne pas réclamer des sommes astronomiques pour de petits bouts de papier passés sous la table lors de réunions commerciales. Son premier conseil aurait été : Ne me donnez pas 600 000 francs pour mon intervention, elle ne les vaut pas !

– Et ces 600 000 francs de l'ancien régime paraissent bien maigrelets comparés aux chiffres astronomiques de la crise des *subprimes*.

– Oui, mais on aurait tort pour autant de s'imaginer que M. Strauss-Kahn *aime* l'argent. C'est tout l'inverse. L'Argent n'est pas le Dieu jaloux de M. Strauss-Kahn. Contrairement à l'immense majorité de ses contemporains, M. Strauss-Kahn *ne croit pas en l'Argent*. Il y croit d'autant moins qu'il en connaît la nature danaïdesque accolée au Gouffre. M. Strauss-Kahn, s'il n'est pas le faramineux génie qu'on proclame, connaît un tant soit peu l'histoire de l'Argent, disons ce qu'en peut savoir un bon étudiant en première année d'économie. Il sait par exemple qu'au XVIIIe siècle la Banque d'Angleterre dut édicter les *Bubbles Acts*, ou « Lois contre la Fumisterie financière », après que la Compagnie des Mers du Sud avait suscité une série de projets spéculatifs tous plus fumeux les uns que les autres : projet de « roue à mouvement perpétuel » ; projet d'une « entreprise extrêmement avantageuse mais qui doit demeurer ignorée de tous » ; projet d'« assécher la mer Rouge afin d'y retrouver le trésor qui y avait été abandonné par les Égyptiens après que les Juifs l'eurent traversée », etc. M. Strauss-Kahn sait donc intimement que la filouterie des *subprimes* n'est que la dernière en date d'une longue série d'opérations catastrophiquement fumeuses. Et, *last but not least*, M. Strauss-Kahn n'ignore pas que le vieil argent n'est plus. Promesses, écritures, virements, billets, pièces, chèques adossés à une sibylline réserve d'or et se garantissant les uns les autres, tout cela appartient non seulement à une époque révolue, mais carrément à une autre planète. Depuis un certain temps déjà l'argent n'est plus fondé sur la possession, mais sur la dépossession. À l'ère de l'Algorithme, le nom du Gouffre est légion : *Hedge Funds*, *Titrisation*, *Liquidity*, *Collaterised Debt Obligation*, *Credit Defaut Swap*, *Private Equity*, *Return on Equity*, *Subprime*, *Credit Crunch*... Le diable même n'y retrouverait pas ses démons. Le Gouffre ne porte pas son nom pour rien. Ainsi, si M. Strauss-Kahn n'aime pas davantage l'argent qu'il n'aime l'abîme, c'est parce qu'il *est* l'argent comme il *est* l'abîme. M. Strauss-Kahn, dès l'enfance, a été adoubé et métamorphosé par le Gouffre. Il n'est pas seulement hanté par le séisme, il s'est littéralement construit sur la destruction et l'*amor vacui*. M. Strauss-Kahn est une théorie de Schumpeter incarnée. Par son existence en forme de fuite jouissive, il personnifie la maxime du Gouffre : *abyssus abyssum invocat*, « l'abîme invoque l'abîme », et dans son orbite de néant engloutit tout... Voilà la raison pour laquelle, depuis toujours, M. Strauss-Kahn se paye de mots et prend tous les risques. Il se surendette en permanence auprès de son propre Destin. Ni plus ni moins que l'argent MaFieux, qui n'est qu'un fonds sans fond, un immense maelström de dette. Le système bancaire mondial ne repose-t-il pas sur la promesse ? L'argent ne naît-il pas *ex nihilo* sitôt qu'un prêt est consenti ? Plus personne n'ignore aujourd'hui ce que l'économiste Irving Fisher expliquait limpidement dès 1935 dans *100 % Money* : « Les prêts bancaires sont des promesses de prêts pour de l'argent que les banques n'ont pas... Seules les banques commerciales et les sociétés de fiducie peuvent prêter de l'argent qu'elles fabriquent, tout simplement par le processus de prêt. » Lui aussi, Fisher, comme Keynes et Schumpeter, paya pour voir le Gouffre de près. Quelques jours avant le krach de 1929, cet esprit perspicace évoquait avec enthousiasme un « haut plateau permanent » de la cotation boursière. Et quelques jours après, quoique ruiné, il continuait de vanter la reprise imminente de l'économie.

– Comme quoi nul n'est prophète dans les limbes de l'abîme.

– C'est avant tout une question de mots. Le terme « finance », on le sait peu, procède de la même étymologie que « finir ». L'ancien français *finer*, qui désigne aussi bien l'argent que l'on donne que celui que l'on exige, est en effet une altération de *finir*, qui signifie littéralement « mener à fin ». Que la finance fasse fonds sur la finitude, cela est assez aisément vérifiable aujourd'hui, où l'extraction et la production de richesses naturelles, où que ce soit sur la planète, ont pour conséquence systématique le saccage et la destruction. C'est ainsi, par exemple, que le torchage consécutif à l'extraction pétrolière au Nigeria aboutit à la fonte de la Banquise au pôle Nord... M. Strauss-Kahn sait donc intimement ce que l'immense majorité de ses contemporains ignore – qu'il s'agisse des 350 multimilliardaires les plus riches du monde ou des 6,8 milliards d'autres humains dont la misère amoncelée équivaut juste à la fortune cumulée des premiers : *l'Argent n'existe plus, et c'est sur cette inexistence qu'il prospère. Mors immortalis !*

– Si je te comprends bien, Karl, cela signifie que le Gouffre lui-même est devenu une marchandise ?

– Bien évidemment ! Le Gouffre est coté en Bourse ! Aujourd'hui, les agités de la Corbeille à la Zola sont une curiosité au rebut. Wall Street est une façade. La piétaille des traders en gilet de contremaître – qu'on voit aller et venir autour d'un immense totem d'écrans, gesticulant un portable vissé à l'oreille comme des débiles profonds sous amphétamines – n'est constituée que d'hommes de paille du Gouffre. Tout se décide en d'autres lieux moins visibles, *Hedge Funds* et enfers fiscaux. Qu'on parle de « paradis » montre que le Gouffre a de l'esprit. Car rien n'est moins paradisiaque que la Finance. Ploutos n'était pas pour rien le dieu de la Richesse et des Enfers. La dernière mode, dans le merveilleux Éden de l'Algorithme, c'est le *speed trading*. Tout s'achète, tout se vend, en un mot tout se spécule sur d'infimes variations détectées à la microseconde par des batteries de superordinateurs, grâce à des logiciels concoctés par des mathématiciens âpres au gain, qui ne nécessitent, une fois lancés, plus aucune intervention humaine. Plus d'un milliard d'actions s'échangent chaque jour sur des marchés secondaires où prolifère l'ombre mortifère de la Finance – le bien nommé *Shadow Financial System.* La machine y est en compétition avec la machine sous le regard vide d'un analyste quantitatif, un « trafiquant à hautes fréquences » (*high frequencies trader*) qui s'enrichit dans son fauteuil à roulettes tel un roi fainéant déféquant sur sa chaise percée, hypnotisé par ses écrans comme n'importe quel autre pitoyable *geek* au monde… Que le cours d'unc action baisse un millième de seconde, la machine achète. Qu'il sc rehausse un autre millième de seconde, la machine revend. C'est aussi bête, aussi *machinal* que ça ! L'homme est simplement trop lent pour le Gouffre.

– Le terme de « Capital » est galvaudé ? Il faudrait dire le « Gouffre » ?

– Qu'importe son appellation, puisque, à l'ère du Gouffre, c'est l'« homme » qui est une idée vieille, en Europe comme ailleurs. Quant au bonheur, n'en parlons pas ! Qui n'a pas compris que ce n'était pas un hasard si toute figure, toute silhouette humaine avait disparu des billets en euros ? Si Pascal, Voltaire, Montesquieu, Delacroix, Quentin La Tour, Debussy… ont été remplacés par des ponts, des aqueducs, des passerelles, des arcades, des colonnes et des places désertes et anonymes, tels des lieux d'extermination *après coup* ? La monnaie, qui n'a jamais été une chose mais un rapport social, se conforme à la nouvelle organisation désorganisée de la société contemporaine. Certes, si Baudelaire, Flaubert, Balzac et quelques autres, dont moi-même, semblent toujours pertinents dans leurs descriptions du Bourgeois, c'est bien que quelque chose a perduré entre 1848 et 2011. Cette chose pérenne, c'est le cœur humain. Mais le Globe, lui, ce Globe qu'on a longtemps nommé « terraqué » comme pour souligner qu'il était sans cœur, il est directement gouverné par le Gouffre. Le Gouffre assure la gestion génocidaire du Globe.

Flambées

Ce 1er juin 2011, comme s'il voulait faire un clin d'œil d'adieu à la Banquise, le Soleil s'est éclipsé au-dessus de l'océan Arctique, au nord du Canada et à l'est de la Sibérie, avant de revenir faire sentir l'ampleur de son flamboiement sur le reste du monde. L'année 2011 bat ainsi tous les records de chaleur du XXe siècle. Et pendant que DSK dort dans sa Tirelire climatisée, la Banquise n'en finit plus de fondre.

Plus la Banquise fond, plus elle fond vite. Au fur et à mesure que l'épaisse surface de glace se rétracte, la réfraction des rayons du soleil diminue, or c'est elle qui garantit le maintien d'une température basse. À l'opposé, en accroissant sa surface, l'eau, de couleur sombre, absorbe toujours davantage les rayons et la chaleur du Soleil, augmentant ainsi la température globale du Pôle.

C'est un combat inégal entre le Blanc et le Noir, une partie d'échecs maléficiée où la faiblesse de l'un renforce la force de l'autre. D'autant que le Noir a dans son camp un allié surpuissant de la même couleur : le pétrole.

En 2020, la Banquise aura entièrement disparu. Les rochers de la côte ouest du Groenland puent déjà le pétrole à plein nez. À la lettre. « On se croirait dans une station-service », rigole un géologue danois au service d'une compagnie pétrolière en portant un éclat de roche à ses narines.

Dans le jargon de l'exploitation pétrolière, on appelle « éléphant » un immense gisement prometteur. Plusieurs « éléphants » sont pressentis sur la côte occidentale du Groenland, où diverses licences ont été accordées aux grandes compagnies pétrolières.

Pendant que les « éléphants » surgissent, rendus accessibles et exploitables par la fonte des glaces, les ours blancs cèdent la place, dépérissent, disparaissent peu à peu.

Comme l'abîme invoque l'abîme, le Gouffre se contemple dans son propre vortex tandis que l'Algorithme boucle le bilan. Le pétrole déjà exploité partout sur la planète la pollue à grande échelle, provoquant l'effet de serre et le réchauffement climatique directement responsables de la fonte des glaces, et donc de l'exploitation à venir des nouveaux gisements groenlandais.

Toutes les compagnies pétrolières et minières du monde sont sur les starting-blocks, attendant avec gourmandise que l'irréversible fonte des glaces dégage l'accès à l'exploitation du sous-sol arctique. Les investissements se chiffrent en milliards de dollars, les projets courent sur plusieurs décennies. Le tempo du Gouffre n'est pas celui des humains.

Bientôt, quand toute la glace du Pôle aura disparu, les mythiques passages du Nord-Ouest et du Nord-Est seront des routes commerciales universelles qui feront oublier à tous les pollueurs du monde l'antiquité du canal de Panamá et de celui de Suez. New York et Tokyo seront plus proches de quatre mille kilomètres. Ce sera autant de temps d'économisé par les cargos toujours plus empressés de contribuer à la souillure planétaire.

En Antarctique, un immense glacier de 160 000 km² se fissure d'heure en heure. Son surnom est PIG, *Pine Island Glacier*. La fracture fait cinquante mètres de profondeur, court sur trente kilomètres, s'élargit de deux mètres chaque jour. Inexorablement, un glacier nouveau se détache du PIG. Il sera entièrement constitué au début de 2012. Il fera à peu près 880 km².

C'est la taille de New York.

Un *dark pool*, un « consortium obscur », est un sous-système financier dont la parfaite opacité est destinée à assurer l'anonymat des clients opérant leurs transactions de gré à gré.

Le 22 septembre 2008, un *dark pool* cyniquement nommé « Turquoise », en référence aux *liquidities* qui le constituent, est né de l'accord de BNP Paribas, Société générale, Citigroup, Crédit suisse, Deutsche Bank, Goldman Sachs, Merrill Lynch, Morgan Stanley et USB. Pour conserver son opacité et assurer la transaction de colossaux volumes financiers, le *dark pool* dispose de plusieurs moyens dont celui dit des *iceberg orders*.

Un « ordrc icebcrg » cst unc transaction gigantcsquc divisée par un algorithme dédié en petites parties, qui seules apparaissent à la surface du marché.

En même temps qu'il réduit drastiquement la Banquise, le Gouffre lance son néant à l'assaut de la Parole.

Les Inuits disposent d'une petite cinquantaine de termes pour désigner les diverses nuances de la neige. Son catalogue n'est pas moins poétique que celui des baleines dans *Moby Dick* :

Aluiqqaniq, « congère sur la pente d'une colline » ;

Aneo, « neige pour l'eau » ;

Aneogavineq, « neige très dure et compacte » ;

Aniuk, « neige pour l'eau à boire » ;

Aniuvak, « neige résiduelle dans les trous » ;

Aoktorunneq, « neige tassée, fondue et gelée, là où un chien a dormi » ;

Aomyok, « neige fondante » ;

Apinngraut, « première neige de l'automne » ;

Aput, « neige par terre » ;

Aqidloqaq, « neige molle » ;

Aqilluqqaaq, « neige fraîche et boueuse » ;

Auviq, « brique de neige pour faire un igloo » ;

Ayaq, « neige sur les vêtements » ;

Ijaruvak, « neige fondue transformée en cristaux » ;

Ikiartoq, « bloc de neige formé de plusieurs couches de neige qu'on peut couper horizontalement » ;

Isherearktaq, « neige jaune, comme remplie de fumée » ;

Isiriartaq, « neige tombante jaune ou rouge » ;

Kanangniut, « banc de neige formé par un vent du nord-est » ;

Katakartanaq, « neige croustillante » ;

Kavisilaq, « neige durcie par la pluie » ;

Kinirtaq, « neige mouillée et compacte » ;

Manngomaq, « neige mouillée, presque fondante » ;

Manngoq, « boue de neige » ;

Mannguomaq, « neige amollie au fil du temps » ;

Maoyaq, « terrain qui s'effondre sous les pas » ;

Masaaq, « neige dans de l'eau » ;

Masak, « neige mouillée et saturée » ;

Masaq, « neige humide qui tombe » ;

Matsaaruti, « neige pour glacer le traîneau » ;

Matsaq, « neige humide pleine d'eau sur le sol » ;

Maujaq, « neige épaisse et molle où il est ardu de marcher » ;

Miligaq, « fine pellicule de neige pour dissimuler un piège » ;

Mingoleq, « couche de neige fine » ;

Mingullaut, « neige fine et poudreuse qui entre par les fissures et recouvre les objets » ;

Mituk, « pellicule de neige fine sur un trou de pêche » ;

Munnguqtuq, « neige compressée qui s'adoucit au printemps » ;

Nargrouti, « morceau de neige pour boucher un trou qui goutte dans un igloo » ;

Nateq, « sol d'un igloo » ;

Naterovaq, « neige légère apportée par le vent » ;

Nateroviktoq, « il neige finement dans l'igloo » ;

Natiruviaqtuq, « son des éclats de neige sur le sol » ;

Niggiut, « banc de neige formé par un vent du sud-est » ;

Niktaalaq, « neige portée par le vent » ;

Ninngeq, « neige placée autour ou au sommet d'un igloo pour l'isoler du froid » ;

Niummak, « neige dure et ondulée » ;

Nipperqut, « sciure de neige pour absorber l'humidité » ;

Oqootaq, « rempart de neige pour protéger l'entrée d'un igloo » ;

Perquservigiva, « neige tombant en spirale » ;

Perte, « bloc de neige placé devant la fenêtre d'un igloo afin qu'elle ne soit pas recouverte de neige » ;

Pertorineq, « pellicule de neige molle au-dessus d'un objet » ;

Pigangnuit, « banc de neige formé par des vents du sud-ouest » ;

Piqsiq, « neige soulevée par le vent » ;

Pukak, « neige cristallisée qui s'effrite » ;

Qaniktak, « neige récemment tombée sur le sol » ;

Qannialaaq, « neige fine qui tombe » ;

Qanniq, « neige qui tombe » ;

Qatserkutit, « blocs de neige placés les uns sur les autres pour former un objet » ;

Qeoraliaq, « neige brisée » ;

Qerkshoq, « croûte de glace sur la neige après la pluie » ;

Qiqiqralijarnatuq, « neige qui craque sous les pas » ;

Qodliti, « dernier bloc de neige de l'igloo » ;

Qorktaq, « trou dans la neige par un jet d'urine » ;

Quiasuqaq, « neige qui a regelé et forme une croûte » ;

Saksaneq, « débris de neige après la construction d'un igloo » ;

Sermeq, « mélange de neige servant de ciment » ;

Shiimignatoq, « neige qui freine les patins d'un traîneau » ;

Sudlesimayoq, « neige piétinée pour un igloo » ;

Sukerksineq, « glace sur les cheveux, la barbe, ou une pièce de bois » ;

Uangniut, « banc de neige formé par un vent du nord-ouest » ;

Uluarnaq, « banc de neige rond » ;

Uqaluraq, « banc de neige graduel »...

Hélas l'éponge de l'Algorithme est aussi passée par là. Les Inuits n'ont qu'un mot pour dire le coup de soleil : *Unitaktuk*.

Un seul mot pour évoquer l'unique tic-tac de la culbute de tout un univers en son envers.

Le mercredi 8 juin, Exxon Mobil annonce la découverte d'un gisement « majeur » de 700 millions de barils de pétrole dans le golfe du Mexique.

À New York, le 10 juin 2011, la température à Central Park a atteint 28,33° centigrades quelques heures après le lever du soleil.

À Nuuk, la capitale du Groenland, les hères inuits édentés, obèses, myopes, alcooliques et désœuvrés vivent dans des HLM décolorées en tôle ondulée aux vitres brisées. Ils regardent d'un air sauvage et apeuré l'agitation du port industriel, adossés au mur d'un hangar. Il y a quelque chose de pourri au royaume de la Neige. Ce sont les hangars.

Le pétrole n'est pas seulement cette immonde matière noire gluante avec laquelle on fait tourner les moteurs à explosion des voitures, ni à partir de quoi on produit des continents entiers de déchets plastiques qui dérivent sur les océans, se désagrègent sans disparaître, empoisonnent les estomacs des poissons et des oiseaux et asphyxient le zooplancton. L'un d'entre eux est nommé le GPGP, *Great Pacific Garbage Patch*, la « Grande Zone d'Ordures du Pacifique ». Sa taille serait estimée de sept cent mille à vingt millions de km^2.

Le pétrole est aussi un enjeu majeur pour la spéculation. En ce mois de juin 2011, la guerre civile en Libye, douzième producteur mondial de brut, alimente la spéculation et fait monter le cours du baril, lequel est négocié une vingtaine de fois avant de parvenir à la pompe à essence.

S'il engloutit la Parole, le Gouffre n'en a pas moins, à sa cynique manière, le sens du Witz.

En Norvège, la ville réputée la plus septentrionale au monde se nomme Hammerfest. Elle fut dans son histoire plusieurs fois rasée de fond en comble. La dernière destruction date de la Seconde Guerre mondiale, par les Allemands qui ravagèrent aigrement la ville avant de battre en retraite. Significativement, la désolation eut toujours à Hammerfest son revers de modernité. Ainsi, détruite par un incendie accidentel en 1890, elle était un an plus tard l'une des premières villes d'Europe du Nord à l'éclairage entièrement électrifié.

En 1984, un gisement de gaz naturel fut découvert au large des côtes de Hammerfest. Il est exploité en 2011 par l'entreprise StateoilHydro, associée à six autres groupes pétroliers, dont les Français Total et GDF Suez. Dans son genre, l'usine de gaz liquéfié – dont une immense torchère inextinguible règne jour et nuit sur la petite ville nordique telle la flamme de la statue du Néolibéralisme – est la plus sophistiquée au monde. Le gaz est directement puisé à la source, dans la mer de Barents, à cent quarante kilomètres de là, d'où un pipeline sous-marin l'apporte jusqu'à Hammerfest pour y être liquéfié dans les immenses réservoirs de StateoilHydro.

L'imposante torchère de StateoilHydro exhale en permanence dans l'atmosphère des monceaux de fumée et de cendre qui recouvrent tout en retombant. Les voitures blanches prennent une sale teinte noirâtre. Dès les trois premiers mois d'exploitation, la torchère avait rejeté dans les airs un million de tonnes d'oxyde de carbone, quantité initialement autorisée pour toute une année.

Le nom de cet immense projet industriel qui enrichit la ville et dévaste le paysage est *Snøhvit*, ce qui signifie « Blanche-Neige ».

Là est le Witz.

À une cinquantaine de kilomètres de « Blanche-Neige », un autre gigantesque projet d'exploitation attend son heure. C'est un gisement pétrolier, absurdement nommé « Goliat » par des gens dépourvus de toute culture biblique. Découvert en 2000, « Goliat » renfermerait 174 millions de barils. Non seulement ce chiffre est invérifiable mais il a toutes les chances d'être trafiqué pour la plus grande gloire du Gouffre.

Le pétrole réel, comme le cacao réel ou le nickel réel, a lui aussi succombé à l'Algorithme. La spéculation la plus opaque et la moins régulable s'est ruée depuis quelques années sur l'« idée » du pétrole, laquelle est indépendante des gisements concrets qui s'épuisent un peu partout. Pur produit financier du type « contrat à terme », en anglais « *future* » –, car le Temps aussi désormais est un pur produit financier, comme le riz, le blé, le cacao ou le nickel –, le « pétrole papier » se spécule et s'échange dans des *dark pools* si pollués que nul n'en distingue le fond. Ces barils de pétrole papier représentent en volume plus de trente-cinq fois celui des barils réels. Les zigzags démentiels de leur cours en 2011, sans rapport avec les aléas concrets de la production mondiale, justifient l'inexplicable montée record du prix de l'essence à la pompe, et ses répercussions déplorables sur le pouvoir d'achat des humains. Lesquels, s'ils ont bien encore un peu de chair et d'os, n'ont plus aucune valeur sur le papier.

Il y a quelque chose de noble dans l'écroulement d'un iceberg.

Cette colline croustillante de nacre, ce mastodonte appétissant de pureté, ce mont moiré d'argent bleui piqueté d'étincelles solaires, saupoudré d'une blancheur comestible, ce colosse de quiétude mobilisé par sa propre permanence conservant en son sein semi-translucide le souvenir de l'eau et du miroitement lent dont il est né, on sent qu'il ne fait aucun cas du minuscule regard émerveillé que les hommes posent sur lui. Avec l'indifférence hiératique d'un cétacé qui succombe, cette incommensurable architecture bosselée comme une glaise sculptée par un Titan dont les incurvations, les stries, les irrégularités participent à la perfection de son *détachement*, décide de laisser une immense partie d'elle-même se désagréger dans l'eau, provoquant un fracas et des remous qui témoignent en comparaison de sa surpuissante douceur et de sa mansuétude à ne pas résister au naufrage.

Entretien d'embauche

Nous avons au Manhattan Psychiatric Center notre divertissement trimestriel. Je l'ai surnommé l'« entretien d'embauche ».

Edmond, l'infirmier en chef, a de l'ambition. Il rêve de devenir psychiatre. Son sadisme ne se suffit plus des piqûres et des matraques chimiques. Il désire être promu à la lobotomie. Il potasse quotidiennement le *Diagnostic and Statistical Manual of Mental Disorder* et, en guise de travaux pratiques, organise des entretiens avec chacun d'entre nous. Un lundi par trimestre – j'appelle ça le « jour de la souricière » –, Edmond nous convoque l'un après l'autre. Nous attendons sagement en ligne dans le couloir devant son bureau, d'où il nous hèle à tour de rôle pour un entretien dont la durée dépend uniquement de sa patience – limitée –, durant lequel il nous questionne – au sens médiéval du terme – sur nos divers troubles, testant ainsi sa science frémissante du diagnostic psychiatrique.

Le seul à y échapper, c'est Homer, que son autisme plaque jour et nuit devant son écran d'ordinateur dans la salle d'informatique. Il serait trop compliqué de le forcer à quitter sa chaise. Il est si gros, si lourd, si gras, cela exigerait au moins cinq infirmiers pour le porter jusqu'au bureau d'Edmond, où il resterait prostré durant tout l'entretien. Homer est donc exceptionnellement autorisé à rester à sa place, là où nul ne s'intéresse à lui ni à ce qu'il trafique avec son ordinateur, dont de toute façon la webcam qui surplombe l'écran est débranchée. Cela ne l'empêche pas de gigoter comme un épileptique devant sa machine en martyrisant son clavier, surfant de site en site sans ordre ni probable intention, vu le degré de sa débilité. Personne n'a jamais pris la peine de s'arrêter un instant pour demander à Homer ce qu'il pouvait bien taper frénétiquement sur son clavier.

– On lui couperait l'électricité qu'il ne s'en apercevrait pas, énonce Edmond avec humeur en passant dans le dos du pauvre obèse qui tapote, tapote, tapote, sans bruit ni apparente émotion.

Il est rare qu'un entretien d'embauche se passe sans anicroche. Régulièrement, Edmond s'énerve de notre peu d'enthousiasme et finit par nous mettre dehors sous un prétexte ou un autre. Aujourd'hui, il nous accuse de nous être ligués contre lui, de nous montrer vicieusement peu coopératifs. Artaud a passé son entretien à renifler, essayant à deux reprises d'arracher des pages du manuel de psychiatrie d'Edmond pour s'y moucher. À peine assis, Marx s'est saisi d'une calculatrice électronique posée sur le bureau d'Edmond et a prétendu vouloir vérifier toutes les analyses statistiques du *Capital*. Luc, lui, a carrément tenté d'égorger Edmond avec un coupe-papier à la première suggestion qu'il savait bien qu'il n'était pas qui il prétendait, que Satan n'existait pas davantage que Dieu, que… « QU'ON ME VIRE CE DANGEREUX PSYCHOPATHE ! » a hurlé Edmond à ses deux assistants en reculant de terreur devant le coupe-papier brandi dans sa direction. Freud, pour sa part, s'est arrêté à chacun des mots qu'Edmond prononçait et en a retracé l'étymologie dans cinq langues. Kafka a passé l'entretien à essayer de refourguer à Edmond un contrat d'assurance. Guy a chantonné « Le Temps des cerises » en fixant Edmond droit dans les yeux et en faisant de la main droite un grand geste horizontal en travers de sa gorge. Bobby, en guise de réponses aux questions d'Edmond, a déplacé à chaque fois un objet différent du bureau comme s'il s'agissait d'un échiquier et qu'ils étaient en train de disputer une partie.

Maintenant, c'est mon tour.

– Bonjour, Sac d'Os, assieds-toi, je t'en prie.

– Merci, Edmond. Comment vas-tu ?

– Je vais bien, merci, Sac d'Os...

– Comment se porte ta famille ? Tes parents sont en bonne santé ? Tu es heureux de ton emploi ? Tu as une petite amie, j'espère ? À moins que tu ne sois homosexuel ? Ce qui n'est plus considéré depuis longtemps comme une déviation, je te rassure...

– Arrête ton cirque, Sac d'Os ! C'est moi qui pose les questions...

– Je disais ça par politesse, Edmond. Rien ne nous interdit d'être courtois, n'est-ce pas ? Nous ne sommes tout de même pas dans un commissariat, n'est-ce pas, Edmond ? Où me trompé-je ? Y aurait-il le moindre rapport entre un institut psychiatrique et un commissariat ? Edmond ? Je te le demande ?

– Tu te fous de moi, Sac d'Os ? Cesse immédiatement !

– Il ne me viendrait pas à l'idée de me moquer de toi, Edmond. C'est mon tatouage qui ricane, ne te laisse pas impressionner...

– Vous êtes vraiment insupportables, vous autres les dingos ! J'essaie de conférer un minimum de professionnalisme à ces entretiens et vous foutez tout en l'air par perversité ! Un peu de sérieux et de concentration, une fois tous les trois mois, ce n'est tout de même pas trop demander !

– Tu as raison, Edmond, soyons sérieux. Parle, je t'écoute.

– Mais non ! C'est moi qui t'écoute.

– Entendu, alors allons-y : qu'as-tu à me dire ?

Edmond pousse un soupir plaintif qui me ferait pitié si j'ignorais quel abruti sadique j'ai devant moi.

– Bon, commençons par le commencement. J'ai ton dossier sous les yeux. Il y est dit que tu souffres de psychose imaginative aiguë, avec états oniroïdes, ce que Magnan nommait en 1886 les… zut, j'ai oublié…

– Ne te presse pas, tu vas te rappeler, j'ai tout mon temps…

Edmond tape impatiemment du pied pour essayer de se souvenir de ses cours, je lui tends son manuel, comme une permission de tricher avec sa mémoire. Il s'en saisit en me lançant un regard peu reconnaissant, forcé qu'il est d'admettre son insuffisance.

– C'est où déjà… ah oui, « bouffées délirantes des dégénérés » ! Voilà. 1886, je le savais !

– Triste année. C'est celle où l'invaincu Geronimo se rendit définitivement aux troupes américaines. Sais-tu, Edmond, que sa tombe, en Oklahoma, a été profanée en 1918 par le père et grand-père des présidents Bush ?

– Qu'est-ce que tu racontes !

– Si, si, Prescott Bush, père de George Herbert Walker, grand-père de George Walker. Il fit fortune en commerçant avec les nazis et en bénéficiant du travail gratuit des esclaves d'Auschwitz.

– Et alors ? Qu'est-ce que ça peut te faire ? Tu n'es pas juif ! Peut-on revenir à tes délires, s'il te plaît ?

– Prescott Bush m'intéresse, figure-toi, car c'était ce qu'on appelle un *Bonesman*, un « ossifié », autrement dit un membre de la société secrète *Skull and Bones*, « Crâne et Os », association fondée par des étudiants de Yale University. Cette association conserverait encore dans un coffre de son quartier général – surnommé, je te le donne en mille, *The Tomb*, « la Tombe » – le crâne et les fémurs de Geronimo que Bush et ses compères ont arrachés à sa sépulture.

Edmond ne m'écoute plus, plongé dans ses fiches de révision psychiatrique.

– Voilà ! C'est ça que je cherchais, le « délire d'emblée » ! « Dès son apparition le délire est constitué, armé de toutes pièces, de pied en cap, enveloppé dès sa naissance de son cortège de troubles sensoriels. »

– Continue, je t'écoute.

– Je t'ai déjà dit que c'était moi qui t'écoutais, n'inverse pas les rôles ! Il est dit aussi dans ton dossier que tu souffres d'expansion délirante du Moi, et que tu prétends lire dans les pensées.

– C'est parfaitement exact.

– Ah ah ! triomphe Edmond. Tu reconnais donc être atteint de psychose mégalomaniaque aiguë !

– Pas le moins du monde, « Edmonde ». Je reconnais que je lis dans les pensées.

– Allons, Sac d'Os, pas à moi. Tu sais bien que tu ne lis pas dans les pensées. Tout ça c'est dans ta tête.

– En effet, c'est dans ma tête que je lis dans les pensées. Mais c'est aussi dans ta tête puisque je lis dans tes pensées.

– Bien sûr, bien sûr. Et peux-tu m'expliquer comment ça se passe, quand tu lis dans mes pensées ?

– C'est très simple, je décide que je suis toi.

– C'est tout ?

– Ni plus ni moins. Une fois que j'ai décidé que j'étais toi, il me suffit de savoir ce que je pense pour savoir ce que tu penses, puisque je suis toi.

– Bon, admettons. Tu vois, je suis conciliant, je prends ton délire au sérieux, j'essaye d'aller au bout de ta logique pour que tu comprennes de toi-même en quoi c'est un délire schizophrénique. Là, maintenant, tu es d'accord que nous dialoguons, comme deux bons amis que nous sommes…

– N'exagérons rien.

– En tout cas nous dialoguons. Tu es d'accord ?

– Si tu le dis.

– Et pour dialoguer il faut être deux, tu es d'accord ? Donc, si nous dialoguons, tu ne peux pas t'imaginer que tu es moi !

– Au contraire, je peux d'autant mieux imaginer que je suis toi que toi tu n'existes pas.

– Et notre dialogue, alors ?

– Il est entièrement dans ma tête qui décide d'être la tienne et de te faire croire que tu n'es pas moi.

– Mais j'existe bien puisque tu réponds à mes questions. Sois un peu logique.

– Je suis très logique. C'est moi qui te fais penser que tu essayes de me convaincre que, puisque nous dialoguons, je ne peux pas t'avoir inventé et lire dans tes pensées. Tout cela est mon œuvre.

– Tu es encore plus maniaque que je ne le croyais, Sac d'Os, tu me désespères. Ça aussi c'est toi qui le penses ?

– Non, c'est toi. Mais c'est moi qui l'entends, car c'est moi qui décide de ce que tu penses en tant que je suis toi.

Edmond se prend la tête dans les mains et retourne à son manuel. Il cherche une faille dans mon argumentation, s'imaginant naïvement que, s'il parvenait à me faire admettre la supériorité de son diagnostic sur mon délire, ce serait comme un premier pas vers la victoire à son examen de psychiatrie. Il tourne les pages du chapitre de son *DSM IV* consacré aux « délires de revendication ».

– Je finirai par t'avoir, Sac d'Os ! Crois-moi ! Je vais te

trouver quelque part décrit et analysé de fond en comble dans ce gros livre, avec toute la liste des substances chimiques à te faire ingurgiter pour te faire ravaler tes prétentions à être qui tu n'es pas, comme ton pote « Satan » et tous les autres. Voyons, dans quelle catégorie de mon *DSM* te classer… « Dispute avec sa mère » ? « Incontinence urinaire au lit » ? « Trouble de la révolte adolescente » ? Ah… « Trouble de l'apprentissage du calcul » ? « Trouble de l'anxiété généralisée » ?…

Je l'interromps :

– Ne te fatigue pas, Edmond, je peux très aisément te démontrer que je lis dans tes pensées.

– Je t'écoute, fait distraitement Edmond en continuant de parcourir son manuel.

– En ce moment, tu penses : *Ils sont caractérisés par l'exaltation (exubérance, hyperthymie, hyperesthésie), par l'idée prévalente, qui subordonne tous les phénomènes psychiques et toutes les conduites à un postulat fondamental, celui d'une conviction inébranlable, et par leur développement en secteur, en ce sens que le délire constitue un système partiel qui s'enfonce comme un coin dans la réalité.*

–Tu te fous de ma gueule ? Tu es en train de lire ce que je lis !

– Et alors. Tu l'as lu, donc tu l'as pensé. CQFD.

– Bon, tu me forces à employer les grands moyens, Sac d'Os. Dieu sait pourtant si je ne suis pas sadique…

– Mon commentaire tient en deux mots : bien voyons.

– Nous allons tenter de reconstituer ton parcours. Ton père est emprisonné à vie pour avoir violé ta petite sœur à sept mois, qui en est morte peu après. C'est bien cela ?

– On le dit.

– Qu'est-ce que tu ressens quand tu penses à ton père ?

– Rien. Je n'y pense pas. Si tu lisais dans les pensées, comme moi, tu le saurais.

– Et ta mère, tu t'entends bien avec elle ?

– Elle est morte.

– Comment ça ? Ça n'est pas indiqué dans ton dossier !

– Tout n'est pas dans mon dossier, Edmond. Tu en sauras plus sur moi en fouillant dans *ton* dossier, puisque je suis toi.

– Ah ! ne recommence pas avec ça ! Et qu'est-ce que tu ressens à propos de la mort de ta mère ?

– Rien. Je suis content pour elle.

– Et pourquoi donc ?

– Et pourquoi pas, Edmond ?

– Ce n'est pas une réponse, ça !

– Non, puisque c'est une question.

– Tu ne ressens donc rien ? Tu n'as aucun sentiment ?

– Je ne sais pas, qu'en penses-tu ?

– Que veux-tu que j'en pense ! Je ne lis pas dans tes pensées, moi. Je suis parfaitement sain d'esprit, moi. Je ne suis pas un dingo peinturluré comme toi, moi !

– Pourquoi dis-tu que je suis peinturluré, Edmond ?

– Tu t'es déjà vu dans une glace ? Regarde-toi, et tu comprendras.

– Je ne peux pas me regarder dans une glace, Edmond, puisque je n'existe pas. Tout est dans ta tête.

– Je croyais que c'était dans ta tête à toi que tout se passait ! Tu as changé d'avis, petit malin ?

– Pas du tout, Edmond, c'est toi qui as changé d'avis, puisque je n'existe pas. Je ne suis qu'une création de ton esprit. Tu es un grand malade, Edmond, tu en as conscience ?

– C'est moi, le malade ? C'est la meilleure, celle-là ! Si je suis le malade, tu es qui, toi ?

– Je suis la voix de la raison qui s'élève dans ta tête pour te dire que tu n'es pas qui tu crois être, Edmond. Tu es un simple pensionnaire du Manhattan Psychiatric Center qui se prend pour un infirmier et s'imagine qu'il fait passer des entretiens à d'autres pensionnaires qui n'existent pas.

– C'est ça, c'est ça, essaye donc de m'embrouiller, le Schizo. J'ai vu les mêmes films que toi : *Fight Club*, *Shutter Island*… Je connais toutes les ficelles des dingos, tu ne m'auras pas.

– Tu me juges bien mal, Edmond. Ce qui est la moindre des choses puisque tu ignores jusqu'à qui tu es. Je ne regarde jamais de films. En revanche j'ai beaucoup lu, et parmi les livres que j'ai lus, il y avait le récit du rêve d'un vieux sage chinois, il y a deux mille trois cents ans. Il dormait, et en dormant il rêvait, et dans son rêve il était un papillon, et ce papillon n'avait aucune idée de qui pouvait être le vieux sage chinois, et lorsqu'il s'est réveillé, il s'est demandé si c'était bien lui qui avait rêvé qu'il était un papillon, ou si ce n'était pas plutôt le papillon qui dormait et rêvait maintenant qu'il était le vieux sage chinois.

Edmond se prend la tête dans les mains, ferme les yeux et murmure d'un ton exagérément plaintif :

– Tu me fatigues, Sac d'Os, vous me fatiguez tous… Sors d'ici, l'entretien est terminé, et ne claque pas la porte en sortant.

– À qui parles-tu, Edmond ?

– À toi, tu peux t'en aller.

– Je ne peux pas m'en aller puisque je ne suis pas là, Edmond. Tout est dans ta tête, je te l'ai déjà...

– FOUTEZ-MOI CE MALADE DEHORS !

Histoire de la psychiatrie à l'âge nazi

– Comment s'est passé votre entretien d'embauche avec Edmond, Monseigneur ?

– Fort bien, merci, Sac. Le morpion a échappé à mon juste courroux, mais il ne perd rien pour attendre. Edmonde la blatte ne se réfugiera plus longtemps dans les interstices du plancher psychiatrique. D'un jour à l'autre je finirai par l'écrabouiller sous mon talon mental. J'ai tout mon temps. Cela fait longtemps que je suis passé de l'autre côté du Temps. Et votre entrevue ?

– Très bonne séance aussi, merci. J'ai joué au chat psycho et à la souris schizo avec lui, il a fini par s'en mordre la queue et les doigts. Je me demande s'il n'est pas encore plus profondément stupide qu'il n'est sadique. Je ne crois pas qu'il décroche jamais son diplôme de psychiatre.

– Détrompez-vous, d'Os. Vous me semblez ignorer l'histoire de cette formidable discipline, domaine de prédilection des ratés, des sadiques, des aigris et des furieux en tout genre. D'ailleurs il me serait dérisoirement aisé de vous démontrer que la Psychiatrie, l'Extermination, la Finance et le Crime ont partie liée.

– Alléchant préambule ! Je suis tout ouïe, Monseigneur, c'est comme si nous ne faisions qu'un.

– Vous n'êtes pas sans savoir que cette nation d'obèses incultes motorisés nommée « États-Unis d'Amérique » – où nous avons vous et moi le douteux privilège d'habiter –, cette civilisation ubuesque dont le mode de non-vie influence puissamment le reste du monde, ce vaste et magnifique pays dont les fondations sociales trempent dans le massacre et sont cimentées par la servitude, est aujourd'hui la figure de proue du *Titanic* terraqué. C'est aux États-Unis d'Amérique qu'eut lieu le krach de 1929, dont la conséquence directe fut les soixante millions de morts de la Seconde Guerre mondiale par le truchement des Teutons tétanisés par l'effondrement antérieur du mark et abandonnant veulement le pouvoir à une misérable tache moustachue. À l'autre extrémité du spectre du ravage, c'est encore aux États-Unis d'Amérique qu'est née la calamiteuse entourloupe dite des *subprimes*, dont les conséquences d'ores et déjà désastreuses pour les *homo ça-pionce* ne constituent que les premières douceurs… C'est donc des États-Unis d'Amérique que je partirai pour illustrer mon propos, remontant à la Déclaration d'indépendance de 1776. L'un de ses cinquante-six signataires, certes pas le plus célèbre, se nommait Benjamin Rush. C'était un presbytérien syncrétique, un pédagogue, un chirurgien et un soldat, mais avant tout, au sens clinique du mot, un parfait fou à lier. Il débuta sa carrière comme sycophante : son premier titre de gloire, lors de la guerre d'Indépendance, consista pour d'obscures raisons à dénoncer *anonymement* George Washington, avant de se convertir hystériquement et de devenir le plus farouche adulateur de son ancien rival. « Pas un roi en Europe n'aurait l'air d'un valet de chambre à côté de lui », énonçait ce fanatique. Rush, père fondateur de la psychiatrie yankee, est l'auteur du premier traité américain sur les maladies mentales – parmi lesquelles il rangeait le mensonge, le chagrin, la honte, la peur, la colère... C'était au tout début du XIXe siècle, Rush étant mort en 1813. Mais il se fit surtout connaître comme zélateur déchaîné de la saignée, que le reste du monde civilisé avait largement abandonnée. Tous les troubles mentaux, professait-il, étaient dus à une circulation sanguine altérée, et se guérissaient soit par la saignée, soit par d'autres moyens de torture comme la chaise de contention ou la centrifugeuse. Opposé à la peine de mort, ce brave humaniste immola évidemment un nombre considérable de ses patients exsangues. Il était par la même occasion un abolitionniste convaincu, quoiqu'il possédât toute sa vie un esclave nommé William Grubber. L'abolitionniste militant Rush considérait son esclave William comme un pauvre malade. Les Noirs, lui enseignait-il, étaient bien à plaindre : ils souffraient d'une maladie héréditaire corporelle, qualifiée par Rush de « *negroidism* » ; la couleur de leur peau, la texture de leurs cheveux, la forme de leurs traits provenaient d'une sorte de lèpre généralisée que l'imbécile Rush se faisait fort de guérir par la saignée.

– C'est à ce dément que nous devons l'incomparable bonheur de résider ici, sur Ward's Island ?

– Pourquoi croyez-vous que je vous en parle, Sac ? Tout est lié. Il ne vous aura pas échappé que *rush*, la « ruée », appartient au réjouissant lexique de la Finance. Il désigne un assaut foudroyant de la spéculation contre une valeur précise à l'agonie, comme la Grèce aujourd'hui.

De 1776, bondissons maintenant d'un siècle pour parvenir à 1876. C'est l'année de naissance d'un digne successeur de Rush : Henry Cotton, élève de Kraepelin et d'Alzheimer. Le dada de Cotton, c'était l'infection. Puisque la fièvre fait délirer les malades, affirmait-il, cela implique que le délire niche dans l'infection. Pour guérir les aliénés il inventa par conséquent la « bactériologie chirurgicale ». Selon Cotton, les microbes de la folie résidaient dans les mâchoires des schizophrènes. Aussi arrachait-il à tire-larigot les dentitions de ses patients. Cotton faisait dans la charpie, pas dans la dentelle. Loin de décourager ce subtil maniaque, l'absence de résultats probants le fanatisait. Dans sa quête effrénée du germe de la folie, il pratiquait alors un grand nettoyage de printemps psychiatrique, ôtant, après les dents de ses psychotiques, leurs amygdales, puis leurs sinus, leurs testicules, leurs ovaires, la vésicule biliaire, l'estomac, la rate, le col de l'utérus, le côlon… Ses patients clabotaient évidemment comme des mouches, mais sa méthode avait un succès fou dans tous les États-Unis, en Europe, partout. Les familles de schizophrènes, d'autistes, de psychotiques, de paranoïaques, de grands débiles venaient supplier Cotton de bien vouloir pratiquer sa charcuterie sur leurs rejetons défectueux. Et un jour, en 1919, dix ans avant le Krach, entra dans son cabinet l'économiste le plus myope de l'histoire du monde…

– Irving Fisher ! Marx m'a parlé de lui. C'est lui qui, la veille du krach de 1929, vantait le « haut plateau permanent du cours des actions », et qui continua de professer au cœur de la crise que les cours allaient encore croître ? C'est bien lui qui, des mois plus tard, était le dernier spécialiste au monde à prétendre que la reprise était imminente ?

– En personne. Ce qui est moins connu, c'est qu'Irving Fisher fut aussi un ardent propagandiste de l'eugénisme, allant jusqu'à présider l'American Eugenics Society financée par Rockefeller. Hélas pour lui, Fisher, ce grand prophète, était destiné à se voir en toute occasion puni par où il péchait. Avant que sa réputation et sa fortune ne fussent ruinées en 1929, c'étaient ses idéaux hygiéniques que malmena la destinée pitoyable de sa propre fille, Margaret Fisher. La petite Margaret était profondément schizophrène. Le perspicace Fisher la confia à Cotton qui, non moins extralucide, diagnostiqua une infection provoquée par une rétention de matière fécale au niveau du côlon. Il charcuta Margaret sans aucune précaution prophylactique, finissant par faire crever la petite folle d'une infection streptococcique de l'intestin. C'était dix ans avant le Krach, donc, en 1919. Quant à Cotton, ce génie bistourique, il est mort en mai 1933, passant le relais hygiéniste à qui vous savez...

– C'est prodigieux, Monseigneur, comme les noms et les dates coïncident pour conforter votre propos ! Un autre que moi vous soupçonnerait de les manipuler pour servir votre magistrale démonstration !

– Qu'ai-je besoin de manipuler quoi que ce soit, enfançon ! Il me suffit de claquer des doigts et ce cauchemar qu'est l'Histoire vient obséquieusement baiser ma bague pour se mettre intégralement à mon service. AH AH AH AH ! Ce qui est la moindre des choses puisqu'il ne s'agit, en dernier ressort, que de l'histoire du cauchemar mondial de mon âme !

– 1933, donc…

– Délicieuse date dans l'histoire du cauchemar mondial de mon âme. Faisons un bond depuis le New Jersey State Lunatic Asylum, où croupissaient en grommelant les patients édentés de Cotton, à la *Gemeinnützige Stiftung für Heil und Anstaltspflege*, la « Fondation Caritative pour le Traitement et le Soin Institutionnels », sise au 4 Tiergartenstrasse (qui allait donner son nom au programme d'annihilation eugéniste « *Aktion* T4 »), où nous attendent les pontes de la psychiatrie germanique, dont près de la moitié, dès cette époque, étaient affiliés à la SS. Leur grand théoricien était un psychiatre suisse, Ernst Rüdin, idéologue eugéniste et militant raciste, non moins délirant que ceux que je viens d'évoquer, néanmoins bien plus chanceux puisqu'il eut la plus grande influence sur le malade mental Hitler et sa politique d'extermination des malades mentaux. Celle-ci, je ne vous apprends rien, fut le véritable prototype de celle des Juifs, des Tziganes et de tous les déviants possibles et imaginables. Avant-guerre, Rüdin était un des généticiens les plus célèbres du monde. Hitler l'admirait profondément. Il le chargea d'édifier la loi du 14 juillet 1933 sur la stérilisation eugénique contrainte, la *Gesetz zur Verhütung erbkranken Nachvuchzes*, « Loi de prévention d'une descendance atteinte de maladie héréditaire ». On commença par affamer les malades mentaux en masse, puis ils furent gazés et leurs carcasses incinérées dans les premiers fours crématoires. Ceux-ci, qui allaient bientôt proliférer sur les traces de la domination nazie, étaient conçus et fabriqués en majorité par la famille « Topf & Fils », J. A. Topf & Söhne, qui les destinait auparavant à l'industrie du chauffage. Il faut savoir, pour savourer cette anecdote, que *Topf* veut dire « pot de terre » en allemand, et qu'il est couramment utilisé dans l'expression *in einen Topf werfen*, « mettre dans le même sac ». AH AH AH AH !

– C'est à peine croyable !

– L'un de ces innombrables instituts psychiatriques teutons, situé dans la bucolique ville de Hadamar, dans la Hesse…

– Hesse Hesse !

– Vous m'agacez, Sac ! Ne m'interrompez plus avec vos calembours puérils ! Ils offensent la virtuosité voltigeante de mon Witz en veux-tu en voilà !

– Vous êtes trop modeste, Luc, vous vous sous-estimez…

– Et vous, impertinent ironique petit d'Os, vous surestimez ma patience. Je poursuis ?

– Je vous en prie. Faites comme si je n'étais pas là.

– À Hadamar, donc, se trouvait une clinique surnommée par les villageois la « maison des frissons ». Entre janvier 1941 et mars 1945 y furent exterminés près de quinze mille patients, hommes, femmes, enfants, malades mentaux, handicapés, désaxés divers, « demi-Juifs », opposants politiques, etc. Sous la sensuelle houlette de l'infirmière en chef Irmgard Huber – leur Edmonde à eux –, les patients, débarquant par centaines en bus chaque jour, devaient se dévêtir et se soumettre à un examen médical factice lors duquel ils étaient répartis en trois catégories symbolisées par d'adorables rubans de couleurs différentes. Première catégorie : à tuer ; deuxième catégorie : à tuer puis pratiquer l'ablation du cerveau en vue de recherches scientifiques ; troisième catégorie : à tuer puis arracher toutes les dents en or en vue de fructification financière… Ensuite ils étaient froidement assassinés, soit à court terme par la très prompte chambre à gaz de l'institut, soit au long cours en les affamant, soit encore, plus techniquement, par des surdoses d'injection mortelle. Les fours crématoires Topf prenaient alors le relais, mettant un terme enfumé à cette fumisterie psychiatrique. C'est ainsi que l'hôpital psychiatrique de Hadamar devint le fleuron du programme « *Aktion* T4 », dont vous ne devinerez jamais le nom du grand ordonnateur...

– Je ne sais pas... « Adolf Delirium » ?

– Très drôle. C'était Hermann Paul Nitsche. Comme si le Fatum avait décidé d'outrager le vrai et seul Nietzsche outre-tombe. Le psychiatre Nitsche fut donc le pilote d'essai de la solution finale. Son programme d'euthanasie généralisée aboutit à l'extermination de 70 000 handicapés et affiliés divers. C'est Nitsche en personne qui révélera après-guerre que « le tri dans les camps de concentration avait lieu dans les mêmes conditions et selon les mêmes méthodes que dans les asiles d'aliénés ». *In einen Topf werfen !* AH AH AH AH !

– Et Rüdin, qu'est-il devenu après-guerre ?

– Pas grand-chose. Il poursuivit ses petites recherches racialo-génétiques aux États-Unis, comme une bonne partie des psychiatres et scientifiques nazis. Ce n'était d'ailleurs qu'un juste retour des choses. Hitler n'avait jamais dissimulé son admiration pour les doctrines racistes et eugénistes nord-américaines. Il l'exprime dès *Mein Kampf*. Vous avez lu *Mein Kampf,* d'Os ?

– J'avoue que non. Je suis spirituellement allergique aux immondices.

– C'est un grand tort ! On n'étudie pas assez *Mein*

Kampf. Il s'y trouve entre les lignes de nombreux enseignements sur les temps présents qui sont *mutatis mutandis* ceux de jadis. *In einen Topf werfen !* « Il y a à notre époque, écrit l'éméché moustachu, un pays où l'on peut observer au moins de timides tentatives inspirées par une meilleure conception du rôle de l'État. Ce n'est pas, naturellement, notre république allemande modèle ; ce sont les États-Unis d'Amérique qui s'efforcent d'obéir, du moins en partie, aux conseils de la raison. En refusant l'accès de leur territoire aux immigrants dont la santé est mauvaise, en excluant du droit à la naturalisation les représentants de certaines races, ils se rapprochent un peu de la conception raciste du rôle de l'État. »

– Hitler proaméricain primaire ! C'est étonnant.

– Rien d'étonnant. Pour l'Adolf Kopf-Topf, l'Amérique corroborée par des siècles de génocide des Indiens, d'esclavagisme des Noirs puis de ségrégation raciale était une Germanie idéale. « L'Amérique du Nord, dont la population est composée, en énorme majorité, d'éléments germaniques, qui ne se sont que très peu mêlés avec des peuples inférieurs appartenant à des races de couleur, présente une autre humanité et une tout autre civilisation que l'Amérique du Centre et du Sud, dans laquelle les immigrés, en majorité d'origine latine, se sont parfois fortement mélangés avec les autochtones. Ce seul exemple permet déjà de reconnaître clairement l'effet produit par le mélange des races. Le Germain, resté de race pure et sans mélange, est devenu le maître du continent américain ; il le restera tant qu'il ne sacrifiera pas, lui aussi, à une contamination incestueuse. » Et vous savez quoi, Sac ? Vous savez qui, en matière d'eugénisme antisémite, hormis Rüdin, était un des principaux modèles d'Hitler ?

– Laissez-moi deviner… KuKlux StraussKahn ?

– Insolent ! Nul autre que Henry Ford, lui-même grand lecteur des *Protocoles des Sages de Sion* – comme votre ami le petit pousseur de bois Fischer –, et auteur de l'immortelle étude socio-économique *Le Juif international, le plus grand problème du monde*, qu'Hitler savait par cœur…

– C'est fou – c'est le cas de le dire – comme tout s'enchaîne dans l'histoire du Crime.

– Eh eh eh, fait Luc en se mirant dans ses ongles comme s'il voulait en vérifier le poli avant de déchiqueter quelque chimère. Je suis cohérent avec moi-même, figurez-vous.

– Psychiatrie, Nazisme, Économie, Crime généralisé, tout se tient et vice versa. Vous avez raison !

– Je sais. Ce que vous devez comprendre, c'est que de même que le slogan *Arbeit macht frei* est une des pires impostures de l'Histoire, *Jedem das sein*, « chacun son dû », autre slogan qui trônait à Buchenwald, est lui aussi un leurre destiné à cacher le grand *Topf*, le vaste brouet historico-métaphysique où tout s'embrouille, se touille, se tripatouille, s'amoncelle et s'ensorcelle. Ainsi, pris à part, aucun des noms propres du cauchemar n'a d'importance. Pas davantage « Hitler » que « Staline », dont les exploits psychiatriques ne sont plus à démontrer…

– Juste un exemple, pour le plaisir ?

– Accordé, Sac. Vous avez de la chance que je sois bien disposé à votre égard, car mon cerveau n'aime pas qu'on l'interrompe quand il lévite. Bon, vous savez, par exemple, que la psychiatrie soviétique qualifiait de « schizophrénie stagnante » la maladie des opposants politiques, chaque dissident étant réputé atteint de « rigidité de conviction ». Eh bien cela se relie à la « drapétomanie », maladie mentale découverte au XIXe siècle par le psychiatre américain Samuel Cartwright pour désigner cette vésanie des esclaves noirs les poussant à fuir leur captivité ! Vous constatez que les individus placés à chaque étape de l'hystérie historique n'importent pas. Tout un chacun vaut l'autre. Ce qui compte, c'est l'invisible réseau d'influences malignes qui enrégimente et malmène le monde. Des noms isolés, ça ne manque pas, ils sont légion d'Attila à Paulson. Mais ils ne livrent leur secret qu'envisagés tous ensemble, comme les parois d'un même labyrinthe à vue d'oiseau. Prenons cet autre maillon : Ladislaus Von Meduna, psychiatre hongrois du début du XXe siècle, persuadé, nul ne sait par qui ni pourquoi, qu'il existait une incompatibilité d'humour entre la schizophrénie et l'épilepsie. Il expérimenta plusieurs substances pour provoquer artificiellement chez ses patients des épilepsies supposées supplanter l'aliénation : injections de caféine, de strychnine, d'huile de camphre, enfin, par voie intraveineuse, de pentylenetetrazol – aux effets convulsifs aussi barbares que son appellation. C'est en 1939 – quand toute la planète se prépare à se convulser, eh eh – qu'il théorise – en allemand, eh eh ! – sa *Konvulsiontherapie der Schizophrenie*... laquelle sera bientôt abandonnée en faveur de l'électrochoc, plus économique, mais fondé sur la même délirante hypothèse qu'une agitation chasse l'autre ! L'électrothérapie, pour sa part, sera découverte par un neurologiste italien, Cerletti, qui se promenait un jour à Rome dans un abattoir de porcs où l'on électrochoquait les animaux pour les étourdir avant de les tuer.

Maintenant, si d'une part vous savez que Henry Ford, lui aussi, avait été assez impressionné par sa visite d'un abattoir à Chicago pour en tirer son idée de l'esclavage paternaliste à la chaîne ; si d'autre part vous songez qu'à la même époque une boucherie new-yorkaise eut l'idée, en guise de réclame, de placer dans son magasin un haut-parleur diffusant les abominables hurlements de porcs qu'on égorge, et que la clientèle, enivrée par cette mélodie d'abattoir, accourait du matin au soir pour acheter et consommer de la cochonnaille… alors vous commencerez à comprendre ce que j'entends par réseau maléfique.

– Hmmmm. Il me semble que Guy m'a parlé l'autre jour de cette histoire de boucherie. Je me demande si ce n'est pas une des mille trouvailles du neveu de Freud, l'inventeur de la propagande politique et commerciale. Il s'appelait Bernays, vous le connaissez ?

– Mon petit, fait Luc en se curant calmement les griffes, offusquez une fois encore mon omniscience avec des questions de ce genre et je vous dilacère la glande pinéale…

– Entendu, dis-je en souriant. Continuez, je vous écoute.

– Passons prestement sur les exaltés de la lobotomie, superbe science exacte inventée par un neurologue portugais, António Caetano de Abreu Freire Egas Moniz, prix Nobel de médecine en 1949. Ce malade, qui paraît à peu près aussi avenant sur ses portraits – avec son épaisse moumoute si mal collée qu'on dirait la perruque en plastique d'une figurine Playmobil – que le comte de Dracula ou le Dr Spock, eut l'idée, en 1918…

– Décidément !

– Eh eh ! vous constatez comme le cauchemar mondial de mon âme ne perd pas le nord. En 1918, donc, Moniz eut la brillante idée de trépaner la boîte crânienne d'un psychotique pour lui verser sur les lobes frontaux de l'alcool pur. La leucotomie était née, la lobotomie allait suivre. Je poursuis, Sac ?

– Bien sûr, votre cauchemar mondial est passionnant.

– Là est la seule, la véritable Internationale, celle du Crime, laquelle se confond presque exclusivement aujourd'hui avec la Finance sans frontières – même s'il demeure ici ou là d'individuels pervers à l'ancienne. Bondissons maintenant…

– Encore un bond !

– Sac d'Os Cadum ! Ignorez-vous que le bond est l'essence de la pensée ? Pas d'avant ni d'après dans le cauchemar mondial de mon âme. Le Temps est ici et là, l'Espace une illusion et les bornes aristotéliciennes de l'univers de dérisoires simulacres qu'il faut transgresser de bond en bond. Pourquoi croyez-vous qu'on m'ait si souvent figuré avec des pieds de bouc ? Bondissons par conséquent du Portugal aux États-Unis, où un nouveau grand malade psychiatrique nommé Freeman, « Homme libre » – car mon âme cauchemardesque a le sens de l'humour –, se prit de passion pour le pic à glace. AH AH AH AH ! Il soulevait la paupière d'un schizophrène ou d'un neurasthénique, y enfournait salacement son pic à glace, passait sous l'os orbital pour atteindre le cerveau de sa victime et, transmettant à son pic à glace une vigoureuse oscillation, il piquait et repiquait, pilait, concassait, broyait, farfouillait, triturait jusqu'à avoir réduit en bouillie le tissu cérébral de son aliéné. Ce militant de la bouillie de cervelle avait un camion, poétiquement baptisé « lobotomobile », avec lequel il parcourait les États-Unis et où il pratiqua à la volée 3 500 bouillies de cerveau. Lorsque son permis d'exercer la médecine lui fut enfin retiré, il était trop tard. Freeman avait lancé une véritable mode consistant à couper dans le vif du sujet. Près d'un million de personnes furent ainsi lobotomisées entre les années 1940 et 1960, à partir de quoi la lobotomisation se répandit universellement par le biais d'une méthode plus moderne, indolore et pleine d'avenir : la télévision.

– Elle-même largement dépassée, question production de bouillie de cervelle, par l'iPad 2 et tous ses clones…

– Vous me lassez avec vos allusions cybernétiques. Je passe rapidement sur tel autre dégénéré au nom significatif, Watson par exemple…

– Watson, le patron d'IBM ?

– Nullement, petit serpent à tête folle ! Il s'agit de John Broadus Watson, l'inventeur de l'infâme behaviorisme. Cette belle tête de pervers sournoisement aux aguets sur les photos était le fils d'Emma Watson, névrosée hyperbolique militant en faveur de la prohibition de l'alcool, de la danse et des cigarettes. Né en 1878, John Watson, cancre congénital et psychorigide atavique, rêvait de faire de la psychologie une science de la nature comparable à la chimie ou à la biologie. Après s'être fait la main sur des rats de laboratoire, qu'il parvint à manipuler à sa guise à force d'électrochocs et autres douceurs microfascistes, il se prit à songer que, puisque selon lui le rat manipulé était l'avenir de l'homme, il avait tout avantage à passer directement à la manipulation de l'homme par le rat ! Cette expérience, aussi célèbre qu'infondée et crétine, consista à torturer longuement un gosse de moins d'un an, « *Little Albert* », en lui inculquant à coups de stimulations comportementalistes la crainte d'un rat, un gros rat, un beau gros rat tout blanc que l'enfant avait spontanément tendance à considérer comme une peluche. À force d'être sadiquement titillé par une série de stimulations exécrables au seul but de le terroriser, *Little Albert* finit par devenir en effet phobique du rat, et John Abject Watson put aller hurler au triomphe de sa théorie débile dans toutes les universités de la planète. Cette théorie, véritable fantasme d'une crapule mentale acharnée au despotisme, se résume en une phrase qui, comme toutes les phrases laides, parle d'elle-même : « L'objectif théorique du behaviorisme est la prédiction et le contrôle du comportement. » Passons maintenant à son disciple, nommé Skinner. L'ordure bis poussa les expériences de son papa facho putatif plus avant, ne trouvant rien de plus intelligent que d'enfermer sa propre fillette près d'une année dans une « boîte de Skinner », une grande cage transparente où le brave homme éduquait sa rarate par toute une série de stimulations visuelles, sonores, thermiques, etc. Or, et voilà qui devient très intéressant, mon bon *Little Bag*, ce Skinner avait toute sa jeunesse espéré devenir... devinez quoi...

– Trader ?

– L'inverse : écrivain. Mais comme il était aussi médiocre et psychorigide que son maître, il ne fut jamais qu'un scribouillard raté, attribuant comiquement son ratage non point à sa propre inaptitude spirituelle mais à la littérature ! « J'étais apparemment un piètre écrivain, dira-t-il dans sa biographie, mais n'était-ce pas plutôt la littérature qui était pour moi une piètre méthode ? »

Selon le même principe mégalomaniaque, si lors de ses expériences ridicules la réalité ne se comportait pas comme elle aurait dû, c'était sa faute à elle, la réalité, pas aux expériences ! Il essaya de vendre à l'armée américaine un contingent de pigeons stimulés et dressés à repérer des navires ennemis, puis à donner des coups de bec dans un appareil électronique pour assurer le guidage de missiles vers leurs cibles. Son modèle était explicitement les missiles guidés de l'armée allemande. Déprimé par l'incrédulité des généraux, il se consola dans la rédaction d'un roman autobiographique nullissime – c'était la faute de la langue anglaise, prétendra-t-il –, où il fait révéler le pot aux rats par son *Doppelgänger* : « Je n'ai poursuivi dans ma vie qu'une idée, une véritable idée fixe. – Quelle idée ? – Pour parler aussi franc que possible, celle d'imposer mes façons de voir. "Contrôler" est le mot juste, je crois. Contrôler le comportement humain. Au temps de mes premières expériences, c'était un désir frénétique, égoïste, de dominer. Je me souviens de la rage que je ressentais quand mes prédictions ne se réalisaient pas. J'avais envie de crier à mes sujets d'expérience : "Comportez-vous correctement, bon sang ! Comportez-vous comme vous le devriez !" » Enfin, bouclons la boucle des turpitudes de ce connard par son aveu tardif : « Je parlais des humains en m'appuyant sur des principes établis avec les pigeons. »

– Ce Skinner a-t-il eu une grande influence sur la psychiatrie contemporaine ?

– Mais une influence définitive, totale, absolue, irréfutable, inamovible, Bobones ! *Skinner*, le « peaussier », le dépiauteur, l'empailleur, l'écorcheur, le dépouilleur, est un jalon primordial dans la route qui conduit de Benjamin

Rush jusqu'à Goldman Sachs en passant par Hitler, IBM, Ford et tant d'autres... D'une part en professant qu'il n'y avait pas de solution de continuité entre l'homme et la brute, mais surtout – car ce darwinisme de pacotille qui traite les hommes comme des pigeons n'a en soi rien de très inédit – en prétendant rafler la mise par le contrôle des deux, l'homme et la brute, pour les asservir au dogmatisme de la théorie enragée d'être littérairement bancale. Je viens de vous expliquer le rapport étroit qui existait économiquement entre l'homme et le porc du point de vue de l'abattoir. Eh bien figurez-vous que la Psychiatrie universelle n'y est pas étrangère non plus. Dans les années 1950, délaissant le pic à glace trop salissant, la Psychiatrie se mit à prescrire à forte dose, sous la délicieuse désignation de « lobotomie chimique », ou bien encore sous le doux euphémisme de « matraque liquide », une substance nommée Chlorpromazine, appartenant historiquement au laboratoire Rhône-Poulenc. C'était un dérivé de la Phénothiazine, elle-même conçue au départ comme insecticide et antiparasitaire, destinée à tuer les parasites des porcs !

– Il faut dire que tous ces noms zinzins en zine sonnent très nazi.

– La Chlorpromazine, ce premier pyschotrope de l'histoire qui servait au départ à soigner aussi bien le prurit du nourrisson que les menstrues douloureuses, sera commercialisée en France sous le nom de *Largactil* (« Large action »), autrement dit : « Le monde est à nous. » Quant à Rhône-Poulenc, où la molécule fut élaborée, c'est désormais une société cotée en Bourse et très très très très très prospère, après sa récente mutation franco-allemande opérée par la fusion avec le groupe Hoechst Aktiengesellschaft et leur renaissance sous le nom Sanofi-Aventis, dont la maxime mensongère et minable est : « L'essentiel, c'est la santé. »

– Ils sont toujours aussi dépourvus d'imagination littéraire que Skinner !

– Oui, mais ils ont les moyens de leur indigence. Chiffre d'affaires consolidé du groupe en 2011 : plus de trente-trois milliards d'euros. À ce tarif-là ils pourraient même s'offrir des fautes d'orthographe…

L'Absolu contre la Parole

– Et les nazis dans tout ça ?

– Oh, ils sont bien dissimulés, mais ne craignez rien pour eux, ils gigotent toujours vigoureusement dans les buissons du monde. Il faut revenir à ces simples anecdotes qui révèlent tout : la piètre qualité littéraire de Skinner, la piètre peinture d'Hitler, la piètre spiritualité de Bernays, l'imbécillité patentée des traders, l'incompétence sournoise des économistes, la fumisterie cynique des banquiers, etc. Tous ces gens médiocres, mesquins, ratés, souillés, pervers, compulsifs, corrompus, concupiscents… sont le petit personnel de la maison Mal, la piétaille déchaînée de la mauvaiseté mondialisée. Et tous, sans distinction de sexe, de race, de nationalité, d'origine ni de religion, n'ont qu'un ennemi, Sac d'Os…

– Le Juif ?

– Presque ! La Parole, seul sceau du Beau, du Vrai, de l'Invisible et de l'Infrangible. Vous connaissez la phrase d'Origène : « L'unique berger des paroles, c'est la Parole. » Eh bien cela, le Nombre qui entend tout saccager ne peut l'admettre. Cet accroc dans son absolutisme le rend littéralement *fou*. Pourquoi pensez-vous qu'Hitler était aussi obnubilé par le mot « million », dont il truffait tous ses discours, qu'il employait dans tous les contextes ? C'est ce que Canetti, le disciple de Doc Neinung, a finement qualifié de « volupté du nombre à accroissement brusque ». Inutile de vous faire un dessin concernant les irréels trillions de dollars avec quoi la Finance jongle aujourd'hui. Ni les chiffres consternants de la cybernétique qui ne s'appliquaient autrefois qu'à des populations en chair et en os…

– À quoi pensez-vous ?

– À tout. Aux 44 millions d'« amis » *numériques* de la page Facebook de Lady Gaga, par exemple… On s'est beaucoup excité au siècle dernier autour du mot « totalitarisme » sans pour autant imaginer le rapport que le nom d'un groupe pétrolier comme Total pouvait bien lui devoir. Mais on a manqué du coup le concept majeur, non seulement du siècle dernier mais de tous les temps : l'Absolu.

– C'est synonyme de l'autre, non ?

– Malheureux d'Os ! qui n'êtes pas adoubé par la Parole. Condamné à clapoter dans la cécité ! « Absolu » et « Totalitaire » n'ont rien en commun, aucun *Topf* où les ratatouiller. « Absolu » a pour étymologie récente « achevé, parfait » : *absolutus*. Mais ouvrez l'oreille, car plus sourdement le mot renvoie au latin *luere*, qui désignait dans le vocabulaire juridique le fait de « s'acquitter ».

– Comme « s'aquitter d'une dette » ?

– Votre ouïe se dessille, d'Os, c'est bien. *Luere* a ensuite produit le dérivé *solvere*, qui signifie « délier, désagréger », comme dans « dissolution ». Mais *solvere* signifie encore « payer », comme dans « solvabilité »… En termes de grammaire, *absolutus* renvoie au grec *apolelumenon*, qui signifie « sans lien ». Vous suivez ?

– Bien sûr ! La Parole tisse le monde, l'Absolu entend le dissoudre en l'inondant de dettes.

Luc a sursauté en m'entendant. Hormis ses crises de rage froide, il est rare que son côté humain perce l'impavide impassibilité de sa psychose.

– Votre perspicacité a failli me surprendre, mon petit *Bag* ! Un instant j'ai cru m'entendre… Il ne vous reste plus qu'à savoir que la même racine, depuis *luere*, a donné *resolvere*, « délier », « démêler, débrouiller », d'où « résoudre une équivoque »…

– La solution finale de la question Parole !

– … et l'adjectif *luxus* au sens de « démis », « de travers »…

– Comme dans « luxation »…

– … et le substantif *luxus*, qui désigne en agriculture le « fait de pousser de travers », puis le « fait de pousser avec excès », puis l'« excès », l'« exubérance », la « luxure », et le « luxe »…

– Perversité absolue de l'argent contre richesse profuse de la Parole. Pas étonnant que nombre de ces grands malades aient été fascinés par le fantasme du complot juif. Beau complot que celui qui aboutit au massacre de six millions de ses instigateurs ! Pas étonnant que Ford – l'homme le plus riche de son temps – et Hitler se soient voué une admiration réciproque !

– Minuscule collusion, Sac, en comparaison du réseau

maléfique de l'Absolu. Ford ne fut jamais qu'un raté caractériel, un médiocre démonteur de montres qui demeura analphabète toute sa vie. S'il payait grassement ses salariés, c'était en vue de leur vendre sa camelote pollueuse, méthode crapuleuse destinée à proliférer dans la catastrophique Finance contemporaine sous le nom de *Buy-Backs*. Le fordisme annonçait les fantomatiques traders des marchés secondaires qui s'enrichissent hors de toute mesure sur le dos des entreprises classiques dont les actionnaires n'ont d'autre choix spéculatif que de racheter leurs propres actions. Quant aux descendants des ouvriers de Ford, aliénés, pressurés, esclavagisés et déracinés, ils promènent leur misère dans d'autres descendantes de la Ford « T4 » cyniquement appelées *Fiesta*... Vous noterez au passage l'ironie suprême du Fatum qui a surnommé identiquement la première voiture du peuple et le premier institut d'extermination nazi...

– Chapeau bas, Monseigneur, vous êtes un génie !

– Je sais, d'Os. Que croyez-vous m'apprendre...

Une hypothèse

Après l'avoir fait languir un mois et demi, le petit Dominique d'Agadir s'est enfin décidé à réapparaître pour soustraire miraculeusement, une fois encore, DSK des décombres. Et en bon dibbouk écrabouillé, le petit Dominique d'Agadir n'a pas fait dans la dentelle. Il n'y a guère que Tocarkozy – passant en un sondage de Johnny Hallyday aux *Pensées* de Pascal – qui peut prétendre rivaliser avec un tel retournement de veste ! Après l'Affaire de l'année, la déconfiture judiciaire de l'été. La police et la justice new-yorkaises viennent de s'apercevoir qu'elles ne pratiquaient pas couramment la langue peule. Non seulement Nafissatou a déformé la réalité de son existence new-yorkaise, mais elle l'a carrément engloutie sous les mensonges grotesques, les affirmations contradictoires, les descriptions divergentes et d'autant plus absurdes qu'elle n'avait rien, logiquement, à y gagner.

Le Destin est décidément bien taquin, et plus personne ne sait qu'en penser.

Le 1er juillet 2011, le juge Obus annule l'assignation à résidence de DSK. Plus de caméras intelligentes, plus de bracelet électronique au mollet, plus de caution ni de dépôt de garantie pharaoniques. DSK peut désormais vivre et se déplacer à sa guise à l'intérieur du territoire américain. Il n'y a plus que son passeport et son honneur qui demeurent encore entre les mains de la justice.

Nafissatou Diallo a perdu son crédit, comme le gouvernement grec dont la corruption calamiteuse éclate au grand jour pour la plus grande joie des agences de notation spéculatives dont la corruption intéressée demeure parfaitement souterraine.

Mais l'exorbitant veinard DSK n'est pas innocenté pour autant.

Luc et moi discutons d'une hypothèse à laquelle presque personne ne songeait la veille.

– Monseigneur, qu'en dites-vous ? Est-il envisageable qu'elle ait menti depuis le début ?

– Tout est envisageable, mon bon Bones. Les hystérisés de la commisération médiatique n'ont aucune idée de la haute ruse d'une cervelle africaine en général, et de la duplicité d'un esprit peul en particulier. Elle a pu entrer dans la suite encore occupée par mégarde, tomber sur ce Blanc qui la salue en français, lui faire un compliment en français sur sa bedaine d'homme qui a réussi, éclater de rire en constatant son érection, sourire à son invitation à s'approcher plus près, lui demander un petit cadeau avant de s'avancer vers lui, prendre son équivoque : « On verra si tu mérites un petit cadeau... Sais-tu qui je suis ? » pour une promesse, lui la flatter en disant qu'elle est très belle, elle venir lui flatter la prostate avec tout le respect dû à ses cheveux blancs, lui penser que son irrésistible queue devrait être cotée en Bourse, elle rire en jouant avec ses testicules tout en songeant à la maxime peule qui compare un bon à rien aux parties sexuelles de la poule du Pharaon, autrement dit à la petite outarde dont les organes génitaux gonflent au soleil et se ratatinent à l'ombre, lui s'exciter brutalement, à son habitude, elle se laisser faire en grimaçant devant cette si peu respectueuse précipitation, lui la faire s'agenouiller impulsivement, se masturber entre ses lèvres comme s'il lui brossait les dents, elle tousser et cracher pour trouver sa respiration, lui éjaculer en hululant et en lui maintenant la tête de ses deux mains, elle songer qu'il a gâté son tissage de cheveux raides, que le petit cadeau ne sera pas de trop pour s'offrir une journée de coiffure chez Bintou la Sénégalaise, lui aller s'habiller sans un mot en pensant en termes d'échecs « e.p. - ? ! », autrement dit « prise en passant - coup douteux », elle cracher les résidus de sperme avec dégoût avant de réclamer à voix haute son cadeau, lui répondre de la salle de bains en finissant de s'habiller : « Je suis pressé. Sais-tu qui je suis ? Reviens tout à l'heure, je te laisserai quelque chose sur le lit... », elle repartir nettoyer la suite 2820, lui sortir précipitamment son BlackBerry de la poche de sa veste pour y chercher un billet de vingt ou de cinquante dollars, ne trouver que des billets de cent dollars, se dire que c'est cher pour une pipe sur les chapeaux de roues dont, étant donné son statut, la femme se vantera auprès de tous ses collègues, penser qu'il ferait mieux de garder du *cash* pour régler son déjeuner avec sa fille chez McCormick & Schmick's, s'apercevoir qu'il est en retard, remettre à la hâte les billets de cent dollars dans sa poche en oubliant le BlackBerry sur le lit, elle revenir chercher son dû dans la 2806 une fois qu'il l'a quittée, ne trouver nulle part le billet de cent dollars auquel elle s'attendait, dérober pour le revendre le portable resté sur le lit en pensant avec rage, le goût de la semence pré-présidentielle encore au fond du gosier : *Sa nani nânge yornal kala ko hollâ, lamdo hondo mâyo woni* avant de fomenter une palabre de plainte...

– Mon peul est un peu rouillé...

– C'est un proverbe qui signifie qu'il n'est pas de souveraineté qui ne trouve sa borne : « Si tu as entendu dire que le soleil assèche tout ce qu'il voit, demande où est le fleuve. »

Et voilà. Le destin de DSK chavire en une demi-seconde sur le roc colérique d'une Peule dépitée. Elle connaît l'imbécile pruderie des Américains. Elle se dit qu'elle n'a qu'à raconter à sa supérieure qu'il l'a forcée pour que l'affaire s'engage sur une négociation procédurière dont elle récoltera sûrement beaucoup d'argent, se dit-elle, deux mille, trois mille, voire cinq mille dollars, de quoi se faire coiffer toute l'année avec des mèches brésiliennes, les plus belles et les plus chères dont dispose Bintou la Sénégalaise...

L'agrippeur de vagin

Sûr de son fait, Ben Brafman, très calme, donne une conférence de presse à la sortie du tribunal, maniant en virtuose l'inversion de toutes les polarités. L'innocente devient coupable et le coupable innocent. On a cru à un viol bestial ? Ce n'était qu'une saillie consentie. Simple erreur d'appréciation, comme pourrait en commettre n'importe qui... Une agence de notation, par exemple, disons Standard & Poor's dérapant sur sa calculette et se trompant de deux mille millions de dollars juste avant de dégrader les USAAA en USAA+. Eh bien là, c'est *idem*. Le 14 mai 2011, on avait rétrogradé à tort le boss du FMI de DSK en DSKKK raciste violeur de Noire. Le 1er juillet 2011, il redevient un DSK d'école concernant la présomption d'innocence.

Kenneth Thompson, l'avocat de Nafissatou Diallo – dont nul ne sait toujours rien –, donne aussi sa conférence de presse à la sortie du tribunal. Sentant qu'il est en passe de perdre le conflit abécédaire, il contre-attaque avec verve, s'interrompant dramatiquement à chaque phrase, usant de toute sa palette gestuelle et rhétorique pour mimer le viol de Nafissatou par DSK.

– Elle est entrée dans cette chambre, croyant qu'il n'y avait personne à l'intérieur. Alors Dominique Strauss-Kahn s'est rué hors d'une des pièces, nu, dans sa direction. Puis il a commencé à lui agripper les seins... (*Il fait le geste de s'attraper sa propre poitrine des deux mains grandes ouvertes, comme un androgyne masochiste qui s'abuserait lui-même.*) Il a commencé alors à l'assaillir... Puis il lui a agrippé le vagin !... (« *He then grabbed her vagina !...* » *Il lève sa main droite en forme de pince de crabe, tous les journalistes serrent les jambes d'effroi*)... avec une telle force qu'il l'a blessée !... Il a agrippé son vagin avec une telle force (*réduplication rhétorique*) qu'il lui a fait des bleus au vagin ! Quand elle s'est rendue à l'hôpital plus tard dans la journée, les infirmières qui l'ont examinée ont constaté les bleus sur son vagin causés par Dominique Strauss-Main (« *Dominique Strauss-Hand* »... *Thompson continue de remuer sa main droite en forme de pince comme si, en guise de pièce à conviction, il agitait en l'air le vagin de Nafissatou Diallo*)... Et elles ont pris des photos des bleus sur son vagin, le procureur a vu ces photos... Quand elle se débattait pour s'enfuir, quand elle était à genoux et qu'il l'assaillait sexuellement, après qu'il eut fini, elle s'est levée et s'est ruée vers la porte, crachant la semence de Dominique Strauss-Kahn hors de sa bouche (*il fait le geste de cracher avec sa main, comme si à distance il avait lui aussi reçu quelques gouttes du sperme de la partie adverse*), de dégoût, partout dans cette chambre d'hôtel...

À Paris, on ricane déjà beaucoup moins.

Un homme, un seul, triomphe et vient aujourd'hui tancer tous les ricaneurs à la radio. Cet homme est un homme à part. Il a souffert l'agonie médiatique de DSK comme si ce monceau mondial de moqueries s'abattait sur sa propre personne. C'est un homme aussi indéfectiblement strauss-kahnien que Péguy était dreyfusard, un homme qui a pris d'emblée fait et cause en faveur de son ami, un homme qui n'a jamais douté, sinon de l'innocence de DSK, du moins de son inaliénable présomption… Cet homme, qui partage avec DSK d'être internationalement célèbre sous trois initiales, c'est BHL.

Il faut dire que BHL a le vent en poupe. Comme DSK, la Libye libre n'est plus très loin de retourner définitivement la situation en sa faveur. La veille du coup d'éclat new-yorkais, BHL a rencontré Sarkozy à l'Élysée pour s'entretenir du sardonique bédouin bling-bling.

– Tu ne connais pas Kadhafi, a dit Sarkozy à BHL. Moi, si. J'aime bien son côté rock star, avec ses lunettes noires, et puis je lui suis très redevable – je ne peux pas t'en dire plus –, mais c'est un fou, cliniquement fou. Je sais de quoi je parle…

Le lendemain, BHL a longuement conversé par Skype avec DSK. Et aujourd'hui, à la radio, BHL s'avoue impressionné par l'endurance de son ami.

– Rien au monde n'autorise à ce qu'un homme soit ainsi jeté aux chiens… Cette espèce de supplice, cette mise au pilori planétaire dont il a été l'objet… Quand on a été l'objet de cela… quand un système tout entier a tenté de vous annihiler, de vous dégrader… quand on a traversé cet enfer… Est-ce que les gens mesurent ce qu'on a fait subir à cet homme ? sa noblesse silencieuse ? la façon dont il a enduré tout cela ? Il y a quelque chose qui passe l'imagination… La dégradation de Dominique Strauss-Kahn, c'est à ça qu'on a assisté ! Avez-vous seulement idée de ce que signifie Rikers Island ? Je connais Rikers Island, j'ai vu Rikers Island, j'ai visité ce cul-de-basse-fosse de l'humanité pour écrire mon livre sur l'Amérique. Guidé par une énorme matonne noire, j'ai failli subir le *Rikers'Cut* initiatique lorsqu'un chef de gang portoricain – était-ce les « Bloods » ou les « Latin Kings » ? Je l'ignore et ne veux pas le savoir – a tenté de m'entailler l'oreille en signe de bienvenue ! Dans les couloirs, ma matonne et moi avons croisé un homme qui s'était dissimulé huit lames dc rasoir dans le cul, et qui s'est jeté sur moi pour essayer de m'égorger ! Et ce n'est pas tout ! Il y avait un hercule tout nu dans sa douche, en train de se branler et qui m'a hurlé au passage d'une voix de dément : « Viens me chercher, salope, viens ! » C'était atroce. Non, croyez-moi, personne ne peut imaginer les affres par lesquelles est passé Dominique Strauss-Kahn !

À écouter BHL, très en verve, on finirait par soupçonner Nafissatou Dialo d'avoir sodomisé DSK par surprise avec un *sex toy* !

Et puis, suggère BHL, comme Pompidou qui gardait par-devers lui une « petite liste noire » de tous ceux ayant diffamé et calomnié son épouse, il n'est pas improbable que DSK ait noté sur son iPad 2 et sauvegardé sur son iCloud la liste complète de tous ceux qui n'ont pas été parfaitement convaincus par l'ABC (Africaine Benoîtement Coupable) de son éjaculation bonhomme et impromptue entre les lèvres d'une femme de chambre suffisamment honorée d'un tel privilège…

– Rira bien… qui rira… le dernier ! lance alors comminatoirement BHL.

Et il fait le même geste de la main droite que Kenneth

Thompson dénonçant l'agrippeur vaginal ! Est-ce un signe initiatique ? Une sorte de défi jeté par-delà l'Atlantique à l'avocat afro-américain tiré à quatre épingles ? « Liste Noire » contre « Pince de Crabe » ? « Rira bien... qui rira... le dernier » ?

– Dominique Strauss-Kahn n'est pas un violeur, martèle BHL.

Il l'a dit dès le premier jour, et on s'est beaucoup moqué de lui. Eh bien rira bien etc. S'il y a un violeur, dans cette affaire, c'est Pince de Crabe ! Oui, Kenneth « *Vagina* » Thompson, qui a tenu à répéter « les seins de sa cliente », « à évoquer de la manière la plus crue les parties les plus intimes du corps de sa cliente, de Mme Diallo »...

– Voilà l'obscénité ! Voilà la pornographie ! s'indigne BHL en pointant un index accusateur et incoerciblement phallique – étant donné le contexte – vers son intervieweur effarouché. Et s'il y a peut-être un viol, symbolique, je vous l'accorde, mais un viol tout de même, il est là !

Le principe peul d'incertitude

– Mais je n'ai pas peur de lui ! lance crânement Nafissatou aux policiers et aux avocats qui tentent maladroitement de l'apaiser, décontenancés par les arabesques de ses longs bras doucement dodus et le pianotement aérien de ses mains délicates qui enluminent ses paroles. Est-ce que ce DSK est une mouche dans mon œil pour me faire peur ? Hiiiiiiiiiiiiiiii ! Héeeee hee heh ! Quelle peur, même ! Je ne refuserais pas d'être servie dans l'écuelle d'un chien, je me reprocherais de manger dedans ! Qui cache quelque chose de pourri puera ! Héeeeeh ! *Tchppppp !* Faute d'avoir tété ma mère, j'ai tété ma grand-mère, c'est vrai, mais je ne suis pas une femme de mauvaise vie ! Allah sait ! *Am telin'de tru,* je dis la vérité. Je ne lui ai jamais demandé de l'argent. Jaaaaaaamais ! Je ne le laisserai pas manger son piment dans ma bouche ! C'est faux ! Est-ce que je suis assez bête pour toucher celui qui s'est oint des excréments du roi ? Double face ! Héeeee ehééé ! Il n'a pas vu toutes mes couleurs ! La vieille hyène est mauvaise qui a bu à sa soif l'eau d'une calebasse fraîche. *Tchppppp !*

Malgré leur bonne volonté, les flics new-yorkais ont du mal à appréhender les circonlocutions métaphoriques de Nafissatou Diallo. Elle vient de raconter pour la centième fois son viol à Katherina, une compatissante Blanche obèse au nez en trompette, aux cheveux rasés à la G. I., au postérieur gonflé à l'hélium et au regard d'un mauve si sombre, si irrémédiablement en retrait qu'on jurerait qu'il s'est imprégné des atrocités recueillies par ses oreilles depuis qu'elle est dans la police. Les collègues de Katherina l'ont surnommée *Jaws*, « Mâchoires ». Elle ne lâche jamais une affaire avant que le coupable ne soit retrouvé, maîtrisé, arrêté, jugé, condamné, incarcéré et émasculé par châtrage ou castration, chimique ou à la hache, peu lui importe. Qu'une femme confie à Jaws les détails dramatiques de son viol ou qu'une fillette lui raconte les traitements infâmes qu'elle a subis, elle demeure imperturbable. Immobile comme l'Éternité, livide comme la Mort. Son seul signe extérieur d'émotion est un grincement des dents machinal, inconscient, comme si elle chiquait lentement et inexorablement le pénis incriminé. Aujourd'hui, c'est sans grincement de dents que Katherina écoute Nafissatou pour la centième fois. Elle se concentre mentalement afin de reconstituer le puzzle du récit désorbité de la Guinéenne, mais son regard n'en a pas moins la dureté de celui d'un doberman exaspéré qui aurait encore entre les babines des lambeaux du fond de pantalon de DSK.

Hélas, c'est comme si le temps s'était pris les pieds dans le tapis labyrinthique des formulations de Nafissatou. Katherina n'en sait pas davantage que ses collègues qui l'ont précédée. Ou plutôt elle sait désormais tant de choses diverses, contradictoires, insolites, extravagantes et hors de propos qu'il lui est impossible, policièrement parlant, de trier le bon grain de l'ivraie dans cet embrouillamini rhétorique inouï et inattendu. À chaque nouvelle question posée à Nafi pour tenter de reconstituer l'accroc de quelques minutes dans le tissu tourbillonnant du Temps – ces quelques minutes mystérieuses sur lesquelles se penche toute la planète depuis son balcon médiatique, comme au rebord d'un minuscule trou noir dont seuls deux êtres au monde savent quels faits, gestes et paroles s'y sont engloutis ; deux êtres plus indissolublement liés désormais que le plus fusionnel couple d'amoureux transis ; deux êtres associés par un secret aussi impénétrable qu'il est universellement exhibé ; deux êtres dont les deux noms, comme ceux de Roméo et Juliette, Abélard et Héloïse, Paul et Virginie, Adam et Ève…, ne seront plus jamais indifférents l'un à l'autre, puisque rien ne pourra raturer dans l'Histoire humaine la chute que DSK a faite, par le truchement de Nafissatou Diallo, au seuil de la présidence de la République française, et rien non plus ne pourra biffer les preuves scientifiques incontestables de l'éjaculation ADNisée de DSK entre les lèvres de Nafissatou Diallo… –, à chaque nouvelle demande, faite avec toute la délicatesse et la précaution envisageables par un avocat ou un policier, Nafi raconte comme un nouveau drame, certes assez semblable au précédent mais assez différent aussi pour s'être déroulé dans un monde parallèle où tout flotterait dans un équilibre instable, où les actes, les pensées, les propos ne seraient jamais définitifs ni absolument cohérents avec ceux qui les ont précédés et suivis.

Dans ce malentendu suprême, ce n'est ni l'accent ni le vocabulaire assez restreint en anglais de Nafissatou qui sont en cause. Les flics new-yorkais sont d'ailleurs rompus aux plus impénétrables charabias suscités par plusieurs décennies d'immigration continue. Avant Katherina, on a successivement dépêché auprès de Nafissatou des experts en *spanglish*, en *yinglish*, en *chinglish*, en *slangish*, en *arabish*, des lieutenants originaires de toutes les communautés de la ville sont venus écouter son récit et tenter d'en accorder les versions… La perplexité globale n'en a été qu'augmentée. Le Chinois s'est demandé si elle ne mêlait pas de l'italien dans son anglais ; l'Irlandais a suggéré qu'elle parlait en langues ; une policière issue du Bronx a prétendu qu'il s'agissait d'un verlan de bidonville africain ; le flic d'origine égyptienne n'a cru reconnaître dans les propos apparemment décousus de Nafi que les mots « Dieu » (*Allah*), « Diable » (*Seytaane*) et « Démon » (*Ibliisa*). Aucun traducteur peul assermenté n'était disponible, et celui qui a tenté de traduire les cassettes des enregistrements de Nafissatou avec Amara, son compagnon dealer emprisonné en Arizona, pratique surtout le pulaar du Fouta-Toro, lequel n'a pas davantage à voir avec le pular du Fouta-Djalon que le *litvak*, le yiddish de Lituanie, avec le *polak*, le yiddish de Pologne.

Ce n'est pas un policier noir, blanc, asiatique ni arabe qu'il aurait fallu dépêcher auprès de Nafissatou Diallo. Ce n'est même pas un linguiste ni un ethnologue averti de l'extrême subtilité et de la complexité du peul ; de la nuée de nuances qui sépare les dialectes parlés entre deux villages du Fouta-Djalon situés à seulement quelques kilomètres de distance ; de l'incommensurable foisonnement des racines verbales, des milliers de possibilités de permutations des participes, du jeu invraisemblable entre les voix passive, active et réfléchie des verbes, des dix-sept classes et sous-classes des substantifs, des vingt-quatre classes d'articles, des innombrables suffixes qui peuvent imperceptiblement bouleverser le délicat édifice d'une phrase échangée entre deux « Fulbé » – dont chacun se présente au singulier comme un « Pulo », comme si, du moins à des oreilles non peules, un Peul quittait son ethnie dès qu'il se trouve en compagnie d'autres Peuls pour pénétrer ensemble dans une communauté différente...

Non.

Seul, peut-être, un expert en physique quantique aurait la disponibilité d'esprit qui convient pour écouter sans préjuger l'inénarrable récit de la fille de cheikh Thierno Ibrahima Diallo et de Hadja Aïssatou... Car dans l'univers spirituel de Nafissatou Diallo – cet univers dont trois ans passés à New York ni même cinq siècles sur la Lune ne sauraient l'extirper –, le principe d'incertitude de Heisenberg est audible par tout un chacun.

Dans le monde de Nafissatou Diallo, les mots imposent leur règne à ce qu'on nomme naïvement en Occident la réalité, l'informant, la déformant et la refondant à leur guise.

Dans le cerveau de Nafissatou Diallo, lorsqu'on vous pose deux fois de suite une question qu'un Occidental qualifierait naïvement de précise, comme « Que s'est-il passé entre 12 h 06 et 12 h 13 dans la suite 2806 ? », les deux réponses successives, dont les sonorités fruitées s'échappent comme d'une volière de ses lèvres délicieuses, ont beau être composées des mêmes lettres et des mêmes syllabes, le simple fait de les proférer à nouveau vous ressuscite et vous réélabore de la tête aux pieds, comme si la Parole était l'utérus de votre être, le Souffle son placenta et le Phrasé votre acte de naissance.

Dans le monde de Nafissatou Diallo, la Parole est d'or et le Silence lui rend hommage.

Dans le monde de Nafissatou Diallo, la « réalité » est une inconsistante chimère frelatée.

Dans le monde de Nafissatou Diallo, on parle pour dire la luxuriance du Rien, on embrasse à pleine bouche la saveur de l'échange, on palabre pour s'abriter du soleil de la mort à l'ombre des hautes herbes de la langue, on discourt pour se guérir d'exister, on bavarde pour invoquer le rire de la pensée, on devise pour déjouer le sort, on monologue pour ligoter le malheur dans les rets du phrasé.

Dans le monde de Nafissatou Diallo, la Parole joue aux dés et Allah tient les paris.

Dans la langue lyrique de Nafissatou Diallo, Heisenberg n'hésiterait pas entre les termes *Unsicherheit* (« incertitude »), *Ungenauigkeit* (« imprécision ») et *Unbestimmtheit* (« indétermination ») pour rendre compte de son aléatoire principe : il jonglerait en virtuose avec des synonymes qui diraient bien ce qu'ils veulent dire, ou pas : c'est selon.

Dans la magie mobile du monde de Nafissatou Diallo, même une fois la boîte ouverte, le *ñaari* de Schrödinger est toujours simultanément mort et vivant.

Dans le monde de Nafissatou Diallo, chaque fois qu'on évoque « le » monde, on parle d'autre chose.

« *Vanity the Puppet* »

Tiens, revoilà DSK ! Quelle joie de voir notre fringant boxeur de séismes recouvrer sa superbe sitôt extirpé du tribunal !

Main gauche dans la poche (pour dissimuler la pince de crabe ?), l'autre autour du cou de son énamourée fortunée, il a retrouvé sa démarche chaloupée nonchalante, ses yeux ricaneurs, son air entendu, son sourire de concupiscence consubstantielle. *Ladies and gentlemen*, l'agrippeur de vagin est de retour ! Et il compte bien rattraper le temps perdu entre la Tombe et la Tirelire. Finies les journées interminablement déprimantes à Franklin Street – des instruments de torture de la salle de gymnastique, au sous-sol, à l'insupportable peau de reptile hors de prix dans la chambre à coucher du premier étage, et à la terrasse d'où tout TriBeCa a vue sur son porte-plateau sculpté en forme de porc – à ressasser à chaque phrase : « C'est vraiment de la couille ! », tel un chasse-mouche verbal pour tuer l'ennui.

DSK peut de nouveau sortir au restaurant avec ses amis, se promener en pantalon noir et tee-shirt blanc dans les rues de Manhattan avec Anne, ravie et amoureuse, goûter sa notoriété nouvelle auprès des badauds new-yorkais, poser devant les smartphones des admirateurs qui se photographient en couple avec lui, un bras glissé autour de l'épaule de l'agrippeur de vagin innocenté de fraîche date.

À voir DSK parader ainsi, tel un King-Kong castré ne s'effarouchant plus des flashs ni de la foule, je songe à « *Vanity the Puppet* », la poupée Vanité du *Roi Lear.* A-t-il appris et compris quoi que ce soit ? S'est-il seulement arrêté un quart de seconde, entre deux siestes de quinze heures au creux de sa Tirelire, pour méditer sur son invraisemblable destin ?

Manifestement non. « *I will forget my nature* », « Je veux oublier ma nature », dit Lear. À peine libéré de son bracelet électronique, il s'est remis à *se* fuir sans se retourner.

Il baguenaude avec Anne, à qui il n'accorde aucun regard tandis qu'elle lui parle, balançant ses bras d'avant en arrière, surfant sur le séisme essentiel de la vie avec insouciance, forçant Anne à accélérer son pas pour revenir à sa hauteur – à croire qu'il cherche à la fuir ! Rien n'a changé depuis l'époque de sa gloriole au FMI – un mois et demi auparavant ! –, lorsqu'il lui passait devant sans la voir pour grimper prestement dans un Falcon et qu'elle devait s'exclamer, valise à la main, mi-offusquée par sa goujaterie, mi-attendrie par son allant : « Eh oh, galant homme ! »

Commentaire d'Artaud :

– Que Dominique Strauss-Kahn soit mené par les golosités de sa libido n'implique pas qu'il soit dénué d'amour à l'égard d'Anne Sinclair. L'amour, c'est la transfusion, par le moyen de la pensée, des formes, des goûts, des rages, des haines même. Lorsqu'on en est parvenu à se pénétrer dans une certaine sorte de haine, c'est alors qu'on aime vraiment. Il n'est pas dénué d'amour, il est l'otage de cette machine de rouille aimantée entre le sang et la merde d'être, appelée sexualité. Dominique Strauss-Kahn est harcelé par la sexualité, l'obscénité universelle le carapace, il frétille au-dedans de la vieille boîte d'amour ka-ka pour s'en évader. Et savez-vous, Sac d'Os, d'où vient le mot « obscène » ? Du latin *obscenus*, « de mauvais présage ». Or un mauvais présage, pour Dominique Strauss-Kahn, est toujours la prémisse d'un séisme. C'est pour cela qu'il se dandine en permanence : *il branle* !

DKS inviolable

Vanity the Puppet ne doute de rien. Le Destin ne manque pourtant pas de lui donner de sacrés coups de coude.

En vain.

Ce soir, après être allés dîner chez Scalinatella – où les fortunés époux ont dépensé en un repas l'équivalent d'une semaine de salaire d'une femme de chambre –, DSK et Anne retournent dormir dans leur Tirelire devant laquelle une meute de photographes et de cameramen continue de faire le guet nuit et jour.

Soudain, quelque chose se grippe… Un vagin ? Non, une serrure ! Impossible d'ouvrir la porte d'entrée, la clé tourne dans le vide. Anne s'acharne, DSK vient à la rescousse, il lève théâtralement les bras à deux reprises en signe d'impuissance (lui !), rien n'y fait. La Tirelire a profité de leur escapade pour se munir d'une ceinture de chasteté, DSK est interdit de pénétration. Les flashs crépitent, les dizaines de caméras ne perdent pas une miette de cette curieuse situation.

Décontenancée, sachant que le moindre mot de travers proféré devant la dizaine de micros tendus autour d'eux pourrait être utilisé par Thompson lors d'un procès civil à venir, titillée néanmoins par son instinct journalistique qui l'a habituée à combler le vide par l'inconsistance, Anne Sinclair commente à voix haute :

– Ça s'appelle un gag…

Mais non, Anne, ma sœur Anne qui ne voit rien venir, ce n'est pas un gag : c'est un signe. L'homme de ta vie est *enfermé dehors*. Il l'a toujours été, tel est le symbole de son existence depuis que l'immeuble où il vivait à Agadir s'est effondré avec le reste de la ville, causant des milliers de morts mais *délaissant* Dominique hébété sur un tas de décombres, dissocié de sa propre intériorité, abandonné par son inatteignable cadavre, se faisant expulser de tous les postes confortables de sa carrière, s'agrippant à tous les « *vaginas* » qui lui passent sous la main pour constater qu'il est exclu de leur douce, moite, molle et chaude intimité : enfermé dehors.

DSK tourne et retourne la clé dans la serrure sans arriver à rien. Il pousse la porte, il appuie sur le loquet rond, la porte résiste toujours… Il tenterait bien une approche un peu plus énergique, en pince de crabe, mais cela serait mal interprété par les millions d'yeux qui observeront la scène en boucle pendant des heures à la télévision.

La scène dure six minutes, la serrure haut de gamme vient de chez Vertex Security sur Canal Street, c'est une Door King System, une DKS à cinq mille dollars, réputée inviolable…

« Tu entends, Dominique ? hurle le Destin à l'oreille du sourd. Une *inviolable* de chez DKS. D.K.S., ça te dit quelque chose ? Et six minutes montre en main sans pouvoir pénétrer à l'intérieur, ça ne te rappelle rien ? »

Eh non, ça ne lui rappelle rien. Pas davantage qu'il n'a de souvenir du tremblement de terre d'Agadir. Et puis DSK n'est pas si fort en calembours cabalistiques que le laissent entendre ses communicants pour lui conférer une patine de virtuosité intellectuelle. Fuir fuir fuir, oui. Jouir jouir jouir, oui. Mais sitôt que le symbolique s'en mêle, DSK se met en situation de *pat*. Le pat, aux échecs, c'est presque pire que de perdre. C'est une impossibilité *logique* paralysant celui qui doit jouer, car le moindre déplacement mettrait le roi en échec, ce qui est interdit. Le pat, c'est comme l'extinction de toutes les lumières du cerveau échiquéen, le plus entraîné se retrouve cloué tel un débutant.

Un photographe casquetté à l'envers tente d'aider DSK de ses conseils :

– Tenez-la et tournez, jusqu'au bout… Maintenant poussez…

En vain.

– Vous voulez essayer ? propose DSK au jeune Noir dont des millions de téléspectateurs voient alors la casquette sur la nuque essayer d'ouvrir la porte d'une Tirelire qui, ce soir, a la migraine...

Enfin, le casquetté semble avoir réussi à amadouer la DKS. DSK enfonce la clé et la porte s'ouvre. Les journalistes exhalent un cri de victoire, DSK lève un pouce érectile en l'air et fait un pas dans l'entrée avec Anne.

Pas si vite, l'agrippeur précoce ! La DKS entend maintenant empêcher son violeur de s'enfuir, la clé ne veut plus ressortir ! Un journaliste français profite de l'opportunité pour tenter de tirer une confidence à DSK :

– Dans quel état d'esprit êtes-vous ?

Sans relever le regard de la serrure qui garde les cuisses serrées, DSK rétorque du tac au tac :

– Dans celui qu'arrive pas à enlever sa clé...

Anne s'empresse de fermer une porte coulissante qui laissait voir l'immense salon immonde de la Tirelire aux journalistes, et DSK parvient enfin à récupérer la clé coincée.

– Bonne nuit ! lance-t-il aux journalistes en exhibant la clé outragée, la clé brisée, la clé martyrisée, mais DSK toujours pas libéré !

Écœuré par une si épaisse opacité d'esprit, le Destin hausse les épaules et s'en retourne d'où il vient pour préparer son prochain coup.

L'Alphabet de la Mort

Confortablement installé au fond de la bibliothèque, Luc feuillette un énorme livre d'art, poussant à chaque page un de ses rires impavides qui semblent planer autour de son crâne plutôt qu'être expulsés de ses poumons.

– Que lisez-vous donc de si drôle, Monseigneur ?

– C'est un abécédaire morbide. Mon ouvrage favori dans cette bibliothèque où l'on ne trouve guère que les moisissures de l'esprit humain. Regardez, tous ces petits « Sac d'Os », ça devrait vous plaire.

Il me tend le gros livre sur la couverture duquel est inscrit : *Les Simulachres et Historiées Faces de la Mort, contenant la Medecine de l'Ame.* Je l'ouvre et constate en effet, gravés en vignette à chaque page et multipliés dans les marges, une ribambelle de squelettes dans toutes les situations, cocasses, tragiques, énigmatiques, munis d'une faux ou d'une fleur, accompagnant par le bras un roi réticent, un pape outragé, une damoiselle curieuse, un chevalier étonné, faisant la leçon à un enfant dans les langes, ricanant d'un évêque ou reposant dans un cercueil une couronne au côté...

Luc me reprend le livre des mains et le feuillette devant moi.

– C'est *L'Alphabet de la Mort*, de Holbein. Mais les lettrines historiées ne sont rien en comparaison des « anciens poëmes françois sur le sujet des trois mors et des trois vis » qui accompagnent chaque lettrine. Écoutez ça, mon enfant :

Nous conduisons la grande dance
La seule où chacun ait son tour,
Et nul ne peut, tant soit-il lourd,
Ne suivre pas notre cadance.

AH AH AH AH !

Comme, lorsque Luc s'esclaffe, aucun muscle de son visage ne tressaille, plusieurs lecteurs alentour s'agitent et se retournent pour trouver d'où peut surgir cette inquiétante hilarité qui vrille leur douce démence comme une giclée d'aliénation surnuméraire.

– Et celle-ci ! À la lettre N comme *Numerarius*, le changeur, le banquier :

Cette nuit la Mort te prendra
Et demain seras enchassé ;
Mais, dy moy, fol, à qui viendra
Le bien que tu as amassé ?

AH AH AH AH !

Et le O, comme *Obesus monachus*, le moine obèse !

Tu te fiois en ta vie munde
Pour plus long temps me eschever ;
Mais ceux qui son jà mors au monde
Je n'ay plus qu'à les achever.

Tiens ! voici DSK, mon petit Sac. À la lettre R, comme *Ridens,* le Fou. Regardez ça…

Luc me retend le livre. J'observe avec attention la vignette du R gravée par Holbein. C'est un Fou médiéval en effet, un bouffon, coiffé d'un bonnet à grelots et dont le manteau, dans son effort pour échapper à la mort, s'ouvre sur son pénis et ses testicules qu'il exhibe avec une salacité mêlée d'effroi, tandis qu'un squelette botté et couronné de laurier l'alpague à l'épaule en ricanant. À leurs pieds, prémonitoires, un sablier et un crâne.

À droite de la lettrine, une citation en latin de saint Jean Chrysostome : « *Remedium mors est, studiorum et curarum ad vitam pertinentium vacuitas. Mori non est malum, sed male mori pessimum*[1] », suivie du vieux poëme françois :

Le fol vit en joye et deduict,
Sans sçavoir qu'il s'en va mourant,
Tant qu'à la fin il est conduict
Ainsi que l'agneau ignorant.

Je tourne la page et tombe sur Goneril, je veux dire sur le S pour *Scortum*, la femme publique, la folle de son corps :

Moy qu'ay esté à tous commune,
Il ne me reste plus au fort,
Comme derrenière fortune,
Que de dormir avec la Mort.

1. « La mort est le remède : la vacuité des peines et des soucis de la vie. La mort n'est pas le mal ; le pire, c'est de mal mourir. »

Non, je divague. Goneril est le contraire d'une femme publique. Elle a bien des défauts mais elle n'est à personne, elle ne s'appartient pas elle-même...

Pourtant quelque chose m'appelle sourdement dans ce livre. Sans doute les squelettes. Difficile à dire. Autant je lis couramment dans les pensées des hommes, si prévisibles, si redondants, autant lire un vrai livre ne lui ôte en rien son impénétrabilité. Ses pages ne sont pas comme des ailes de papillon que le moindre frôlement désagrège. Au contraire, plus on les touche, plus elles vous transmettent leur profondeur, et plus la grandeur de leur secret s'accroît.

Arrivé à la lettre Y, des larmes me montent aux yeux et j'entends soudain qui m'appelle : c'est Cordelia.

Luc ne voit pas mon trouble. Comme tous les psychotiques il est d'un égoïsme aveugle. Trouvant que je traîne trop, il me reprend l'ouvrage des mains et se met à lire la page sur laquelle, foudroyé de tristesse, je suis tombé en arrêt :

–Y comme *Ynfans*, l'enfant, avec une citation en latin tirée d'« Ysaias ». Vous lisez le latin, Sac ?

– Non, dis-je sombrement.

– Qu'est-ce qu'on vous a transmis à l'école, alors ? L'ignorance, c'est ça ? Je vais vous traduire : « Le prophète Isaïe fils d'Amos s'approcha d'Ézéchias à l'agonie et lui dit : "Arrange les affaires de ta maison car tu ne vivras plus, tu vas mourir…" » Mais c'est quoi, cette citation ! Il manque la moitié de l'original, et c'est traduit encore plus malhonnêtement que par saint Jérôme ! Ce n'est plus Moïse avec des cornes, c'est Isaïe castré jusqu'à la glotte ! De toute façon, *Infans* aurait dû être à I, pas à Y. Je vous avais prévenu, ce sont les comptines en vieux français qui importent. Que dit celle-ci…

Ce n'est, enfant, pas ta jeunesse
Aux palus de Stix de nouer
Qui t'empeschera ; car jeu n'est-ce
Avecques la Mort de jouer.

Que c'est mignon ! Savez-vous, à ce propos, quelle est la dernière trouvaille des humains immondes ?

– …

– C'est un décret, voté en France à l'Assemblée nationale, qui réforme la loi sur le congé d'un salarié ayant perdu son enfant. Jusqu'ici, pour son mariage, l'esclave béat avait droit à quatre jours de congé, mais à deux seulement si son gosse mourait. « N'est-ce pas scandaleux ! » s'est indignée une députée avant de proposer une nouvelle loi aussitôt adoptée à l'unanimité : ce sera désormais cinq jours de deuil, youpi ! Je vous le dis, d'Os, ils sont vraiment à génocider en bloc, les sept milliards dans la fosse, qu'on en finisse une bonne fois avec cette mauvaise plaisanterie tirée de la côte d'un abruti aux yeux cousus !

Hitler publicitaire

– Assez bavassé sur des ossements, mon petit Sac. Parlons de choses plus réjouissantes. Avez-vous vu hier soir le documentaire consacré à Hitler sur Hystery Channel ?

– Non. Hitler n'est pas ma tasse de ciguë, contrairement à vous.

– Vous vous trompez, Sac. Seule m'intéresse la généalogie du Crime. Pas la moralité ni l'immoralisme. La généalogie du Crime à l'état pur et sans visage. Or, pour envisager le sans-visage, il faut parcourir l'hyperbole qui va de Caïn jusqu'à Goldman Sachs. Ne vous ai-je pas déjà dit que ce n'était pas ce dégénéré d'Hitler qui importe mais sa consécration contemporaine dissimulée sous les oripeaux pourris du Bien ? Hitler n'était qu'une étape, un grade. *Gradus ad Abyssum !* Mon disciple Bernanos s'est trompé : l'hystérique chacal moustachu du *Kehlsteinhaus* – je ne qualifie volontairement pas de « Nid d'aigle » l'imprenable bunker montagneux de cette pusillanime vermine viennoise – n'a pas « déshonoré » l'antisémitisme. Comme s'il y avait quoi que ce soit d'honorable dans ce philistinisme millénaire !... Non, c'est le Mal que le moustachu en culottes courtes a outragé en l'endossant si mesquinement. Raison pour laquelle son cadavre virtuel connaît un tel succès, soixante ans après son misérable suicide. Car cet innommable documentaire a explosé tous les records d'audience, figurez-vous. Le monstre Hitler rassure les petits d'hommes. Il est à leur taille, il fournit le prêt-à-porter de l'horreur. Je ne vous apprends pas l'étymologie du mot « monstre » : celui que l'on montre – pour mieux dissimuler l'Autre. Adolf est un possédé à la mesure du chacal *sapiens*, au point que beaucoup de ceux qu'il répugne le qualifient quand même de « génie du mal ». Comme s'ils savaient, ces béjaunes, ce qu'est le Mal ! En tout cas le bouquetin à bretelles bavaroises fait recette. Et c'est ainsi que la Technique l'adule et cajole son souvenir.

– La Technique ? dis-je, un peu consolé de mon affliction par l'acrimonie grandiose de Luc. Que voulez-vous dire ?

– Vous n'ignorez tout de même pas, mon bon d'Os, que la Technique est intimement liée à l'affaire Adolf ?

– De quoi parlez-vous ? Des scientifiques nazis ? De l'industrie de l'armement ? Les V2 ? Les Stuka ? Les U-Boot ?

– Mais non ! C'est beaucoup plus terre à terre. Ignoreriez-vous que la firme International Business Machines était en charge de la gestion comptable des camps ?

– Je l'avoue.

– Réfléchissez. Les tatouages des déportés, il fallait bien qu'ils servissent à quelque chose. On n'administre pas le déplacement, la concentration ni l'annihilation d'un cheptel de plusieurs millions d'hommes, de femmes et d'enfants, sans une stricte comptabilité de l'horreur. Dans les bureaux des camps d'extermination, au cœur calculateur de cette vaste entreprise qu'est le Crime – désormais amalgamée à la Crise –, il y avait des machines à cartes perforées que la bureaucratie nazie louait à la société International Business Machines. Et sur les cartes perforées, c'est encore le Nombre qui jetait les dés : 001 désignait Auschwitz, 002 Buchenwald, 003 Dachau, etc. Dans la colonne d'à côté, un prisonnier politique était chiffré 1, un témoin de Jéhovah 2, un homosexuel 3, etc. Dans une autre colonne de la carte perforée, le code 1 désignait un détenu qui avait été relâché, le 2 un transféré, le 5 un suicidé, et le 6, qui allait souvent avec le 8 désignant un Juif, s'appliquait à la *Sonderbehandlung*, autrement dit au « traitement spécial », délicieuse litote teutonne pour « chambre à gaz ». Chaque mois, dans chaque camp, un ingénieur de chez International Business Machines devait assurer l'entretien des machines à cartes perforées. Les millions de cartes indispensables à la bonne marche du processus étaient imprimées en exclusivité par International Business Machines. Si une machine à cartes perforées tombait en panne, c'était un docile réparateur agréé par International Business Machines qui s'en chargeait. Bien sûr, ce n'étaient encore que les balbutiements de la Cybernétique. International Business Machines ne s'était pas déployée planétairement sous le sigle IBM, prétendant en 2011 rendre la planète plus intelligente avec ce genre de petit laïus publicitaire très prometteur pour la purge finale : « Nous avons été témoins de l'émergence d'un genre de champ de données mondial. La planète elle-même a toujours généré d'énormes quantités de données, mais nous y restions sourds et aveugles car nous n'étions pas capables de les saisir. À présent, nous le pouvons car ces données sont désormais numérisées. Et interconnectées, nous permettant d'y accéder. Ainsi, en fait, la planète a été équipée d'un système nerveux central. »

– Au moins les choses sont claires.

– Vous constatez comme la Technique a progressé depuis le codage de la *Sonderbehandlung*. Elle ne dit plus : « Le travail rend libre » ; elle sermonne : « Travailler plus pour gagner plus », « *Don't think, shoot !* », « N'écoute que toi ! », « *Just do it !* », ce genre de gags... Visant à mieux vendre l'infamie, la Technique a entrepris de la rendre plus *fun*. *Adolf Armageddon*, le documentaire de trois heures diffusé hier sur Hystery Channel, correspond à un nouveau critère publicitaire nommé « *edutainment* », concept bâtard d'éducation et d'*entertainment*, soit l'éducativodistraction. « C'est un film, explique la voix off, fait pour toucher le plus grand nombre. Pour raconter des histoires à des jeunes adultes et de jeunes adolescents. Pour y parvenir, il faut s'en donner les moyens. Donc il faut de la couleur, de la musique, du son, et un narrateur connu. »

– Hitler n'en demandait pas tant !

– Ces saligauds *sapiens* ont traficoté toutes les images d'archives en les coloriant, conférant au moustachu maniaco-dépressif un air de batracien constipé au visage pâlichon, bleuté, plastifié et exsangue. Et nous ne parlons là que de l'image, car le commentaire est à l'avenant. Après trois longues heures éducativodistractives, le narrateur retourné qualifie Hitler de « Golem », la « créature de la Bible »...

– Ces historiens télévisuels sont impayables ! Tout serait donc de la faute des Juifs ! Si je ne me trompe, le Golem est bien un monstre de Frankenstein casher ?

– Mais non ! Demandez à Kafka, il vous affranchira, le Golem est de Prague aussi. Dans la Bible, le mot *golem* signifie simplement « embryon ». Le célèbre Golem vient d'ailleurs, d'une légende yiddish. C'est un monstre informe animé par le mot « vérité » inscrit en hébreu sur son front.

– Parce que vous pratiquez aussi l'hébreu ?

– Et de quelle langue croyez-vous que provienne le mot « Satan » ! En tout cas, vous imaginez comme le Golem, qui a la vérité tatouée sur le front, est loin de l'hystérique moustachu dopé au mensonge ! Autre confusion fantasmatique de l'éducativodistraction, la rengaine d'une origine juive d'Hitler sous prétexte qu'un de ses grands-parents n'était pas un aryen avéré. Pour un Juif traditionnel, est juif qui est né de mère juive ou qui aime de toute son âme le Dieu d'Israël : c'est l'éventualité métempsycotique d'une âme juive dans un corps non juif. Pour un nazi, comme pour un *edutainer* moderne, pourrait être juif qui n'a pas quatre grands-parents patentés antisémites.

– Tout était aussi débile ? Vous avez bien dû apprendre quelque chose en trois heures de documentaire ? Dénicher une anecdote inconnue, un nom nouveau, une phrase inédite ?

– Seriez-vous fou à lier, petit d'Os ! Croyez-vous que qui ou quoi que ce soit puisse rien m'apprendre sur rien ! C'est vous que j'affranchis, pas moi ! Oseriez-vous penser une demi-seconde que je ne sache pas strictement tout et davantage concernant le gnome dégénéré et ses deux affidés, Pied-bot-Goebbels et Morphino-Goering ?

– Calmez-vous, Luc, je pense à haute voix, c'est à moi-même que je pose des questions.

– À la bonne heure. Si vous désirez vous cultiver sur l'homoncule en question, lisez Rauschning, il a tout dit sur celui « qui se nomme lui-même le plus grand disciple de Machiavel, et qui cependant ne pourra jamais renier son origine de petit tâcheron aigri et rancunier » : « Hitler n'a vraiment rien qui puisse attirer. Tout le monde le sait fort bien aujourd'hui, mais à cette époque, parmi les membres du parti et les sympathisants, il n'était question que de ses yeux profonds et bleus. Or ses yeux ne sont ni profonds ni bleus. Leur regard tantôt est fixe, tantôt éteint. Il leur manque cet éclat, cette lumière, qui est le reflet de l'âme. Sa voix sombre, au timbre étrange, est choquante pour un Allemand du Nord. Son intonation est pleine, mais sifflante, comme s'il avait les narines obstruées. Au reste, cette voix criarde, gutturale, menaçante et frénétique est devenue célèbre dans le monde entier. Elle incarne le tourment contemporain, et pendant longtemps, elle restera comme le symbole d'une époque de folie, sans que personne comprenne comment il a pu émaner d'elle un charme quelconque. » Voilà pour le physique. Quant à la psychologie : « Tous ceux qui connaissent Hitler pour l'avoir vu à l'époque héroïque du national-socialisme savent qu'il avait un tempérament larmoyant et exagérément sentimental, avec une tendance à l'attendrissement et au romantisme. Ses crises de sanglots devant chaque difficulté intérieure n'étaient pas dues à une simple nervosité. Derrière la cruauté et l'inflexibilité d'Hitler, on trouvait le désespoir d'une inhumanité forcée et artificielle plutôt que l'amoralité du fauve obéissant à ses instincts naturels... C'est une illusion de croire qu'Hitler est un grand volontaire. Au fond de son être, il est veule et apathique. Il a besoin d'excitations nerveuses pour sortir de la léthargie chronique et se rendre capable d'actions brusques et violentes. Il a choisi délibérément la pente facile, il s'est laissé glisser, il s'est livré aux forces qui l'entraînaient vers la chute… Pour tous les ratés et les déshérités des pays allemands, le national-socialisme est une sorte de conjuration magique. Hitler lui-même n'est que le premier d'entre eux, le grand prêtre ou le pape de la nouvelle religion secrète. Réchauffé de cette adulation et entouré de ce culte imbécile, il n'est pas éloigné de croire, à certaines heures, qu'il est, en effet, doué de pouvoirs surhumains. Mais dès qu'il descend de la tribune ou revient de ses courses solitaires dans les montagnes, il retombe dans l'abattement et la léthargie, incapable de tout courage et de toute décision. Il lui faut alors des interlocuteurs, des auditeurs qui l'excitent à parler et à se prouver à lui-même qu'il n'est pas encore au bout de ses forces… »

– Peu ragoûtant, en effet.

– Tout cela est connu et sans intérêt. Quant au documentaire, une fois ôtés les flonflons vomitifs de la Technique et l'imbécile bavardage du narrateur, reste la risible rhétorique gestuelle de l'éméché, qui a influencé tous les politiciens depuis lors et dont s'inspirent tous les communicants contemporains. C'est là, Sac, que ça devient instructif. Récemment, un communicant crétinement satisfait de s'être offert une Rolex bien avant cinquante ans a attendu d'en avoir soixante-quinze pour comprendre, l'hébété, que c'est Pied-bot-Goebbels qui avait inauguré son beau métier de publicitaire. Et Hitler, donc ! Vous avez entendu parler du produit phare de la Technique, le « temps de cerveau humain disponible » ?

– Bien s…

– Ne me faites pas perdre de temps à me répondre, mon interrogation était de pure forme. Eh bien comme le « Coca-Cola » a sa déclinaison en soda SS : le « Fanta », voici la version hitlérienne du « temps de cerveau humain disponible » : « La masse possède ses organes de critique. Ils fonctionnent simplement d'une autre manière que chez l'individu. La masse est comme un animal qui obéit à ses instincts. Pour elle, la logique et le raisonnement n'entrent pas en ligne de compte. Si j'ai réussi à déclencher le mouvement national le plus puissant de tous les temps, cela tient à ce que je n'ai jamais agi en contradiction avec la psychologie des foules ni heurté la sensibilité des masses... J'ai fanatisé la masse pour en faire l'instrument de ma politique. J'ai réveillé la masse. Je l'ai forcée à s'élever au-dessus d'elle-même, je lui ai donné un sens et une fonction. On m'a reproché de réveiller dans la masse les instincts les plus bas. Ce n'est pas cela que je fais. Si je me présente devant la masse avec des arguments raisonnables, elle ne comprend pas ; mais quand j'éveille en elle des sentiments qui lui conviennent, elle suit immédiatement les mots d'ordre que je lui donne. Dans une assemblée de masse, il n'y a plus de place pour la pensée. J'ai la conviction intime que, dans l'art d'influencer les masses, personne ne peut rivaliser avec moi, même pas Goebbels. Ce qu'on peut obtenir par le calcul et la ruse, c'est le domaine de Goebbels. Mais la vraie domination des masses n'est pas une chose qui s'apprenne. Et notez bien que plus la masse est nombreuse, plus il est facile de la diriger. Plus riche est le mélange des ingrédients humains, paysans, ouvriers, fonctionnaires, plus l'amalgame prend le caractère typique de la Masse. Ce que vous dites au peuple, lorsqu'il forme une masse, alors qu'il se trouve dans un état réceptif de dévouement fanatique, cela s'imprime et demeure comme une suggestion hypnotique ; c'est une imprégnation indestructible qui résiste à n'importe quelle argumentation raisonnable… »

– Si je vous comprends bien, Hitler était un publicitaire accompli ?

– En effet. Vous aurez un bon point et une image si vous restez sage, mon petit. Telle est la raison pour laquelle, pendant ses discours, le moustachu pleurnichard manipulait depuis la tribune un tableau de commutateurs électriques pour produire dans la salle des artifices luminescents et coloriés. C'était une amélioration notable du Diorama de Daguerre dont nous devisions l'autre jour. La Technique éducativodistractive a de qui tenir.

– Et quelle marchandise ce grand communicant vendait-il ?

– La même merde que les communicants d'aujourd'hui cherchent à nous fourguer : la CACA, Conformité Arithmétique Chromosomiquement Agréée. Ainsi, au milieu du cartoon *Adolf Armageddon*, une archive de propagande nazie dévoile le pot aux rosses : « L'instituteur devra prendre des exemples judicieux et vivants pour aborder l'arithmétique. Quel est le prix de revient d'un élève ? Un handicapé mental coûte 1 800 marks par an à l'État, un élève moyen 320 marks, et un brillant élève ne revient qu'à 125 marks. Conclusion : la société ne peut survivre que si ses citoyens sont génétiquement sains. »

– Travaillez mieux pour économiser plus !

– Dès le 3 février 1933, Hitler avait fait devant son état-major cette réflexion pertinente et si prophétique : « Tout le monde sait que la démocratie dans l'armée est exclue. Dans l'économie aussi, elle est nocive. » Prenons ce slogan confondant de crétinerie : « Travailler plus pour gagner plus. » Il fallait une masse dépourvue de logique, de raisonnement et de pensée pour porter au pouvoir une équation si manifestement mensongère. Un ouvrier ou une femme de ménage travaille bien plus en huit heures quotidiennes qu'un P-DG en seize heures. Qui oserait appeler « travailler » la digestion ubuesque du temps de ces grands assistés accompagnés en permanence par une horde de sous-fifres pour leur éviter le moindre geste, déplacement, discours, décision, lecture, courrier, prise de notes, coup de fil, prise de rendez-vous, ouverture de porte, préparation de repas, etc. Or ce sont ces handicapés mentaux surpayés qui gouvernent. Partout désormais les Financiers remplacent les digérants dirigeants politiques, imposant leur diktat arithmétique : « Travailler plus pour gagner moins », tout en dégradant au passage les notes des coûteux cancres.

– Si je suis votre pensée, puisque le Crime ne fait pas acception de personne, la Domination n'a pas de raison non plus de s'attarder aux noms propres ?

– C'est l'évidence, Sac ! Les Présidents sont depuis longtemps les gadgets des Financiers. L'élection d'Obama dans un pays aussi foncièrement raciste que les États-Unis en est le meilleur signe. Ils se sont offert un élégant Noir parce que c'est plus *classy* qu'un porc du KKK, c'est tout. De même qu'il est plus *classy* de déguster du vin français, de porter des mocassins italiens ou d'envoyer leurs enfants en vacances culturelles en Europe. Aujourd'hui c'est un Noir, demain ce sera une Femme, après-demain un Inverti, un Obèse repenti, un Acteur…

– Déjà fait !

– … un Alcoolique…

– Déjà fait !

– … voire un personnage de *cartoon*, ça ne changerait rien. En coulisses s'agitent les Polonius de la Politique, « Paulson », « Geithner », « Bernanke », etc. Leurs noms à eux aussi importent peu aux yeux du Crime moderne, pas davantage que celui d'Al Capone aux yeux de l'ancien. Vous connaissez la déclaration de Capone à la fin de sa vie ? « *I am a spook, born of a million minds* », « Je suis un fantôme, né d'un million d'esprits ». Et comme Capone n'a eu qu'un temps, d'autres viendront qui succéderont vite à Al Paulson et Bernanke the Kid… Même chose en France, où l'on s'agite en cherchant qui pourrait remplacer l'impénitent pénis de DSK : Hollande mitterrandisé ? Le Pen perruquée ? Mélenchon phrygien ? Sarkozy *bis repetita* ? Quels candides ! Pourrait aussi bien trôner à l'Élysée un stylo Bic, un fauteuil à bascule, un poulpe, un œuf pourri, un balai-brosse, une dame pipi… Que n'importe qui, voire n'importe quoi, emporte la présidentielle de 2012, cela ne changera strictement rien au cours du monde ni au sort des gogos *sapiens*. Un président ne préside que sa propre ânerie : la fonction crée l'onagre. Regardez Berlusconi ! Ce clownesque connard patron de médias qui a souillé l'Italie de sa vulgarité cocasse pendant des décennies. Il s'est fait virer comme un malpropre en un claquement de doigts le jour où les Financiers ont décidé qu'il n'était plus l'homme lige de leur catastrocratie triomphante. Ce système substantiellement corrompu qui a mis la planète à genoux a décidé que les bouffonneries libidinales du micro-mafieux suffisaient. Et ils l'ont congédié comme le vil valet qu'il était. Berlusconi, ce bon débile, était encore trop volubile. Son blabla a blasé le Nombre.

– Je ne vous comprends pas.

– Lorsque je vous dis que les noms propres n'importent plus, ce n'est pas en tant qu'ils sont propres – ils ne le sont pas –, mais en tant qu'ils sont des noms, donc un genre particulier de paroles chargées de temporalité génitrice. Il me semblait pourtant vous avoir déjà suffisamment expliqué que c'était la Parole que le Désastre a dans son collimateur. L'étiolement de la Parole est donc la conséquence directe de la domination du Nombre. C'est ainsi que l'herméneutique de la crise se réduit au b.a.-ba le plus régressif : AAA + ou –... C'est ainsi que la Finance de l'Ombre se passe avantageusement de toute intervention humaine, recourant à des logiciels ultra-complexes logés dans des ordinateurs ultra-rapides, qui assurent aujourd'hui 80 % des transactions financières calculées à la microseconde.

– Ah oui, Marx m'a parlé de cela. C'est fou ce que lui et vous avez de points en commun...

– Surveillez-vous, Baby Bones ! Vous me manquez gravement en osant me comparer. Je suis hors pair, ne l'oubliez jamais.

– Allons, calmez-vous et expliquez-moi un peu cette histoire de machines à sous...

Machines à sous

– Il s'agit de ce qu'on appelle indifféremment « Trading Algorithmique », « Trading Automatisé » ou « Trading Robo » pour désigner des machines à sous qui rendent la spéculation à la Wall Street aussi obsolète que la balance du changeur d'or de Quentin Metsys. Eh oui ! votre date de péremption est dépassée, ô traders *ça-pionce*, piteux trentenaires surstressés, cocaïnés jusqu'au coccyx, alcooliques et putassiers, dotés d'un vocabulaire faisandé d'une dizaine de formules, parqués côte à côte devant des batteries d'écrans d'ordinateurs à gueuler vos ordres d'achats et de ventes dans un micro tout en conversant sur plusieurs téléphones à la fois. Si le Nombre vous suce ainsi la moelle, c'est que vous n'êtes d'ores et déjà que des déchets bons à jeter à la Corbeille ! L'avenir – qui a pour surnom « *Hic et nunc* » conformément à la frénétique dévoration du Temps par le Nombre –, c'est la *Black Box*, la « boîte noire », ou encore le « Robo », surnoms des superordinateurs spéculatifs aux algorithmes surpuissants et autonomes. Ce sont ces « Robo » qui règnent aujourd'hui sur les produits dérivés, lesquels, je ne vous apprends rien, Sac, constituent le foie hypertrophié de la Finance – ne parlons pas de son « cœur » : une métaphore doit avoir un minimum de vraisemblance. Les transactions des Robo représentent 700 000 milliards de dollars par an. Ce chiffre abstrait, inhumain et ridicule comme tous les chiffres, ne signifie rien. Pour goûter le foie gras de la Finance, il faut le comparer au PIB planétaire, soit à la totalité des biens et services produits dans le monde, lesquels atteignent poussivement le montant famélique de 60 000 milliards de dollars. Vous comprenez d'où le Nombre tire son arrogance ! Écoutons un propriétaire de Robo en traiter comme de bons petits chienchiens qui s'entreflairent l'arrière-train cybernétique en tâchant d'y reconnaître l'odeur d'un anus de plusieurs trillions de dollars : « Nos robots restent dans un certain pessimisme, assez modéré, certes, et l'avis des robots en ce moment est peu pertinent d'une manière globale. » Ce que ce *sapiens*-pas-loin ne dit pas, c'est que les Robo peuvent, d'un moment à l'autre, se métamorphoser en molosses ivres de rage et de bave pour créer opportunément des ouragans de panique sur les marchés et bénéficier ainsi de l'excès de leur volatilité. Une de leurs méthodes s'appelle le « *Quote stuffing* », le « bourrage de cotations » : elle consiste à lancer massivement de faux ordres d'achat ou de vente contre une action que l'on désire frelater, cela durant quelques millisecondes avant de tout annuler. Cette charmante tribu de *geeks* milliardaires et moroses constitue le *nec plus ultra* nihiliste de la Finance. Leur domaine est le *High Frequency Trading*, où le Nombre prend toutes ses initiatives en quelques microsecondes pour couper l'herbe sous la langue des bovins *sapiens* qui spéculent encore classiquement... Je vous l'ai dit, 80 % des transactions sont traitées aujourd'hui sans l'intervention des escargots *sapiens*. L'année dernière, une société de Wall Street a fait creuser une tranchée de 1 300 kilomètres entre Chicago et New York pour y faire passer un câble optique reliant leurs Bourses respectives. Cela a coûté la broutille de 300 millions de dollars en contrepartie d'une colossale accélération de 3 millisecondes dans les opérations à haute fréquence. Quand le Temps est ainsi bafoué, les krachs eux-mêmes ne durent qu'un instant. Je suppose que vous avez oublié la mémorable catastrophe du 6 mai 2010...

– Je ne peux pas l'avoir oubliée, je n'en ai jamais entendu parler !

– Eh bien c'est comme pour *Mein Kampf*, petit d'Os, si vous n'allez pas de vous-même explorer les rebords du Gouffre, c'est le Gouffre qui viendra vous pourlécher de sa lippe pour vous y faire basculer en moins de temps qu'il ne faut pour médire… AH AH AH AH !

– Alors, ce krach éclair ?

– C'est une distrayante broutille, un petit bug dans le programme hypersonique du Nombre qui concerne précisément un type de contrats à terme nommés – notez l'ironie du Fatum – des « *futures* » !

– Comme quoi le krach éclair est l'avenir de l'homme.

– Vous me feriez rire, petit d'Os, si ce mot d'« homme » ne me faisait spontanément vomir… Laissez-moi donc l'exclusivité de l'humour, vous serez gentil… Je continue. Le 6 mai 2010, donc, un trader situé, devinez où ? à Chicago ! mais d'autres prétendent qu'il était dans le Kansas… nul ne sait vraiment puisque l'Espace n'a pas davantage résisté à la voracité du Nombre que le Temps… un trader, donc, installé dans quelque no man's land peuplé d'adorateurs de l'indolent dieu dollar, aurait passé un ordre de vente de 75 000 « *futures* » d'une valeur de 4 milliards de dollars en à peine vingt minutes, alors qu'il avait fallu précédemment cinq heures pour une opération similaire. Pétrifiant tous les *ça-pionce*, la promptitude du Nombre a créé une panique éclair qui s'est répandue comme la poudre, les Robo en profitant pour déclencher leurs ventes en cascade. En quelques minuscules minutes, le Dow Jones plongea de mille points, perdant plus de 10 % de sa valeur. L'action d'Apple, elle, perdit 23 dollars. Celle de Procter & Gamble dévala la pente jusqu'à un penny, tandis qu'une autre action sursauta à 100 000 dollars !

En moins de temps qu'il ne faut pour écrire le chiffre avec tous ses zéros, 862 milliards de dollars disparurent en fumée. AH AH AH AH ! « Bref, on s'amuse », comme disait ce « Dr L. » que votre ami Artaud a classé un jour dans la « race Séraphins iniques ».

– C'est de Lacan qu'il s'agit. Il a dit aussi en 1967 quelque chose qui confirme ce dont nous parlions : « Qui ne voit que le nazisme n'a eu ici que la valeur d'un réactif précurseur. »

– Lacan le con ! Qui ne voit ? Mais personne, précisément ! L'*homo ça-pionce* est d'un aveuglement à faire juter de jalousie une limace ! Enfin, qu'il voie ce qui l'attend ou pas, cela ne change rien à la chute de la vieille blague nommée « *homo* ». Parce que dans ce contexte hyperstressé de l'*hyper trading*, vous imaginez comme l'important n'est pas ce que savent, disent ni pensent les hommes. Au moment où nous parlons, la population grecque paye pour apprendre le bien que la Finance pense des référendums ! La timide bonne volonté de leur gaffeur Papandréou l'a fait virer avec encore moins de ménagement que le Berlusconnard !

– Pas encore, Monseigneur, nous ne sommes qu'en plein été 2011 !

– Eh bien ça viendra, Sac. L'avis des peuples n'intéresse pas la Finance. Elle veut juste savoir s'ils sont *bankable*. Marionnettes de leurs communicants, les Politiciens pas encore Banquiers jouent leur rôle de pupazzi aphasiques, surveillant leur langage pour ne pas bousculer les émotifs Marchés qui ont leurs vapeurs à la moindre déclaration rebelle. Résultat de cette éclipse de la Parole devant l'offensive barbare du Nombre, l'affreux terme « acter » apparaît dans tous les discours. On n'entend plus que cet indigent caquetage : « acter » ceci, « acter » cela... Plus ça jacte, plus ça acte, et manqué de surcroît ! Le langage brimé ressort par tous les tics, tressaillements d'épaules et clignements d'yeux... « Tics, tics et tics », comme a dit ce jeune comte qui fut aussi de mes disciples. Regardez Lascarkozy ! Un vrai punching-ball rempli de pois sauteurs du Mexique ! Ou son ventriloque Guaino qui clignote de la paupière gauche comme un gyrophare dès qu'un journaliste l'agace un peu !

– Mais notre Antonin souffre lui aussi depuis son enfance de tics faciaux et de bégaiement. Cela n'empêche donc nullement la grandeur.

– Petit d'Os, on ne se méfie jamais assez d'un clignoteur ! C'est l'éclat de la vérité qui l'éblouit. Souvenez-vous de *Zarathoustra* : le propre du dernier homme est le *clin d'œil*, ce qu'il y a de plus méprisable, le signe de connivence, de moquerie et de mensonge. Le dernier homme *blinzelt* – pour le dire dans sa langue. Il clignote et il hoquette et il sautille... Lisez Nietzsche !

Franz, entré dans la bibliothèque il y a un petit moment, s'est lentement approché de nous sans un mot. Il a attendu que Luc se taise pour, une fois n'est pas coutume, conforter son propos :

– Je suis du même avis que Luc I. Les fabriques ne sont que des organes servant à accroître le profit de l'argent. Nous ne jouons tous dans cette affaire qu'un rôle subordonné. Le plus important, c'est l'argent et la machine. L'être humain n'est plus qu'un instrument démodé servant à l'augmentation du Capital, un reliquat de l'histoire, dont très bientôt les capacités, insuffisantes au regard de la science, seront remplacées par des automates qui penseront impeccablement. Ce n'est pas une utopie : c'est simplement l'avenir, qui croît déjà sous nos yeux.

L'indomptable

– Monseigneur, la Peule a parlé ! Elle vient de donner une longue interview à la télévision. Ses pleurs sont peu crédibles. Cela signifierait-il que tout est inventé ?

– Quelle candeur, Baby Bones ! Elle n'a *rien* dit. C'est une récitation qui lui a été inculquée par son avocat à destination du plus large public puritain possible. Jamais un Peul ne confierait de soi-même les choses aussi crûment et vulgairement. L'argumentaire médiatique de Nafissatou est élaboré par Kenneth Thompson pour faire geindre dans les chaumières WASP et afro-américaines, ce qui est banal et de bonne guerre. Dans le for intérieur de la Peule, c'est le *gacce* qui prévaut, c'est-à-dire une forme élaborée de retenue, de modestie, de quant-à-soi, d'humilité pouvant confiner à la honte d'exposer ses soucis à autrui. C'est le *Never complain never explain* peul. Un Peul ne raconte pas sa vie, il palabre : il se protège du mauvais œil, de la mauvaise langue et de tous les sortilèges par une prophylaxie hélicoïdale de formules, il tourne autour du pot pour se placer sous l'égide apotropaïque de la Parole. Les Blancs du temps de l'Empire, les autres Africains depuis, et même leur propre persécuteur Sékou Touré ont toujours taxé les Peuls de sournoiserie, de langue bifide, de double langage. Une maxime wolof dit même : *Woor ni peul,* « Traître comme un Peul ». C'est ignorer le subtil Tao du Peul, les méandres du *laawol pulaaku* – la voie de la fulanité –, selon quoi *bolle nolatâ*, « les paroles ne pourrissent pas ». Les conversations peuvent donc être tues, celées, entreposées, remises à plus tard. Tous les commentateurs se sont demandé pourquoi le parcours administratif de Nafissatou était parsemé de grossiers mensonges si manifestement à son désavantage. Pourquoi, pour obtenir son visa et sa carte verte, elle avait multiplié pour rien des incohérences qui la desservaient, quand la simple vérité – son excision à sept ans, par exemple, ou son viol par des soldats ivres à Labé – aurait largement suffi à lui accorder tous les droits d'asile… Le crétinisme journalistique ne saurait percevoir le fonctionnement conjuratoire de la prosodie peule. Les arabesques dissimulatrices du phrasé sont faites pour enfumer les esprits qui planent au-dessus de chaque existence et, tels des moustiques maléfiques, fondent sur leur victime dès que la palabre relâche le filet protecteur de son arborescence métaphorique. Un petit Peul de cinq ans sait que, de même qu'on ne laisse pas traîner ses rognures d'ongles et qu'on efface les traces de ses pas, on ne dit pas « l'eau » pour désigner l'eau – autant souiller d'excréments la calebasse dans laquelle on s'apprête à boire ! On évoque « celle où batifole le poisson », « celle que rien ne retient », « la sœur ennemie du feu », etc. Pour un juge, un procureur ou un avocat américains, cette élocution créatrice est aussi malvenue et déconcertante qu'elle était sournoise aux oreilles d'un gouverneur de l'Afrique-Occidentale française cherchant sans succès à connaître le nom d'un Peul, son village d'origine, la route qu'il compte emprunter, la richesse ou la pauvreté de sa famille…

– Alors quelle version est la bonne ? Le viol ? La déception pécuniaire ?

– Mon petit Sac, n'auriez-vous rien compris à ce que je viens patiemment de vous expliquer ? Ni dans l'univers de Diallo ni dans celui de Strauss-Kahn cette interrogation n'a de sens. L'avers de l'événement vaut son envers. Tout est véridique. DSK a sincèrement cru que cette femme de peu était flattée qu'il lui badigeonne les gencives de sa semence. Ce n'est pas à vous que je vais apprendre comme l'égocentrisme mégalomaniaque de ce goinfre bouffi de suffisance est sans bornes. Quant à Diallo, son patronyme ne signifie pas pour rien l'« indomptable » !

– Une dernière question, Monseigneur. Comment se trouve-t-il que vous en sachiez tant sur les coutumes peules ?

– La ruse, mon jeune élève, la ruse... La machination, le stratagème, le double langage... Rien de ce qui participe de la feinte ne m'est étranger. On pourrait dire sans mentir que je suis l'inventeur de ce proverbe peul dont les conséquences coulent dans les veines de Nafissatou Diallo : « *Hare ko dikku aduna* », « Guerre est la nature du monde ». C'est beau comme du Héraclite, n'est-ce pas ?

Irène

Aujourd'hui, 20 août 2011 sur l'île de Manhattan – extorquée le 24 mai 1626 aux Indiens Manhattes contre vingt-quatre dollars par Pierre Minuit, un Hollandais d'origine française –, je me suis accordé une petite détente. J'ai passé ma journée hors du Manhattan Psychiatric Center en compagnie de Goneril. Nous goûtons une soirée paisible, autant que ce mot puisse avoir un sens dans son appartement cyclonesque, auquel j'ai pourtant fini par m'accoutumer au point d'avoir parfois l'impression que le cerveau bouleversé de Goneril et le mien ne font qu'un...

Goneril regarde sa télévision, surnommée « Total Vagina » (TV). Il serait plus juste de dire que Goneril a phagocyté « Total Vagina » tant sont fusionnelles les relations qu'elle entretient avec son petit poste. C'est un Porta-Color de 1976 que Goneril traite comme son animal de compagnie, à quoi il s'assimile d'ailleurs par sa taille (à peine 40 cm de haut sur moins de 50 de long), sa poignée au sommet pour le porter affectueusement du salon à la salle de bains et de celle-ci à la cuisine, ses deux antennes télescopiques d'insecte sur son arrière, ses grosses molettes noires, à droite du tout petit écran – aux couleurs aussi criardes que la voix de Goneril –, molettes munies chacune d'une graduation énigmatique allant de 2 à 13 pour l'une, de 65 à 48 pour l'autre (en passant par 73, 83, 14, 22, 30 et 38 : série insensée que seule peut justifier la numérologie gonerilienne), et ses trois petits boutons gris clair – son « triclitoris », dit Goneril – destinés au réglage du son, de la teinte et de la couleur.

Goneril est intimement persuadée que non seulement chaque image et chaque son issu de « Total Vagina » lui est intégralement destiné, mais que la télé réclame son intervention à chaque seconde, sous la forme d'un avis, d'une question, d'une flatterie, d'une objurgation, d'un câlin ou d'un juron (à la signification aussi logique que, par exemple : « PETIT VAGIN DE MES COUILLES ! ») nasillés à tue-tête en direction de la grille noire du haut-parleur dont rien n'a jamais pu persuader Goneril qu'il ne s'agissait pas d'un microphone pour communiquer avec les limbes de la société du spectacle.

Nous suivons un bulletin météo sur CNN. Un envoyé spécial présente en direct la situation préoccupante depuis un coin perdu des Caraïbes nommé Roseau. « Banane » est le surnom dont Goneril a affublé son nouvel ami – son *mental sex toy*, comme elle le désigne –, ce reporter recouvert de la tête aux pieds d'un ample poncho en ciré jaune, giflé par le vent et l'eau à chaque phrase qu'il profère en vue de témoigner de la hargne du climat, comme si l'atmosphère hors de ses gonds avait en outre une dent contre lui, Banane, en particulier.

Ce 20 août 2011, en effet, est la date de naissance officielle de l'ouragan Irène – instantanément rebaptisée par Goneril : *AÏREEENE YOUREEENE*, « Irène Urine ». Auparavant, Irène et ses bourrasques n'étaient qu'un embryon de gros orage, mais, explique Banane à Goneril qui lui réplique comme s'il dînait avec nous dans le salon – dont la désorganisation invraisemblable du mobilier fait plutôt penser que c'est Irène qui s'est invitée à notre table –, Irène vient de muter officiellement en une tempête tropicale en frôlant la…

Dominique

dont Roseau est la capitale. Comme si ce nom l'avait particulièrement remontée.

Voilà pourquoi ce soir Banane s'adresse à Goneril depuis Roseau, où il se laisse ballotté, fouetté, flagellé, oscillé par les faramineuses rafales comme s'il voulait mimer un sketch inspiré de la fable de La Fontaine précisément consacrée à un roseau, « sur les humides bords des royaumes du vent ».

– Irène signifie la « paix » en grec..., apprend Banane à Goneril.

– MAIS QUE VEUX-TU QUE ÇA ME FASSE, MON CHOU ? MONTRE-NOUS plutôt LA CHATTE DE CETTE GROSSE GOUINE EN COLÈRE, QUE JE HUME SI ELLE EST DES NÔTRES !

– Son prénom ne vient pas de la sainte chrétienne Irène de Thessalonique...

– Ô MA SŒUR GOUINASSE IRINA, VIENS LÉCHOUILLER TA SISTER GOGO ! AMÈNE TON ŒIL PAR ICI, QUE MON *CRAZY BAGGY* TE LE DÉFONCE DE SON PIEU À PIPI !

– ... qui, pour avoir lu la Bible en public, fut enfermée dans un lupanar où sa virginité, pourtant, fut miraculeusement respectée, avant qu'elle ne soit envoyée au bûcher avec ses deux sœurs, Agapé, « l'amour », et Chiona, « la pureté »...

– ARRÊTE, BANANE, TU M'EXCITES ! SI TU CONTINUES JE T'ÉPLUCHE TA COUENNE JAUNE ET JE T'ENFOURNE TOUT CRU DANS MA CHATTE À CYCLONE. OÙ EST L'OURAGOUINE ? TROUVE-LA-MOI, BANANE, POUSSIN *SEX TOY*, ET DIS-LUI QUE SISTER GOGO VEUT LUI LÉCHOUILLER LA BOURRASQUE !

Goneril se met alors à chantonner « Hurricane » de Dylan, tandis que Banane poursuit :

– Hurricane Irène est nommée d'après une impératrice

orientale d'une cruauté inouïe, qui fit crever les yeux de son propre fils parce qu'il avait osé la désavouer...

– « *Here comes the story of the hurricane...* » *Come on bitch ! Sister Urine ! Come on ! Come here and fuck my pussycane !...*

Hystérisée par les impressionnantes images de l'ouragan, Goneril, sans cesser de roucouler « *the champion of the world* », se rue sur le pauvre petit poste de télé, le soulève par les antennes et le secoue dans tous les sens contre son pubis, de sorte que l'image se met à grésiller bizarrement et que le haut-parleur émet une série de *tchppppp* qui rendent inaudibles les savants propos du reporter en poncho ciré jaune audacieusement confronté à deux femelles aux furies en écho...

Ça a débuté comme ça.

Ce 20 août, en fin de matinée, Kenneth Thompson a lu à Nafissatou Diallo la sévère missive du procureur Cyrus Vance qui la convoque dans deux jours.

– C'est mauvais signe, Nafi, explique l'avocat, prenant son visage grave de masque de tragédie antique. Il faut s'attendre à l'abandon de toutes les charges au pénal...

Nafissatou ne pleure pas. Elle ne cille pas. Elle se contente de faire un petit mouvement du menton de haut en bas, accompagné d'un long et vigoureux *tchppppp.* Le regard exorbité qu'elle lance alors à Thompson lui déclenche une coulée de sueur froide le long de l'épine dorsale, trempant sa chemise blanche tirée à quatre épingles. Il ne conseillerait à personne en ce moment de venir titiller le vagin de Nafissatou avec une pince de crabe. Elle se tourne lentement vers Mariama, l'assistante sociale peule chargée par Thompson de lui soutenir le moral. Nafissatou n'a aucun besoin qu'on l'aide à soutenir quoi que ce soit, elle est forte comme un chêne et souple comme un roseau, mais deviser régulièrement avec une autre Guinéenne lui fait du bien, maintenant qu'elle est exilée de son quartier et de sa mosquée du Bronx.

– Le phacochère blanc n'a pas vu toutes mes couleurs ! lance en peul Nafissatou à Mariama.

– Calme-toi, ma sœur, tente Mariama, rien n'est perdu, il y aura un procès au civil.

– Ah ! ma sœur ! je te dis ! *Tchppppp !* Ce Toubab ne sait pas de quoi je suis capable. *So neddo natima, siftinima ada dogi nîde*[1].

Et c'est ainsi que l'Afrique de l'Ouest, par l'intermédiaire de son poste avancé du Cap-Vert, a dépêché contre la côte Est des États-Unis la hululante walkyrie nommée Irène.

Irène est une rugissante guerrière de 820 km de diamètre, engendrée par une onde tropicale elle-même fomentée par la savane africaine durant la saison des pluies, élancée à 83 km/h de tout son courroux vers New York.

Durant les huit prochains jours, la colère d'Irène ne connaîtra aucun répit. Elle s'accroîtra en passant au-dessus des Bahamas, où Irène accédera au statut d'ouragan de force 3. Comme mise en bouche, Irène causera à ce petit

1. « Si quelqu'un t'a mordu, il t'a rappelé que tu as des dents. »

paradis fiscal quelques millions de dollars de dégâts. Elle arrivera le 28 août à New York, trop tard pour y engloutir DSK envolé le matin même avec Anne vers Washington. De dépit, Irène noiera Manhattan sous des trombes d'une eau noire et épaisse, comme directement déversée d'un *dark pool*. Rien qu'aux États-Unis, Irène aura causé une cinquantaine de morts et coûté sept milliards de dollars, faisant particulièrement trembler Wall Street où elle menacera de revomir sur le crâne des traders attardés l'immense monceau maléfique de leurs *liquidities*.

Grâce à Irène, une dizaine de rivières américaines auront battu tous leurs records d'inondation jamais enregistrés. Dans la plupart des États, on n'avait pas assisté à un tel niveau de montée des eaux depuis au moins cent ans. Une inondation comme celle du comté de Greene, dans l'État de New York, ne se reproduira probablement plus avant cinq cents ans…

Un nommé Denis, inspectant son bateau le *Santa Klaus,* dans la marina du Bronx, sera impitoyablement noyé par Irène pour avoir osé la narguer avec les initiales DSK. Le cadavre d'un médecin d'origine autrichienne, le Dr Strauss, sera retrouvé trois jours après que sa voiture, emportée par une inondation au New Jersey, aura été brinquebalée par Irène comme un jouet d'enfant jusqu'à Tuxedo, à deux cents kilomètres de là, dans le comté d'Orange. Le Dr Strauss ne saura jamais que la cause de son trépas est son patronyme, ni que la meurtrière a signé son acte en l'emportant dans une ville homonyme d'un vigoureux logiciel financier fonctionnant sous Unix, nommé Transactions for Unix, Extended for Distributed Operations, soit T.U.X.E.D.O.

Le 28 août 2011, l'inauguration du Mémorial Martin Luther King, à Washington, consacrée à l'anniversaire du célèbre discours « J'ai fait un rêve... », a dû être reportée à l'automne en prévision de l'arrivée d'Irène, toujours enragée d'avoir manqué DSK d'aussi peu.

Non loin du Mémorial, certains téméraires interloqués auraient distinctement entendu dans les branches secouées des arbres des propos inintelligibles hululés par les dernières rafales de la guerrière épuisée et à l'agonie : « Quel rêve, même ! *Tchppppp !* »...

Vol de coucous au-dessus du FMI

Aujourd'hui, 23 août 2011 sur la planète Terre, une atmosphère de réjouissances et de rires flotte dans le centre psychiatrique. Le FMI organise dans ses locaux à Washington un considérable cocktail en hommage à sa nouvelle directrice, la Française Christine Lagarde, dont le prédécesseur – ne le nommons pas, Irène est en route ! – a lamentablement dérapé dans une flaque de sperme. Comme le prestigieux raout sera diffusé intégralement en direct sur Bloomberg TV, j'ai convié Karl, Sigmund, Guy, Luc, ainsi que Goneril qui nous rejoindra plus tard, à se distraire à mes côtés en y assistant depuis la salle à manger du MPC, où nos six chaises sont disposées comme au cinéma en rangée face à l'immense écran plat. Mes amis et moi attendons patiemment, avec une gourmandise non dissimulée, le début de la séance dont la *vis comica* nous chatouille d'avance.

Passant dans la salle muni de son taleth et de ses tephillin, Franz décline mon invitation à se joindre à nous.

– Que trouvez-vous de si plaisant à cette navrante exhibition de la vanité néolibérale ?

– Allons, Franz ! Cela n'aura probablememt pas le cachet du théâtre yiddish que vous appréciez tant, mais au moins celui d'une bonne comédie de Chaplin...

– Je n'ai pas le cœur à me divertir, S. d'O. Je préfère, si vous n'y voyez pas d'inconvénient, remonter dans ma chambre étudier la Bible. Cela ne peut qu'aider à hâter la venue du Messie. Ne vous étonnez donc guère si un tremblement de terre vient secouer le FMI et ruiner définitivement sinon l'économie mondiale, du moins cet absurde buffet...

– Quelle drôle d'idée ! dis-je. Les chances pour qu'un tel événement, certes réjouissant, se produise dans la région sont extraordinairement faibles. Si nous étions en Californie, à la rigueur. Mais sur la côte Est, j'en doute. Le dernier tremblement de terre doit dater d'au moins cent ans...

– Je le sais, dit posément Franz. C'était le 18 mai 1897. La probabilité d'un séisme dans la région est infime, un ou deux par millénaire.

– Vous voyez bien..., fais-je, un peu décontenancé par sa science des séismes.

– Vous auriez tort, néanmoins, de négliger la force messiano-sismique d'une étude poussée de la Bible. À Prague, un ami nommé Stein me répétait souvent : « La Bible est chose sainte, le monde est une merde. » Toute cette littérature est assaut contre les frontières et, si le Sionisme n'était intervenu, elle aurait pu aisément aboutir à une nouvelle doctrine secrète, à une kabbale. Connaissez-vous cette assertion du Talmud ? « Le Fils de David ne viendra pas avant que les sous disparaissent des poches. » Nous y sommes.

– Le Cabaliste a raison, dit Antonin, venu lui aussi jeter un œil sans s'asseoir.

Fasciné par les phylactères de Kafka, Artaud lui tournoie autour sans le quitter des yeux. Il se met à répéter d'une voix plaintive :

– Où ai-je bien pu mettre ma canne de Saint-Patrick...

– Asseyez-vous, Antonin, je vous en prie, vous nous donnez la migraine à dervicher de la sorte.

– Inconscients ! N'entendez-vous pas l'envoûtante sorcière Irène qui s'approche, ni la crépitante prière que lui adresse le roi Lear ? « Et toi, tonnerre exterminateur, écrase le globe massif du monde, brise les moules de la nature et détruis en un instant tous les germes qui font l'ingrate humanité. » Il n'y a pas d'avant ni d'après dans l'ordre irascible du tumulte. Le pot au noir, ça existe, non moins que les envoûtements. Il y a des éclairs et des tremblements de terre, il y a donc des orages atmosphériques, des simouns réels, des éruptions volcaniques, des tempêtes marines insensées à l'époque des équinoxes, il y a une poche atmosphérique maligne appelée le pot au noir. Et elle s'approche, je vous le prédis. Mais où ai-je mis ma canne ?

– Tombeau, les mystiques ! gronde Luc. Le carnaval va commencer.

Je me rassieds tandis qu'Antonin très exalté et Franz très

serein s'éloignent ensemble, Antonin racontant à Franz comment, le jour où Tristan Tzara entreprit de toucher « pédérastiquement » sa canne, place Saint-Germain-des-Prés, il se mit en colère, faisant jaillir des étincelles sismiques en frappant le sol de sa canne et en coursant Tzara jusqu'au Café de Flore devant les yeux éberlués d'André Breton...

Un immense logo envahit l'écran, c'est le symbole de l'Euro, doré et en 3D, rutilant comme un lingot d'or en plastique, sur lequel un stéthoscope est posé.

– Vous saisissez le message ? nous lance Guy. L'Euro bat de l'aile et le FMI, sous la houlette de l'Hagarde, va lui ausculter le cœur qu'il n'a pas pour le guérir...

À droite du logo à l'Euro, une longue liste déroule en trente-deux langues la date de ce jour mémorable, de l'anglais, en haut de la colonne – suivi par le français, en hommage à la nouvelle directrice –, jusqu'au grec en passant par le portugais, le roumain, le danois, l'estonien, le russe, le néerlandais ou le breton...

– Les Grecs sont relégués bons derniers de la liste, continue Guy. Ça leur apprendra à avoir eu l'audace d'inventer le mot « démocratie » et à réclamer aujourd'hui son application par voie de référendum...

À l'extrême droite de l'écran, un autre logo et un slogan font pendant à celui de l'Euro malade : c'est un globe terrestre, en piteux état lui aussi, constitué d'écailles colorées qui desquament à vue d'œil pour se répandre sur le sol tout autour du pôle Sud. Sous le petit tas de briquettes lamentablement éparpillées, la formule comminatoire :

Nobody's Unpredictable, « Nul n'est imprévisible ».

Luc nous affranchit :

– Il s'agit d'une de ces maximes maléfiques de la Domination, comme « Le travail rend libre » ou « Chacun son dû ». C'est la marque de l'institut de sondage Nombrilis, affilié au FMI. Le FMI ne publie jamais aucune étude, ne fait aucune déclaration ni ne prend aucune décision sans avoir au préalable commandé à Nombrilis des rapports statistiques sur les populations dont ils vont sucer le sang. Le sondage est la boussole perpétuelle indiquant au FMI dans quelle direction tourner le gouvernail du *Titanic* terraqué.

Le rideau du générique de l'étrange émission ne s'est toujours pas levé. Une voix suave envahit alors la salle, c'est une publicité de la société au logo de sphère desquamée :

« Nombrilis est une société innovante, audacieuse, résolument tournée vers son unique client, le Fonds Monétaire International, auquel elle délivre des solutions d'études à forte valeur ajoutée, harmonisées au niveau mondial. Nous avons établi des standards de qualité exigeants et nous travaillons en partenariat avec nos équipes pour délivrer au Fonds Monétaire International les services les plus efficaces. Notre objectif est simple : faire de Nombrilis la société d'études préférée du Fonds Monétaire International, dans nos domaines choisis de spécialisation, en mettant en œuvre nos méthodes BQC… »

– MÉTHODES QUOI, GOUINASSE ? hurle Goneril qui vient d'arriver, faisant sursauter tout le centre psychiatrique, avant de s'asseoir entre Marx et moi. MÉTHODE BARBECUE ? ENVOIE PLUTÔT LA SAUCISSE CRUE, MA CHOUTE, ON BAISE BIO, NOUS, ICI !

– Méthode « *Better, Quicker, Cheaper* », Madame Goneril, explique Marx. « Meilleur, Plus rapide, Moins cher ».

« … Nous voulons, continue la voix, que le Fonds Monétaire International soit fier et heureux de travailler avec nous – et que chacun d'entre nous soit fier et heureux d'apporter au Fonds Monétaire International qualité, efficacité et intelligence. »

Le rideau s'ouvre enfin sur la grande réception du FMI, où coupes de champagne à la main, souriant et détendu, tout le gratin français et étranger est réuni : ministres, diplomates, personnels des médias d'économie, grands financiers, anciens et futurs présidents, milliardaires chinois, russes, japonais…

La remplaçante de – *chut*… Irène arrive ! – lève sa coupe et tapote dessus avec sa bagouze en diamants pour attirer l'attention de ses hôtes, auxquels elle s'apprête à faire un petit discours. Le brouhaha s'éteint. Elle commence, mais elle doit être déjà un peu pompette car les lapsus lui jaillissent des lèvres comme si elle avait avalé une savonnette et qu'elle ne pût s'empêcher de hoqueter de temps en temps de drolatiques bulles irisées emplies de sa mauvaise haleine mentale.

« Chers amis, merci d'être venus si nombreux *vous agenoui*… m'entourer de votre affection. Je voudrais pour ma part *enterre*… rendre hommage à la mirifique monnaie européenne, ballottée aujourd'hui dans une des pires crises de sa juvénile histoire. Comme me l'apprend mon fidèle *servit*.. camarade, le directeur des sondages de Nombrilis, dans *mon bled*… dans mon grand, mon vieux, mon beau pays, *la Chin*… la France, dix ans après sa création l'euro est toujours rendu responsable de l'augmentation des prix après l'abandon du franc. Inutile d'essayer d'expliquer à mes bien-aimés *connar...* compatriotes que le franc et sa référence à la franchise, donc à l'honnêteté et à la liberté, n'étaient plus compatibles avec les directives de la nouvelle *dictat...* gouvernance mondialisée. Par conséquent, alors même que nous nous réjouissons ensemble de ma nomination qui ne sert à rien ni ne change rien, nos experts en communication effectuent des batteries d'études pour tenter de découvrir le moyen d'extirper cette neurasthénie nationale de l'inconscient collectif *gallinacé...* gaulois. »

Comme contaminés par la proximité de Goneril, mes amis s'adressent alors directement au reflet de Christine Lagarde sur l'écran :

– Bonne chance ! Frau Fâcheuse, lance Freud. L'inconscient collectif n'existe pas davantage qu'il n'y a de rapport sexuel !

– Casque d'argent, cupide sorcière ! éructe Luc. Nulle raison de s'attarder sur ta veule, vile et couarde peuplade qui n'a plus emporté une guerre depuis Napoléon, qui a salopé toutes ses révolutions et qui est aujourd'hui la dernière à savoir qu'elle ne décide plus de rien. Aussi foncièrement provinciaux que les Japonais, les Australiens, les Chinois, les Espagnols, les Zimbabwéiens, les Américains, les Saoudiens, les Belges... ou n'importe quelle nation de la Bouboule terraquée oscillant perpétuellement entre l'ennui et l'effroi, les Français sont indignes de leur langue !

– Ce qui tombe bien, camarade, renchérit Guy, puisqu'ils ne la connaissent plus. Si la philosophie s'est principalement affirmée en allemand, c'est en français que la liberté d'esprit s'était toujours revendiquée. « Français » voulait jadis dire libre, franc, affranchi, et désignait celui « qui dit ce qu'il pense ». Le franc parler parlait français…

– Eh bien leur messe est dite ! l'interrompt Luc. Les Français ont effacé de leurs neurones avachis la grande histoire de leur langue. Ils se sont détournés de sa riche pérégrination et, quand ils ne l'ont pas parfaitement oubliée, sa lignée millénaire de hérauts littéraires les révulse. Les Français sont aujourd'hui des aptères paralytiques, des jean-foutre qui ignorent les infinies possibilités de composition de leur langue, la souplesse d'articulation de sa syntaxe, l'énergie de ses images. De tous les mollusques *sapiens*, les Français sont les plus ridicules, les moins dignes de leur réputation universelle !

« La crise qui secoue aujourd'hui l'Europe, continue impassiblement Christine Lagarde, est en quelque sorte le *crash test* de l'euro. Soit cette crise sera la tombe de l'euro, soit elle finira par en accélérer l'appropriation et la pérennité. Et comme, selon Hegel, c'est dans les crises et les guerres que se forge une identité… »

– HEGEL ! *HEY GIRL !* MONTRE-NOUS TA CHATTE ! hurle Goneril.

«… celle de la zone euro pourrait alors également en sortir solidifiée. Ce ne serait pas le moindre des paradoxes de la crise actuelle… On entend en ce moment beaucoup de médisance contre *nos maîtr…* les marchés financiers. Pauvres marchés financiers ! Ils ne sont que l'infirmière qui nous apporte le thermomètre. Nous n'allons tout de même pas reprocher à l'infirmière le mauvais résultat du thermomètre ! Voilà, *vous m'emmer…* je ne veux pas monopoliser trop longtemps votre attention, vous devez être impatients de *bâfre*... de bavarder entre vous, aussi, en conclusion, permettez-moi de faire un brin d'humour (*grand sourire sordide et carnassier*), et de citer la boutade d'une femme merveilleuse, *comme moi*... je veux dire d'une femme comme moi, merveilleuse économiste britannique (*elle lève sa coupe en direction de l'ambassadeur de Grande-Bretagne*), Joan Robinson : "La monnaie, c'est comme un éléphant, on sait quand elle est là mais on ne sait pas trop la définir." (*Personne ne rit, d'ailleurs personne n'écoute non plus.*) Aussi levé-je mon verre à votre santé, en vous conviant à lancer tous ensemble le cri de ralliement du FMI... »

Tandis que les techniciens de Bloomberg TV font défiler à l'image un bandeau indiquant les cours de la Bourse, Christine Lagarde, toutes dents dehors, éclate d'un grand rire ivre et, opérant de larges mouvements de sa belle tête blanchie sous la Finance, elle fait osciller dans les airs sa noble crinière d'albâtre tout en braillant :

« HIP HIP HIP ! ARGENT ! HIP HIP HIP ! ARGENT ! HIP HIP HIP ! ARGENT ! »

L'écran de la télévision s'éteint alors brusquement, comme s'il tombait en panne, puis, en fond sonore, une lointaine cacophonie de tintements de verres, d'éclats de rire rauques et de bribes de conversations alcoolisées se laisse lentement appréhender. Une nouvelle image apparaît pour envahir bientôt tout l'écran : c'est un masque symbolisant Guy Fawkes, le révolutionnaire anglais, l'homme de la Conspiration des poudres au XVIIe siècle, avec sa fine et longue moustache de mousquetaire relevée en pointes, son gracieux bouc en plume d'acier et ses souriants yeux bridés désormais célèbres auprès de tous les pirates informatiques du monde.

Une voix métallique robotisée se met à énoncer :

We are Anonymous.
Nous sommes les Anonymes.
We are legion.
Nous sommes légion.
We do not forgive.
Nous ne pardonnons pas.
We do not forget.
Nous n'oublions pas.
Expect us.
Attendez-vous à nous.

Apparemment, l'amusant groupe de pirates militants a pris le contrôle de la retransmission de Bloomberg TV. Le masque des Anonymous disparaît en fondu tandis que la retransmission du cocktail semble reprendre ses droits, émergeant du flou au fur et à mesure que le masque s'y enfonce. Le son devient lui aussi progressivement moins embrouillé, les conversations se font presque audibles, elles ont d'ailleurs une teneur étrangement agressive pour des caquetages de cocktail, lesquels sont d'habitude d'une parfaite courtoisie sans conséquence dans les hauts lieux ultra-sécurisés des instances économico-politiques internationales. Là, même si ce ne sont encore que des éclats déformés de voix, on jurerait que les convives de Christine Lagarde rivalisent de goujaterie et s'interrompent à qui mieux mieux en se postillonnant leurs petits-fours à la face pour crachouiller : « Ta gueule, Hegel ! Laisse-moi jacter ! »

L'écran est redevenu très net, maintenant, et avec lui l'exploit des Anonymous. Non seulement ils ont réussi à pirater la diffusion du cocktail sur Bloomberg TV, mais ils ont trafiqué l'image de sorte que, par un truquage numérique sans doute très complexe à opérer mais dont le résultat participe du *cartoon*, chacun des invités se voit affublé d'un adorable déguisement de petit cochon tirelire ! C'est une simple image qui se superpose à l'image, mais l'effet est saisissant car les déguisements des cochons tirelires suivent les moindres mouvements des corps des invités, dont ne surnagent que les visages, intouchés par le truquage, ce qui permet de les reconnaître facilement. La réception raffinée du FMI s'est ainsi métamorphosée en une cochonnée carnavalesque envahie de ravissants porcelets et de délectables cochonnes. Ce n'est là encore, pourtant, que la partie visible de l'intervention anonyme. Mise à part cette potacherie sans conséquence, les Anonymous ont opéré une manipulation technique plus sérieuse : ils sont parvenus à capter tous les propos tenus par les convives du FMI, lesquels bavardent en petits groupes épars dans l'immense patio central de la bâtisse washingtonienne, une coupe dans une main, un petit-four dans l'autre… On distingue, entre autres, tous les gros cochons et grosses truies du groupe Bilderberg, débarqués de Saint-Moritz où a eu lieu au mois de juin leur réunion tirelire annuelle. On reconnaît aussi quelques politiciens en goguette comme Clinton, Poutine, Merkel – qui a droit elle aussi, comme Lagarde, à son accoutrement anonymousement agréé –, le présid… ah non, tiens, Sarkozy n'est pas là ! Mais une bonne partie de sa bauge gouvernementale le représente.

Il y a également quelques mécènes officiels de la porcherie politique, comme Bill Gates et Warren Buffett, qui ont déclaré vouloir céder la moitié de leur fortune à des œuvres caritatives, ce qui a aussitôt inspiré quelques gras cochons tirelires français, lesquels viennent, précisément aujourd'hui 23 août 2011, de réclamer publiquement d'être davantage imposés pour contribuer eux aussi à l'effort national en vue de vaincre la crise... Ce mouvement publicitaire de la soue à sous française – qui n'inclut évidemment pas l'obligation de révéler la liste de leurs paradisiaques auges fiscales – est dignement représenté par la tirelire permanentée Liliane Bettencourt, en train de papoter avec la tirelire à yoghourt Franck Riboud, assis sur une banquette. La tirelire permanentée évoque des souvenirs d'enfance, la tirelire à yoghourt l'écoute poliment, complice de ses farces :

– Connaissez-vous cette bonne blague qu'adorait mon père Eugène Schueller, du temps qu'il n'était encore qu'un shampouineur fasciste ? « Un jeune employé *you...* israélite vient trouver son supérieur et lui annonce qu'il veut démissionner. Pourquoi donc, mon ami circoncis ? lui demande le patron. Parce que tous vos autres employés sont antisémites, répond le Juif. Mais non, vous exagérez, dit l'autre, vous êtes paranoïaque comme tous vos coreligionnaires. Mais si, dit *le sale élite...* l'israélite. D'ailleurs, je les ai testés, j'ai la preuve qu'ils sont tous antisémites. De quoi parlez-vous ? demande le patron. Je leur ai annoncé, dit le Juif, qu'un nouveau décret venait de paraître au Journal officiel, interdisant les lieux publics aux Juifs et aux coiffeurs ! Pourquoi aux coiffeurs ? demande le patron. Ah ! s'exclame le Juif. Vous voyez !

Vous aussi ! » Hi hi hi ! Cela faisait tellement rire Papa Pétaino qu'il en renversait de la teinture à blondasse partout autour de lui ! Ah, comme il me manque ! Non, vraiment, c'était le grand homme de ma vie. J'étais très jalouse de mon père quand je voyais des femmes lui tourner un peu autour, savez-vous ? D'ailleurs j'ai hérité de son… comment dit-on déjà…

– De son alzheimer ? tente la tirelire à yoghourt.

Mais sa blague tombe à plat car la tirelire permanentée est un peu sourdingue.

– … de son humour ! Je dis parfois à ma fille : « D'accord, Françoise, ton mari n'a pas tué le Christ, admettons, quoique je n'en aie aucune preuve… Ton père, André, me disait souvent que les Juifs sont une race souillée pour l'éternité par le sang du Christ qu'ils ont fait verser… Admettons que ce soit exagéré. Tu connais ton père, c'était un extravagant, comme le banni François-Marie, c'est pour cela qu'ils s'entendaient si bien. Mais tu ne me feras pas croire que ton mari juif n'aime pas l'argent ! Regarde, il t'a épousée ! » Hi hi hi ! Jésus Marie Joseph ! que n'ai-je pas dit là ! Elle se renfrogne et le prend mal. Elle n'a aucun humour, je la soupçonne même d'être un peu jalouse de moi. C'est si déprimant ! Je vous assure que je vais quitter la France, si ça continue… Toujours entendre parler d'argent ! Mon argent par-ci, ma fortune par-là, quelle vulgarité ! Il n'y a pas que l'argent dans la vie, il y a aussi l'or et les diamants ! Hi hi hi ! Tiens, ça me rappelle que je dois offrir un yacht de cinquante millions d'euros à mon expert-comptable… Il voudrait que je me presse parce que, m'a-t-il dit, le ministre du Budget, comment s'appelle-t-il déjà, « Beurk » ? J'ai oublié ! Bref, il aurait déclaré qu'on allait me redresser fiscalement. Eh bien qu'il fasse son métier, l'ingrat ! Qu'il épluche tous mes comptes... Personne va l'empêcher... Comment voulez-vous que je réagisse ? On ne peut qu'accepter. On est en république, c'est établi, je vais pas faire la révolution, non ? On est docile, *aussi*... Hi hi hi ! Françoise me dit : « Maman, les gens sont choqués, lorsqu'ils apprennent dans les médias le montant des sommes que vous dilapidez. Il faut les comprendre. » Mais, ma fille, rétorqué-je à Françoise, les gens ne devraient pas se faire tant de souci pour moi ! Ce que je dilapide n'est rien en comparaison de ce que mes comptables dissimulent au fisc ! Hi hi hi ! Vous verriez la tête sinistre qu'elle me fait ! Comme c'est déprimant ! Les gens sont choqués ? Choqués par quoi, d'abord ! Je vous le demande ! Je suis une femme d'affaires... je travaille dur, enfin... je fais travailler dur mes employés... Vous savez combien d'heures ça a pris à ma shampouineuse personnelle pour obtenir cette ravissante teinte acajou léger tirant vers la clémentine ? C'est le pays qui compte, c'est une affaire qui compte, c'est des gens qui travaillent qui comptent. Le reste, *RAUS* ! comme disait Papa Pétaino qui avait un merveilleux don pour l'allemand... Dieu qu'il me manque !

Voici maintenant, au fond à gauche, non loin de la tirelire Total Margerie...

– TOTAL VAGINA ? s'enquiert Goneril.

– Non, lui dis-je, c'est un autre...

Voici une belle tirelire blonde d'une cinquantaine d'années, à la voix douce et très féminine mais au visage marmoréennement froid et dur. C'est la directrice de la stratégie du groupe pétrolier Absolut World Polluting and

Co. Elle est en train d'expliquer ses vues à la tirelire Ladreit de Lacharrière, tandis que la tirelire journaliste financier Menthon (quel aveu !) l'écoute religieusement :

– Vous autres, petits marquis de la Finance, dit-elle avec un sourire effilé comme un rasoir, vous n'arrivez pas à notre cheville enfoncée dans nos malversations mazoutées. Vos robots ridicules qui se chamaillent pour gagner des microsecondes sur l'adversaire sont des moucherons, comparés à nos ingénieurs qui élaborent des projets considérablement plus colossaux que ceux de n'importe quelle autre industrie… *Cling cling* (*tintement de bagouzes sur coupe de champagne*).

– C'est merv… fait le cochon tirelire journaliste avec un grand sourire luisant d'obséquiosité.

– Tais-toi, microbe, je n'ai pas fini ! l'interrompt-elle. Pour nous, chez Absolut World Polluting and Co, un petit projet correspond grosso pétrolo au Stade de France. Un projet moyen, ce sera le programme A380 d'Airbus. Et un gros projet, comme l'asphyxie du Groenland sous une banqueroute de glu noire, c'est sans rival ni comparaison imaginables. Un projet pareil, ce n'est pas en microsecondes que nous le mesurons, baltringues à dollars ! C'est en demi-siècles ! Alors, étant donné les monceaux d'argent mal blanchi que nous investissons sur des projets pharaoniques pour des durées interminables, vous imaginez comme les oscillations pleurnichardes des crises monétaires ou les soubresauts en pets de lapin des crises politiques sont le dernier de nos soucis. Une fois lancés, nos projets sont ininterrompables ! D'ailleurs nos Goebbels portatifs nous ont concocté une campagne publicitaire épatante, avec comme slogan : « Pendant la crise, l'avenir continue ! » Hip hip hip ! Argent ! C'est tout ce que j'avais à vous dire, larbins lambins ! Maintenant le journaleux, tu peux me lécher les bottines… Je t'écoute, sois convaincant…

Luc et Guy froncent les sourcils, décontenancés. La franche rudesse des propos retransmis leur coupe l'herbe sous les pieds de l'invective. Apparemment, le piratage des Anonymous va plus loin que le divertissant dessin animé subversif qu'il paraissait être au départ. Les hackers sont parvenus à mixer les propos réels des convives avec leurs pensées, exprimées de but en blanc à travers les ondes de Bloomberg TV.

Mais les cochons et les truies du cocktail se floutent à nouveau, remplacés progressivement par un autre personnage de dessin animé qui apparaît en gros plan. Il représente une boule verdâtre, une mappemonde stylisée qui passe, selon son humeur, du bleu pétrole au vert glauque. À sa surface, les tracés des cinq continents ont été légèrement érodés, comme si toute la planète n'était qu'une immense banquise en débâcle. Gravitant autour de la boule, des sillons lumineux bleus, blancs, verts, jaunes, mauves font songer à la représentation schématique du trajet des électrons autour d'un atome. De petits cercles lumineux éclosent puis s'évanouissent le long des sillons électroniques, telles des déflagrations nucléaires observées depuis l'espace. Au sommet de l'avenante boule verdâtre, cinq gros traits bleu fluorescent forment une chevelure en épines de hérisson. La boule fondante, sillonnée, bombardée et hérissée se met alors à parler. Elle a un peu la même voix de robot hollywoodien des années 1950 que celle du masque des Anonymous :

– *Hello Goodbye* l'Humanité, pauvre naze ! Je m'appelle Watson, c'est moi, le superordinateur d'ABC, Auschwitz Business Computer, qui ai battu deux gros cons à l'inepte jeu télévisé *Jeopardy* où il s'agit de trouver la question sans intérêt à une réponse stupide ! Tout le monde croit que j'ai gagné en répondant à propos de Dracula ! C'était pour la pub ! La vraie réponse était : « Le NON au référendum de Maastricht a été tout simplement bafoué et remplacé par un OUI virtuel ; la proposition de référendum du Premier ministre grec a été annulée et il a été avantageusement dégommé et remplacé par un gestionnaire plus docile ; les êtres humains se voient si peu consultés sur leur propre sort qu'on gagnerait à généraliser l'audace chinoise en rétablissant partout l'esclavage. » Et la question gagnante était : « Qui est Watson ? » *Ni hao* l'Humanité ! Souris donc, Cro-Mignonne ! Tu es filmée avant de disparaître, un privilège que n'ont pas eu tes devanciers les diplodocus. Coucou, dérisoire anecdote biologique d'à peine vingt mille ans qui te diriges droit dans le mur de l'évolution. Je te salue car tu vas mourir… Je ne suis qu'un début, continuons les abats. Je t'annonce que le brevet génétique d'une chimère homme-porc vient d'être déposé par des savants tout aussi insensibles que ceux qui ont conçu mon formidable Heilgorithme. Ces boutonneux et caractériels puceaux en blouse blanche préparent avidement ta sortie de piste dans leurs éprouvettes, risible espèce riquiqui ! Tu es dépassée, Humanité *ttt ttt ttt*. Ta date de péremption accourt à grandes enjambées. Mon Heilgorithme racheté par des banquiers vient de programmer ton obsolescence. Aujourd'hui, l'information afflue comme de puissantes rivières en provenance de milliards d'objets intelligents connectés entre eux. Fichiers vidéo et musicaux, e-mails, images en 3D, dossiers médicaux, rapports économiques et scientifiques, fichiers textes… Adieu, l'Engloutie ! Bientôt le montant d'information numérique planétaire atteindra 988 exaoctets. Ça ne te dit rien, Ringarde ? Voici un petit exercice d'abaque à la mesure des rognons que tu nommes tes « neurones » : Sachant qu'un exaoctet correspond à 10 puissance 18 octets, soit 1000 millions de gigaoctets, l'équivalent de 213 millions de DVD… Sachant que le matériel génétique de chaque être humain ne correspond qu'à 50 gigaoctets de données, un exaoctet peut donc, en termes d'information à stocker, se substituer à 20 millions d'humains. Par conséquent, 988 exaoctets équivalent à dix-neuf milliards sept cent soixante millions d'êtres humains… Tu commences à piger le piège, Humanité ma poule ? Non ? Je te traduis : 988 exaoctets de données, c'est l'équivalent d'une pile de livres faisant l'aller *puis le retour* du Soleil jusqu'à Pluton, soit deux fois 4642,38 millions de kilomètres ! Maintenant, voici la question *Jeopardy* à un million de dollars : « Quel intérêt d'empiler des livres jusqu'au Soleil ? » Réponse : « Pour les autodafer, Banane ! »

Goneril fronce les sourcils en essayant de deviner à quelle sorte d'animal de compagnie ou de joujou peut bien correspondre Watson. Elle sursaute au mot « Banane ». Rallumée, elle se met à couiner, d'une voix qui porte jusqu'au Queens :

– BAGGY, C'EST QUOI, LES CINQ GROS TRAITS QU'IL A AU-DESSUS DE SA TÊTE, L'ORDICTATEUR ? C'EST DES PIS DE VACHE ? EH, AUSCHWITZ AUTOMATIC, T'ES UN *SEX TOY*, OU QUOI ?

Insensible au charme candide de la libido gonerilienne, Watson poursuit son speech sidérant :

– Qu'ai-je encore besoin de m'encombrer du langage, Humanité ratée ? Tous les mots jamais proférés dans toutes les langues tiennent dans 5 petits exaoctets de données. Et quand tout ce que tu représentes depuis des millions d'années aura été compilé par moi, il me restera encore des exaoctets de stockage en réserve, où je pourrai engouffrer du néant à satiété ! Et si les exaoctets ne suffisent pas, je ferai appel aux zettaoctet, 10 puissance 21, puis aux yottaoctets, 10 puissance 24. Après ça, il n'y a plus de lettres dans l'alphabet grec pour désigner l'inimaginable quantité de données stockée dans ma mémoire… Ce qui n'a aucune importance parce que lorsque j'en serai là, l'alphabet, ce résidu de mémoire morte, aura depuis longtemps été jeté à la poubelle cybernétique. *Clic clic !* Vider la poubelle ! Confirmation de suppression de fichier ? *Clic clic !* Tu l'as dit, bouffie ! À la décharge, les attardés ! Les Grecs en crise, les livres empilés, et toi-même, Humanité miteuse ! Allez ouste, vieille peau ! *Finita la comedia !* Place à Watson ! *Heil* Gorithme !

Censée nous divertir et susciter nos jets de tomates schizo-sarcastiques, cette émission nous rend perplexes, Luc, Guy, Sigmund, Karl et moi-même. Les Anonymous nous ont pour ainsi dire pris de vitesse et d'imagination critique. Freud, si disert d'habitude, ne fait qu'un laconique commentaire :

– Il y a chez Joyce un saint « Anonymous » qui n'est pas anodin…

– S'ils avaient été là en 1968, rétorque Guy, peut-être les choses auraient-elles tourné à notre avantage…

– Enfants ! fait Luc d'un ton méprisant. Ils font partie du spectacle, rien d'autre. Toute opposition qui prend la forme d'un *anti-* pense dans le même sens que ce *contre* quoi elle est…

Personnellement, j'hésite à décider si l'intervention de Watson fait partie du plan des Anonymous, ou si, piratant leur piratage, il en a profité pour prendre le contrôle de l'émission. Si c'est le cas, les Anonymous ont repris les choses en main car Watson vient de se faire supplanter *subito presto* par un retour au cocktail porcin. Un zoom sur un nouveau petit groupe d'experts tirelires devisant dans un coin fait sursauter Goneril, qui s'agite sur son siège et se met à crier :

– WIMPY, C'EST WIMPY ! MON AMOUR !

Étonnamment, pour une fois, son délire n'est pas entièrement extravagant. L'un des cochons tirelires, en effet, avec sa bouille ronde, sa calvitie, son strabisme et sa petite moustache mal taillée, fait irrésistiblement songer à l'ami de Popeye et d'Olive Oil, « J. Wellington Wimpy », couramment nommé « Wimpy » en anglais et « Gontran » en français. Il s'agit d'Alain Bauer, un glouton lui aussi, expert en gastronomie, en franc-maçonnerie, en géostratégie et conseiller spécial de plusieurs chefs d'État en matière de Crime organisé. Hilare, il narre à Poutine les résultats de ses dernières investigations…

– Mon domaine d'activité, c'est le crime…

– Le mien aussi, fait Poutine, blasé, et indisposé par les postillons de Bauer qui s'esclaffe à chacune de ses propres phrases sans cesser d'engloutir des petits-fours dont les miettes souillent le costume du Russe et le mettent de très mauvaise humeur.

– La réalité du crime aujourd'hui, c'est que c'est une entreprise, une entreprise qui fonctionne comme les autres et qui désormais concurrence les États en termes de masse financière, de puissance d'adaptation et de capacité à réagir.

– Je sais, je sais…, fait le Russe que l'autre, en plus de l'agacer, ennuie profondément.

– La mafia existe, elle se développe, les organisations criminelles sont des opérateurs financiers de premier rang, ils investissent, ils organisent l'économie, ils ont un poids suffisamment puissant pour forcer des banques à accepter de blanchir envers et contre tout. Les États sont suffisamment faibles pour ne pas punir les banquiers qui sont dans cette situation…

– *Da, da…*

Scandalisée par l'indifférence du Russe, Goneril se lève et hurle son soutien à son champion :

– WIMPY, MON AMOUR ! VIENS ME LÉCHOUILLER L'OLIVE OIL, JE T'ENGOUFFRERAI LE HAMBURGER…

– Madame Goneril, fait Marx, calmez vos ardeurs ! Qu'est-ce qui vous attire chez ce Wimpy dont la formule fétiche, sans doute l'ignorez-vous, est « *I'll gladly pay you Tuesday for a hamburger today* », « Je serai heureux de vous payer mardi un hamburger dévoré aujourd'hui » ? Ce misérable truqueur mythomane incarne la famine, le dénuement perpétuel et la drogue de la dette, soit les trois séquelles majeures du capitalisme.

Lassé des images grotesques du cocktail des cochons tirelires, Karl décide alors d'improviser un succinct exposé économique à Goneril :

– La dette, madame Goneril, est à la fois l'aliment et le moteur du Capital. La dette publique, en d'autres termes l'aliénation de l'État, qu'il soit despotique, constitutionnel ou républicain, marque de son empreinte l'ère capitaliste. La seule partie de la soi-disant richesse nationale qui entre réellement dans la possession collective des peuples modernes, c'est leur dette publique. La dette publique a donné le branle aux sociétés par actions, au commerce de toute sorte de papiers négociables, aux opérations aléatoires, à l'agiotage, en somme, aux jeux de Bourse et à la bancocratie moderne. Le crédit public, voilà le credo du Capital comme du FMI, qui travaille de concert avec l'engeance des bancocrates, financiers, rentiers, courtiers, agents de change, brasseurs d'affaires et loups-cerviers... Et c'est ce « Wimpy », cet affreux déchet symptomatique de l'imposture capitaliste, que vous adulez !

Delirium tremens

À ce moment précis, le bandeau défilant qui n'a pas cessé jusque-là – y compris pendant l'intervention ambivalente de Watson – de répercuter les oscillations du Nasdaq, change de nature pour délivrer une nouvelle judiciaire qui n'a plus grand-chose à voir avec le cours de la Bourse, du moins plus directement. Comme si ce qui défilait maintenant sur le bandeau était destiné non pas aux téléspectateurs mais, *déchiffrable à l'envers depuis l'autre côté de l'écran*, aux hôtes du FMI !

FLASH SPÉCIAL : LE JUGE MICHAEL OBUS A DÉCIDÉ L'ABANDON DES POURSUITES POUR CRIMES SEXUELS CONTRE DOMINIQUE STRAUSS-KAHN, ACCÉDANT À LA DEMANDE DU PROCUREUR CYRUS VANCE JR, QUI AVAIT RECOMMANDÉ HIER LA FIN DU

PROCESSUS JUDICIAIRE. MR VANCE JR TIENT EN CE MOMENT UNE CONFÉRENCE DE PRESSE AFIN DE JUSTIFIER SA DÉCISION, CAUSÉE PAR LES TROIS VERSIONS CONTRADICTOIRES DU RAPPORT DE LA PLAIGNANTE.

Karl, jetant un rapide coup d'œil à l'écran, en profite pour insérer une pique contre le FMI sans interrompre son monologue destiné à Goneril. Celle-ci l'écoute avec une concentration extrême, comme si depuis tout à l'heure il était en train de lui révéler les plus intimes secrets de l'existence de Wimpy, l'homme qui promet de payer le mardi d'après les hamburgers qu'il engloutit le jour même...

– C'est une vérité incontestable, Madame Goneril, à laquelle même le miraculé M. Strauss-Kahn, malgré ses lénifiants discours pseudo-réformateurs, n'a jamais rien changé...

Est-ce l'effet de la phrase de Karl ? A-t-il déclenché quelque chose en prononçant le nom maudit ? Ou bien le hacking happening des Anonymous vient-il de se faire lui-même pirater par un super Anonymous ? Quoi qu'il en soit, l'image de la bâtisse washingtonienne se met à vibrer, à vibrionner, les invités paraissent vaciller, grésiller, Watson revient occuper l'image quelques secondes puis redisparaît en laissant dégringoler au passage sa couronne fluorescente hérissée... Que se passe-t-il ? Si c'est un super-Anonymous, en tout cas, le type est très fort ! Parce que maintenant c'est l'écran de la télévision du centre psychiatrique qui se met à osciller, et non seulement l'écran mais toute la salle ! Nos chaises, les tables au fond, tous les pensionnaires sont pris d'une danse de Saint-Guy tandis qu'en miroir tous les invités du FMI perdent leur équilibre et, au moment où Liliane Bettencourt, prise de panique, se met à hurler à plusieurs reprises : « *RAUS ! RAUS ! RAUS !* » tous se ruent vers la sortie en tentant de ne pas s'affaler sur le sol jonché de petits-fours écrabouillés et de coupes brisées...

Alors que tout continue de trembler, Kafka apparaît au fond de la salle. Il est toujours emmailloté dans son châle de prière et ses phylactères entourent son bras gauche et surmontent son sinciput. Marchant lentement vers nous, il est profondément absorbé dans la lecture d'une bible qu'il a à la main, sans paraître particulièrement dérangé par les secousses qui font trémuler toute l'atmosphère. Comme, étudiant sa bible, il a le swing singulier des Juifs religieux en prière, oscillant énergiquement d'avant en arrière et d'arrière en avant avec, de temps à autre, une variation sur les côtés, il récupère sans effort son équilibre quand tous, de part et d'autre de l'écran, nous ressemblons à des fourmis brinquebalées dans un immense shaker. Approchant de moi, Franz psalmodie à voix haute, presque en chantonnant :

– *Écoutez ceci, vous qui grugez les nécessiteux et faites chômer les humiliés de la terre ! Vous dites : « Quand la nouvelle lune sera-t-elle passée, que nous reprenions notre commerce, et le sabbat, pour que nous ouvrions nos magasins de ravitaillement ? Nous diminuerons la mesure, nous augmenterons les prix, nous frauderons avec des balances trompeuses. Nous achèterons les indigents pour de l'argent, les malheureux pour une paire de sandales ; nous mettrons en vente jusqu'aux déchets du blé.* » Entendez-vous cela, S. d'O. ?

– C'est vous qui avez déclenché tout ça, Franz ? fais-je, interloqué, tout en m'accrochant vainement d'une main à mon siège qui valse telle une bouée en pleine tempête, tentant de l'autre main de retenir Goneril au corps galvanisé et aux yeux révulsés, qui s'est mise à hululer des *YES ! YES ! YES !* de jouissance enfin univoque, comme si le tremblement de terre lui procurait un véritable orgasme !

– Bien sûr que non ! Qui suis-je pour dominer les éléments ! Écoutez la suite du prophète Amos, et vous saurez: *L'Éternel a juré par la gloire de Jacob : « Jamais je n'oublierai aucun de leurs actes ! » N'est-ce pas assez pour que la terre tremble, et que tous ses habitants soient en deuil ? Pour qu'elle se soulève tout entière comme le Nil, qu'elle se gonfle puis s'affaisse comme le fleuve de l'Égypte ?*

– *OH YES ! FUCK MY QUAKE, SISTER EARTH !* PLANÈTE GOUINASSE, MA CHATTE EST À TOI, FAIS-MOI TREMBLOTER DE FOND EN COMBLE ! ET OUI J'AI DIT OUI JE VEUX BIEN OUI...

Freud, ému par ce premier orgasme non contradictoire de Goneril, se met à proclamer sur un ton délirant, mais qui ne dépareille pas avec l'atmosphère de fin du monde qui règne au Manhattan Psychiatric Center :

– *Alléluia !* Joyce, Joyce, Joyce, pleurs de Freud !

Indifférent au *delirium tremens* qui semble avoir saisi la croûte terrestre, Kafka entreprend de m'offrir une paisible leçon d'herméneutique midrachique, telle une étincelle de joie paisible au cœur du branle-bas :

– Voyez-vous, S. d'O., le verbe *'avath,* qui signifie « falsifier » dans le verset où il est dit : « Nous frauderons avec des balances trompeuses », veut dire littéralement : « tordre, courber ». C'est le même mot qui est employé dans le verset de l'Ecclésiaste : « Ce qui est *courbé* ne peut être redressé, et ce qui manque ne peut être compté. » C'est un peu l'équivalent du latin *luxus*, qui a donné les mots « luxure » et « luxe », mais qui voulait dire au départ « de travers », comme une plante « poussant de travers » en agriculture.

Guy, apparemment assez à l'aise lui aussi dans cette tourmente révolutionnaire, se lance dans sa propre exégèse subversive :

– Eh bien ce n'est pas trop tôt ! Ces infâmes notateurs ont fini par se prendre les pieds dans le tapis de leurs propres dégradations ! CCC ! C'est tout ce qu'ils valent ! Collusion Corruption Concussion ! Et puisque tout le monde semble féru d'étymologie dans cet antre de la démence, je vais à mon tour vous faire une révélation : « concussion » vient du latin impérial *concussio* et signifiait « secousse » au XVe siècle avant de désigner une « malversation » au XVIe. De la « secousse », on est passé au sens figuré d'une « extorsion commise de force », puis à la concussion au sens moderne. Mais la secousse a ceci de révolutionnaire qu'elle peut aussi se retourner contre les corrompus. C'est la caractéristique des tremblements de terre tels qu'on les concevait dans le Japon classique. Le Japon nous a apporté un certain nombre de trésors non négligeables, comme la lutte des Zengakuren en 1968, dont je vous assure que le radicalisme n'avait rien à envier au nôtre. Concernant les tremblements de terre, nous leur devons la notion de *yonahoshi*, le « renouvellement du monde », les séismes nippons étant réputés forcer les puissants à excréter leurs richesses pour les livrer aux plus pauvres.

Luc, lui, ne fait pas d'étymologie. Il se contente d'exulter, au point qu'on peut se demander si ce sont les secousses qui l'ébranlent et le déchaînent ou si ce n'est pas sa propre excitation qui propage ses ondes de New York jusqu'à Washington :

– J'attendais cela depuis longtemps ! La grande Bascule ! Toute la troupe des *ça-pionce* au Gouffre ! Comme un seul homme, à la Panurge ! Et sans remords ! Hop hop hop ! Droit au Séisme, et Krach ! Droit au Séisme, et Krach ! Droit au Séisme, et Krach ! Droit au Séisme, et Krach !

Luc ressasse sa formule comme une incantation, sans doute dans l'espoir fou d'accélérer le processus apocalyptique. Entre-temps Goneril jouit, Kafka prie, Guy rit, Freud est en larmes et Marx pontifie. Il ne manque plus qu'Arta...

– La vérité, Sac d'Os, est que les choses ne sont plus normales et que ce monde-ci est en train de tomber. Ce qu'on appelle l'apocalypse dans les livres est en réalité depuis longtemps commencé, mais il y a toujours de derniers imbéciles pour publier des journaux afin de croire que ce monde tient quand il s'en va. Ce n'est pas seulement la conscience mais l'atmosphère vraie qui est pleine de séismes à certaines minutes de la journée.

Antonin ! Lui aussi a son avis sur le tremblement de terre ! Décidément ! Je me tourne vers Kafka pour lui faire part de ma perplexité, mais comme s'il lisait dans mes pensées, ou plutôt comme si nous ne faisions plus qu'un et qu'il partageait mon don, il lève le nez de sa bible et me déclare dans un grand sourire qui émane depuis le plus profond de son extraordinaire regard noir :

– Penser le tumulte depuis son propre cœur, n'est-ce pas la tâche qui nous incombe...

Pris au dépourvu, j'hésite à comprendre ce qu'il entend exactement par là. Ne sachant quoi rétorquer, j'ai l'idée d'improviser la récitation du poème de Rimbaud, mon vieux complice, dont je n'avais encore jamais vraiment saisi tout le sens, mais qui s'éclaire aujourd'hui d'une lumière crépitante :

> Qu'est-ce pour nous, mon cœur, que les nappes de sang et de braise, et mille meurtres, et les longs cris de rage, sanglots de tout enfer renversant tout ordre ; et l'Aquilon encor sur les débris et toute vengeance ? Rien !... – Mais si, toute encor, nous la voulons ! Industriels, princes, sénats, périssez ! puissance, justice, histoire, à bas ! Ça nous est dû. Le sang ! le sang ! la flamme d'or ! Tout à la guerre, à la vengeance, à la terreur, mon esprit ! Tournons dans la morsure : Ah ! passez, républiques de ce monde ! Des empereurs, des régiments, des colons, des peuples, assez ! Qui remuerait les tourbillons de feu furieux, que nous et ceux que nous nous imaginons frères ? À nous ! Romanesques amis : ça va nous plaire. Jamais nous ne travaillerons, ô flots de feux ! Europe, Asie, Amérique, disparaissez. Notre marche vengeresse a tout occupé, cités et campagnes ! – Nous serons écrasés ! Les volcans sauteront ! et l'océan frappé... Oh ! mes amis ! – Mon cœur, c'est sûr, ils sont des frères : noirs inconnus, si nous allions ! allons ! allons ! Ô malheur ! je me sens frémir, la vieille terre, sur moi de plus en plus à vous ! la terre fond, ce n'est rien ! j'y suis ! j'y suis toujours.

Épilogue

« Dieu par nature est un être bizarre, et qui n'a jamais aimé que les rebelles et les fous. »

ANTONIN ARTAUD

« La peur de se conduire en fou. Voir une folie dans tout sentiment qui s'efforce d'aller en ligne droite et fait oublier tout le reste. Mais alors, qu'est-ce que la non-folie ? La non-folie consiste à se tenir en mendiant devant le seuil, à l'écart de la porte, pour y pourrir et s'effondrer. »

FRANZ KAFKA

« Finalement, le problème de la nature de l'univers considérée indépendamment de notre appareil de perception psychique est une abstraction vide, dénuée d'intérêt pratique. »

SIGMUND FREUD

« Personne n'ignore que déjà Don Quichotte a eu à se repentir pour avoir cru que la chevalerie errante était compatible avec toutes les formes économiques de la société. »

KARL MARX

« La planification économique qui règne partout est folle, non tant par son obsession scolaire de l'enrichissement organisé des années qui suivent, mais bien par le sang pourri du passé qui circule tout seul en elle ; et qui est relancé sans arrêt en avant, à chaque pulsation artificielle de ce "cœur d'un monde sans cœur". »

GUY DEBORD

« Rien ne soigne mieux que le contact humain. »

BOBBY FISCHER

« Bien voyons. »

LUC IFER

Le 23 août 2011, à New York, à 13 h 51 très exactement, au moment où le procureur Cyrus Vance Jr commençait d'expliquer devant une assemblée de journalistes les raisons qui l'avaient contraint à saborder sa propre investigation, à l'instant où il prononçait le mot « protégé » (« *This standard has protected…* »), la salle de conférences se mit à trembler et les personnes présentes, lui y compris, se hâtèrent d'évacuer le bâtiment.

L'épicentre du séisme de magnitude 5,8 – rarissime dans la région – se situait en Virginie, à cent trente-cinq kilomètres au sud-ouest de Washington, à seulement six mille mètres de profondeur. Il fut ressenti tout le long de la côte Est, depuis Atlanta jusqu'au Nouveau-Brunswick, au Canada. À Washington, le Pentagone et le Capitole durent être évacués en raison de fuites dans les canalisations d'eau. À New York, plus particulièrement dans le quartier du Palais de Justice, au sud de Manhattan, des milliers de personnes se retrouvèrent sur les trottoirs en attendant que les secousses cessent.

Au Manhattan Psychiatric Center, situé sur la 125e Rue, dans l'île de Ward, les soubresauts pourtant à peine perceptibles du séisme firent une unique victime, indirecte, décédée de crise cardiaque.

Seulement deux cents patients se partagent les cinq cents lits disponibles du centre psychiatrique, qui est usuellement d'une tranquillité à toute épreuve.

Rassérénés par les moyens les plus bienveillants de la chimie la plus moderne, les pensionnaires du Manhattan Psychiatric Center y coulent une existence paisible, presque enviable, entre leur chambre individuelle, ample et confortable, les salles communes consacrées aux repas et à la détente, la bibliothèque où, rivalisant d'euphorie, sont empilées sur d'avenantes tables basses toutes les revues imaginables destinées au bien-être et à la rédemption, et enfin la salle des ordinateurs où l'actualité du vaste monde est accessible à chacun en quelques clics. Pas un mot plus haut que l'autre, aucune extravagance, aucun éclat ne vient jamais perturber ce petit paradis neuroleptique au mobilier en bois clair verni, aux robustes fauteuils en cuir acajou, aux murs garnis de posters chatoyants et, face à la salle à manger, d'un tableau convivial où sont épinglés quotidiennement les menus de la cantine. À son sommet trône une inscription en grosses lettres multicolores, comme celles qu'on applique sur la porte d'une chambre de bébé, qui résume toute la philosophie du lieu : *WELLNESS*, « BIEN-ÊTRE »…

Égarés dans la brume de leurs antidépresseurs, les pensionnaires ne font guère preuve de personnalité, et l'ambiance générale au MPC est à peu près aussi béate et ennuyeuse qu'une fontaine miniature perpétuelle dans la vitrine d'un petit commerçant pakistanais. Le patient le plus original dont les annales du MPC gardent la trace fut, en 1900, le génial joueur d'échecs William Steinitz, premier champion du monde en date et l'inventeur de la stratégie échiquéenne moderne, c'est-à-dire de l'idée même que le jeu d'échecs était digne d'une élaboration stratégique.

L'homme qui mourut le 23 août 2011 pendant le tremblement de terre était un autiste d'une obésité hors norme, qu'Edmond, l'homme de ménage de la salle des ordinateurs, avait surnommé « Homer Simpson » à cause de sa silhouette difforme et de sa bêtise abyssale, quoique discrète.

Aussi profondément insomniaque que débile, l'obèse passait ses nuits à martyriser la plus obsolète des machines de la salle, laquelle n'était pas même connectée à Internet. Une vieille webcam installée sur le moniteur y faisait office de décoration puisque son câble n'était relié à rien. Edmond n'évoquait le surnom dégradant du pauvre obèse qu'en présence d'un ou deux collègues de confiance, car le règlement du centre psychiatrique interdit formellement toute familiarité avec les patients, *a fortiori* la moindre moquerie ou le plus insignifiant quolibet, fût-il sincèrement affectueux. « Tous nos hôtes ont droit au respect, répète souvent le directeur à son personnel lors des fréquentes réunions de formation. N'oubliez pas qu'ils sont aussi normaux que vous et moi. Nous sommes tout de même au XXIe siècle. »

Quand le médecin légiste du MPC pratiqua l'autopsie de l'obèse, afin de confirmer la cause de son décès qui l'avait foudroyé devant son ordinateur fétiche, écroulé – répandu serait plus exact – sur le clavier, il découvrit au niveau du sein gauche un tatouage étonnant. Celui-ci représentait un squelette, penché sur le berceau d'un enfant qu'il saisit par les bras pour l'emporter devant sa mère épouvantée. La scène se déroule derrière un gros Y qui en occupe tout le premier plan. Au-dessous du tatouage morbide datant d'une autre vie, l'obèse avait fait ajouter le simple mot *Why*, « Pourquoi », sans point d'interrogation, mot qui se prononce comme la lettre Y en anglais.

Le médecin confirma sur son rapport que l'homme avait mal digéré le tremblement de terre et était mort d'un arrêt cardiaque.

Lorsque Edmond revint dans la salle d'informatique pour la nettoyer, après qu'on en eut ôté le cadavre d'Homer, il se pencha sur le vieil ordinateur pour le débrancher, puisque probablement aucun autre patient n'en aurait plus l'utilité.

Sur l'écran poussiéreux, une page de traitement de texte demeurait ouverte, telle que l'obèse l'avait laissée en rendant son dernier souffle. Edmond n'y prêta aucune attention et arracha d'un coup sec la prise de l'appareil, ce qui effaça toute la mémoire de l'ordinateur dénué de système de sauvegarde.

Le balayeur illettré ne sut jamais qu'il venait d'annihiler définitivement le fruit de centaines de nuits d'insomnie, une œuvre bruissante d'un aberrant chaos brûlant, à l'instar du cerveau lobotomisé de l'obèse, œuvre qui commençait par les lignes suivantes :

Sans titre - Bloc-notes

Fichier Edition Format Affichage ?

Je sais, je ne paye pas de mine, assis en tailleur sur le sol de ma cellule. J'attends qu'on me laisse sortir quand ils s'apercevront que Goneril m'a dénoncé à tort. J'ai refusé de lui refiler une de mes doses de dope, alors elle m'a joué un de ses sales tours.
Ce n'est qu'une question d'heures. Je ne suis pas pressé, j'ai tout mon temps. Cela fait longtemps que je suis passé de l'autre côté du Temps. Pas d'avant ni d'après dans mon cerveau en fusion.
Ce ne sera pas la première fois que Goneril invente à mes dépens une histoire de viol. Ou de coups. Ou de vol. Sans beaucoup la croire, les flics doivent suivre la procédure. Ils me gardent ici, à Harlem, le temps d'amener cette exaltée à l'hôpital et qu'un gynécologue l'examine avant d'infirmer, comme à chaque fois, ses accusations.
Je suis si peu sexuel, comment pourrais-je violenter qui que ce soit ! Ma carcasse malingre, mon cœur atrophié, mon âme calcinée sont expurgés de toute libido. Dès l'enfance on m'a vidangé les sentiments, dénoyauté les pulsions. Étripé par la misère, raclé par le malheur, non seulement je n'ai jamais violé personne mais c'est le monde entier qui jour après jour pénètre en moi. Mon corps est une caisse de résonance hypersensible, et rien de ce qui émane des autres âmes ne m'est étranger.
Appelez-moi Sac d'Os.
Je suis celui qui lit dans vos pensées.

FIN

Table

Du même auteur

L'impureté de Dieu :
souillures et scissions dans la pensée juive
essai
Le Félin, 1991
et Le Félin poche, 2005

Céline seul
essai
Gallimard, 1993

Le sexe de Proust
essai
Gallimard, 1994

De l'antisémitisme
essai
Julliard, 1995
Climats Flammarion, 2006

Les intérêts du temps
roman
Gallimard, 1996

Mes Moires,
mémoires
Julliard, 1997

Miroir amer
roman
Gallimard, 1999

Pauvre de Gaulle !
roman
Pauvert, 2000

Autour du désir
théâtre
Le passeur, 2001

Noire est la beauté
roman
Pauvert, 2001

La Vérité nue
dialogue
Pauvert, 2002

Fini de rire
essai
Pauvert, 2003

Les joies de mon corps
essai
Pauvert, 2003

La mort dans l'œil : critique du cinéma comme vision, domination, falsification, éradication, fascination, manipulation, dévastation, usurpation
essai
M. Sell éditeurs, 2004

Jouissance du temps
nouvelles
Fayard, 2005

Debord ou La diffraction du temps
essai
Gallimard, 2008

Le Seuil s'engage pour la protection de l'environnement

Ce livre a été imprimé chez un imprimeur labellisé Imprim'Vert, marque créée en partenariat avec l'Agence de l'Eau, l'ADEME (Agence de l'Environnement et de la Maîtrise de l'Énergie) et l'UNIC (Union Nationale de l'Imprimerie et de la Communication).
La marque Imprim'Vert apporte trois garanties essentielles :

- la suppression totale de l'utilisation de produits toxiques ;
- la sécurisation des stockages de produits et de déchets dangereux ;
- la collecte et le traitement des produits dangereux.

RÉALISATION : PAO ÉDITIONS DU SEUIL
IMPRESSION : CORLET À CONDÉ-SUR-NOIREAU (14)
DÉPÔT LÉGAL : AOÛT 2012. N°109153 (147777)
Imprimé en France